LA CHAIR DE LA ROBE

DU MÊME AUTEUR

Un été sans histoire, Mercure de France, 1973.
Je m'amuse et je t'aime, Gallimard, 1974.
Grands cris dans la nuit du couple, Gallimard, 1976.
La Jalousie, Fayard, 1977.
Une femme en exil, Grasset, 1979.
Divine Passion, Grasset, 1981.
Envoyez la petite musique..., Grasset, 1984.
Un flingue sous les roses, Gallimard, 1985.
La Maison de jade, Grasset, 1986.
Adieu l'amour, Fayard, 1987.
Une Saison de feuilles, Fayard, 1988.
Douleur d'août, Grasset, 1988.
Quelques pas sur la terre, Gallimard, 1989.

Madeleine CHAPSAL

LA CHAIR DE LA ROBE

FAYARD

Aux ouvrières de la Couture

La vérité, ça n'est pas toujours facile à dire, ça n'est pas toujours facile à entendre — mais ça vaut la peine !

Madeleine VIONNET

Les mains de Vionnet, les mains de Maman

Elle est assise, ou plus exactement pelotonnée sur sa chaise-longue, dans cette liseuse de marocain rose plissé à la main dont l'indicible raffinement, malgré l'usure, révèle toute une époque : celle où la fabuleuse Madeleine Vionnet était encore à la tête de sa célèbre maison de couture, la plus glorieuse de toutes celles qui, à Paris, créèrent l'inimitable élégance de la mode française d'entre les deux guerres.

Quel âge a-t-elle exactement, en cette année 1973 ?

— Mon médecin me dit que je serai sa centenaire, mais, tu sais, moi je ne le veux pas...

Elle me fait cette confidence de sa voix superbe, chaque mot prononcé avec cette précision qu'elle met dans tout ce qu'elle fait (son écriture y compris), une lueur de malice dans l'œil.

C'est qu'elle est demeurée d'une infinie coquetterie, la sublime vieille dame, devenue diaphane de ne plus voir le soleil.

Cantonnée désormais sur sa chaise-longue (récemment vendue une petite fortune à Drouot) parmi les laques de son ami Dunand et ses meubles gainés de parchemin, elle ne sort plus de son petit hôtel particulier dissimulé au fond du XVIe arrondissement.

De son point de vue, avoir cent ans ne se fait pas !

Comme on ne porte pas ses bijoux dès le matin, ni des chaussures plates avec une robe d'après-midi, lorsqu'on est une femme qui a de la tenue !

Pourtant, cela nous est complètement égal à toutes deux, son âge (ou le mien), car, lorsque nous sommes ensemble, nous coulons dans un temps étale, hier et aujourd'hui intimement mêlés, l'éternité.

— Marraine, racontez-moi votre enfance !

— Quelle enfance ? J'avais douze ans et je voulais être institutrice... Tu comprends, je trouvais qu'il n'y avait rien de plus extraordinaire qu'apprendre soi-même quelque chose pour l'apprendre aux autres. (A soixante ans, elle s'était mise au piano, à quatre-vingts ans, au russe...) Cela me paraissait le plus beau des métiers ! Et puis, la maîtresse avait dit à Monsieur Vionnet (ainsi désignait-elle son père à certains moments) : "Votre fille est très douée ! C'est la meilleure de ma classe, elle réussira, je peux lui obtenir une bourse !" Mais une voisine a fait remarquer à Papa que si je continuais à étudier, je ne toucherais rien avant quelques années, tandis que si j'entrais en apprentissage chez la couturière d'à côté, je gagnerais de l'argent plus vite...

Est-ce une mélancolie que je lis dans les beaux yeux d'un gris désormais délavé, grands ouverts sous des paupières bombées comme celles de Greta Garbo ?

Ou bien est-ce l'étonnement — du fait d'une voisine jalouse de savoir la petite « surdouée », capable d'échapper à la condition ordinaire des femmes du peuple — de s'être trouvée saisie par un si exceptionnel destin ?

— Alors, Marraine, que s'est-il passé ?

— Eh bien, Monsieur Vionnet a suivi le conseil de la voisine : il m'a placée dans l'atelier de la couturière de notre quartier. Je pleurais ! Tu sais, à l'époque, les

apprenties travaillaient douze heures par jour... En plus, en hiver, c'était nous qui devions arriver avant les autres pour allumer le poêle à bois ! C'était très dur, on ne quittait pas sa chaise à l'heure du déjeuner, on se contentait de manger ce qu'on avait apporté dans sa gamelle... Et puis, un jour, je devais avoir dix-huit ans, j'ai regardé mes mains et je me suis dit : "Maintenant, tu as des mains !"

Je possède des photos d'elle à cet âge-là : une jeune personne ronde de partout, des joues, de la poitrine, des hanches, mais la taille si fine, et quel port !

Les filles d'aujourd'hui, quelle que soit leur origine, ne savent plus se tenir ainsi (sauf peut-être certaines danseuses) : plus redressées que des chefs d'État !

En fait, ces jeunes ouvrières en couture du début du siècle, n'ayant le plus souvent que trois sous en poche, leur paye de la semaine, loin de raser les murs, tenaient le haut du pavé ! Elles étaient conscientes de posséder un trésor : un savoir-faire unique au monde dans leur très grand métier.

— ... Oui, j'ai regardé mes mains : sans y songer, je m'étais fait des mains ! me répète la vieille dame qui revit, quatre-vingts ans plus tard, son émotion d'alors.

Elle les élève devant ses yeux, ses admirables mains à l'ossature devenue visible sous la peau transparente, couleur ivoire. Ses mains d'artisane demeurées d'une telle souplesse !

Tout le temps que dure ma visite, j'en garde une entre les miennes, tant il me semble qu'elles ont une vie indépendante et qu'elles me communiquent leur vitalité, leur énergie. Pour ce jour-là de ma propre existence, mais aussi pour tous ceux où il me faudra apprendre à vivre sans elle.

— J'avais raison : j'avais acquis des mains. Et c'est cela qui m'a consolée de ne pas être devenue institutrice !

Elle rit. C'est en effet une drôle de blague qu'a faite le monde à la fille chérie de Monsieur Vionnet, modeste employé à l'octroi de Paris, dont l'épouse, superbe caissière d'un grand café de Paris, était partie avec un autre homme !

La petite Madeleine, qui rêvait de devenir enseignante, mais qui s'était retrouvée apprentie dans l'atelier d'une couturière de faubourg, était, sans s'en apercevoir, devenue une « main fine ».

Car il est nécessaire de se mettre à l'ouvrage avant quinze ans si l'on veut conquérir l'habileté suprême, et toutes les ouvrières en couture n'y parviennent pas. Cela se fait même de plus en plus rare dans le métier, la « main fine », me disent les couturiers d'aujourd'hui. Sans doute parce qu'il y faut non seulement une application forcenée, mais également un esprit sans cesse en éveil, concentré sur sa tâche, pour commander aux mains !

Formée à la dure, mais aussi possédée par le génie de la structure et du modernisme, la jeune femme, juste pourvue de son certificat d'études, allait se bâtir un prestigieux empire au cœur de Paris : d'abord 222 rue de Rivoli, puis, à partir de 1922, 50 avenue Montaigne.

Ma mère, Marcelle Chaumont, qui, de 1912 à 1939, fut la principale collaboratrice de Madeleine Vionnet, avant d'ouvrir en pleine guerre sa propre maison avenue George-V (où, à vingt ans, débuta Pierre Cardin), et qui créa, en 1948, au Bon Marché, le premier prêt-à-porter (Cardin me le rappelle de temps à autre), conserve aujourd'hui, à quatre-vingt-dix-sept ans, ces mains-là.

Les mains de Vionnet, les mains de Maman...

C'est pour ces mains-là, créatrices incessantes de frivolité — et avec quoi lutte-t-on le mieux contre la mort, sinon avec une frivolité poussée à son extrême (proche de ce fameux « rire » dont parle Georges Bataille dans L'Expérience intérieure*) —, que j'ai envie de raconter ce que fut, dans les années d'entre les deux guerres, l'esprit de la Haute Couture.*

Pour mes yeux d'enfant, Maman, comme Marraine Vionnet, de vingt ans son aînée, étaient des sortes de fées.

Toutefois, quelles fées laborieuses !

On n'en a plus idée aujourd'hui.

Une grande maison de couture ressemblait à une immense « ruche » — huit cent cinquante ouvrières, douze cents employés avenue Montaigne — perpétuellement bourdonnante, où créatrices, ouvrières, premières, vendeuses, mannequins, en dépit d'une sévère hiérarchie, se retrouvaient confondues dans cette tâche permanente : la fabrication d'objets éphémères.

Ces femmes acharnées qui n'avaient guère de temps pour une autre existence — avant de pouvoir admirer, l'enfant que je fus en a souffert — se vouaient à un labeur exigeant et sans relâche, mais qui était leur joie et faisait leur orgueil.

Pour toutes sortes de raisons, dont le temps qui passe, les maisons de mes deux fées ont fini par fermer — quel crève-cœur, alors, que de larmes versées, des ouvrières aux manutentionnaires, des mannequins aux clientes ! Pourtant, je continue d'en rêver.

Oui, à temps réguliers, je rêve de « robes », et je sais que j'en rêverai toute ma vie.

J'ai besoin de cet esprit-là : l'esprit de la Haute Couture et de la Mode, fait de ferveur, d'exigence absolue, d'humilité, et aussi de courage, pour continuer à être moi-même.

« Je me demande d'où vous vient votre exigence ? » m'a demandé un jour un psychanalyste, Serge Leclaire. Si tant est qu'il ait eu raison de m'en doter, il m'a fallu

du temps pour trouver la réponse : de là, de mon enfance en Haute Couture !

De ce mouvement forcené pour créer, inventer, et, à la longue, « humaniser » les femmes !

N'importe laquelle d'entre elles le sait. Qu'elles vivent à Paris, en province, dans les pays de l'Est, en Chine ou dans le coin le plus reculé du monde, qu'elles soient chez elles, en exil, parfois même enfermées, les femmes ont besoin de mode tout autant que de pain.

Dans certains cas, elles ne sont plus soutenues que par cet amour toujours vivace pour ce qu'elles vont « se mettre » !

Oui, c'est parce que les « fringues » existent et que les « saisons de fringues » se succèdent que certaines femmes, même dans les pires conditions de guerre ou de misère, continuent...

J'étais en entretien avec Simone Veil sur son expérience des camps lorsque nous nous sommes soudain retrouvées parlant toilette et comparant les mérites respectifs des couturiers en vue ! Sans transition apparente, sinon que Madame Veil venait d'évoquer pour moi ce qui donne aussi aux femmes, en captivité, l'envie de survivre...

Et quand elles ne peuvent faire davantage que feuilleter un catalogue entrevu, il leur suffit de rêver puissamment devant les dernières images de la mode pour recouvrer le courage de repartir à l'assaut des obstacles et du monde des hommes !

Il doit bien y avoir une raison pour que se perpétue, aussi indéracinable au cœur des femmes, cette passion de l'élégance ?

La réponse, nous la connaissons. Cette « folie » s'appelle amour. L'amour de la vie.

Chez Vionnet

Ce qui impressionne mes trois ans, c'est l'immense portier galonné — un géant de conte de fées — en perpétuelle faction devant la porte cochère du 50, avenue Montaigne, le superbe hôtel particulier construit au début du siècle pour le comte et la comtesse de Lariboisière et où Madeleine Vionnet installa, en 1922, sa maison de couture.

A partir de dix heures du matin, les Rolls, les Delahaye, les Talbot, les Hotchkiss, les de Dion-Bouton, les Amilcar, les Bugatti, les Chenard, les Delage, coupés et limousines des marques les plus prestigieuses, pilotés par des « mécaniciens » vêtus comme des princes dans leurs livrées grises ou blanches confectionnées par de grands tailleurs, s'arrêtent sous le porche après que leur passagère a jeté, par le cornet qui sert à communiquer entre maître et chauffeur, une sorte de mot de passe : « Avenue Montaigne. »

Avenue Montaigne, dans la bouche d'une femme élégante, cela veut forcément dire « chez Vionnet », en haut à gauche à partir du Rond-Point des Champs-Élysées, dans cette sublime avenue bordée, derrière ses marronniers, de petits ou grands hôtels particuliers qu'on détruit aujourd'hui un à un pour les remplacer par des constructions sans âme.

Il n'y a pas de contre-allées, à l'époque, les voitures étant relativement rares ; tout le trottoir est réservé aux piétons.

Ces quelques centaines de mètres sont l'empire des femmes les mieux habillées du monde, que des hommes en guêtres et feutre mou, gants et canne légère à la main, guettent, accompagnent... ou suivent !

Toutefois, les plus élégantes ne circulent que dans leur voiture, à l'abri des regards, emmitoufflées en hiver sous une couverture de vigogne, une rose blanche fichée dans le minuscule vase en cristal taillé accroché à hauteur du regard.

Ces élégantes suprêmes ne mettent pied à terre qu'une fois leur automobile arrêtée sous le porche, face aux sept marches recouvertes d'un épais tapis rouge qui permettent d'accéder au hall d'entrée par la haute porte en verre que le concierge se hâte de leur tenir grande ouverte.

A certaines heures, il a fort à faire, tant les voitures se succèdent, parfois même font la queue pour s'introduire sous la voûte et y lâcher leur cargaison de clientes archipressées de pénétrer dans le temple de la Mode.

A peine une femme apparaît-elle qu'un essaim de personnel féminin, strictement vêtu, se précipite à sa rencontre. Parmi elles, la directrice du salon — qui se distingue des autres à quelque petit *plus* dans sa tenue — et une première vendeuse, assistée de sa seconde.

On ne peut aujourd'hui concevoir la courtoisie et l'empressement d'un accueil qui allie le raffinement des Cours royales ou du Faubourg Saint-Germain à une distance et à un respect rappelant subtilement qu'ici vous êtes chez un fournisseur, et qu'une industrie entière est à votre service.

La partie visible de l'iceberg, ce sont les vendeuses, mais le fait même qu'elles se montrent aussi disponibles aux humeurs et aux caprices de leurs clientes, sans se permettre le moindre signe d'impatience, indique bien qu'il existe derrière elles un immense troupeau acharné à la fabrication. Huit cent cinquante ouvrières, chez Vionnet, réparties en vingt-huit ateliers. « Quand nous quittions la maison après nos neuf heures de travail, me dit Jeanne Mardon, qui en fit partie, c'était comme une sortie d'usine : nous formions un troupeau et il nous fallait plus d'un quart d'heure ! »

Car le loisir des uns se nourrit tout entier du travail des autres ! Partage des rôles généralement consenti, tant il se révèle, on l'espère du moins, utile aux deux parties. Le chevalier défend le serf... Les contemplatifs prient pour nos âmes... Les artistes nous inventent des rêves... Quant aux non-productifs, volontaires ou non, la charge de travail supplémentaire qu'ils font peser sur la société n'est pas non plus sans compensation : elle déculpabilise !

Si cette réflexion peut sembler déplacée, c'est qu'avant d'en connaître, j'ai dû m'expliquer à moi-même comment et pourquoi des ouvrières de la couture, sous-payées, parfois malades et sous-alimentées, pouvaient tolérer avec autant d'indulgence, d'admiration même, la fainéantise de ces clientes de haut vol !

Puis j'en ai rencontré, de ces femmes maintenant âgées, elles m'ont écrit, elles sont venues à moi et je suis allée vers elles. Le regard doux, la voix ravissante, les mains articulées comme des outils de haute précision, elles finissent toutes par me dire sur un ton extasié : « La couture ! La vie d'atelier ! Mes meilleures années ! »

D'en être les artisanes, les ouvrières partagent intimement le luxe de ces femmes prestigieuses dont elles ne savent, la plupart du temps, que ce que leur rapportent leurs premières, de retour à l'atelier : les réflexions, les exigences, l'allure, le genre de vie.

Souffrent-elles de ne pas être autorisées à la connaître, cette Inconnue qu'elles habillent sans jamais la voir ? « Parfois, nous glissions l'un de nos cheveux dans l'ourlet au moment de finir une robe », me confie l'une d'elles, puis elle ajoute pour justifier à ses propres yeux la dure ségrégation : « De toute façon, on avait bien trop à faire pour perdre encore du temps en allées et venues ! »

Est-ce l'énergie que dégage cet invisible et constant travail, mais une sorte de trémulation s'empare de vous dès qu'on pénètre chez Vionnet. Une allégresse, aussi, car sur l'avant-scène comme en coulisses, l'ambiance est perpétuellement à la fête !

On papote dans les salons, plaisante, perd son temps et celui des autres, balançant indéfiniment entre ci ou ça pour finalement conclure : « Je me déciderai la prochaine fois », tandis que les huit cent cinquante ouvrières s'activent sans relâche (neuf heures par jour avant les lois de 1936) dans les ateliers vitrés du fond de la cour.

Là aussi, on rit pour un rien ! Les apprenties sans cesse en course, les petits « lapins de corridor », ont quatorze ans et la plus vieille, celle qui fait figure d'ancêtre, quarante-six !

Même si la gaieté spontanée est moindre dans les salons de présentation et d'essayage, le mot d'ordre contraint chacune à arborer son plus beau sourire et à afficher une permanente allégresse, fût-on à l'agonie morale ou physique. On ne parle jamais chagrin, ici, ni deuil, ni maladie, ni même argent ou « problème ».

Un seul souci, pondéré par les bonnes manières, a le droit de transparaître : celui que tout s'accomplisse au plus vite pour satisfaire les clientes au-delà même de leurs désirs.

Avenue Montaigne, dans les années trente, les vendeuses sont discrètement vêtues, mais avec un tel soin et si finement maquillées sous leur impeccable mise en plis, qu'elles semblent des « dames » à mes yeux d'enfant. Au point que je n'arrive pas toujours à faire la différence entre une femme du monde et sa vendeuse.

A ceci près, pourtant, que les vendeuses, par métier, se montrent infiniment plus souriantes que leurs clientes, et continuellement de bonne humeur !

Je me souviens en particulier d'une femme déjà âgée, les cheveux blancs, boîtant assez bas — distinction supplémentaire — et qui avait rang de vendeuse suprême, Mademoiselle Léonie. D'où tirait-elle ses manières ? En apparence, droit du XVIIIe siècle... Elle connaissait son Gotha par cœur. Et quand Mademoiselle Léonie, claudicante et tout sourire, se dirigeait vers une dame de qualité en poussant de petites exclamations de joie et de bonheur, il y avait de quoi se croire au Paradis.

Pour beaucoup de femmes, ce devait l'être !

Dans une maison de couture de l'ampleur et de la qualité de la maison Vionnet, tout va — et doit aller — immanquablement très bien ! Les essayages sont à l'heure, les livraisons aussi.

En revanche, les clientes, elles, ont tous les droits ! Celui d'être grincheuses, exigeantes, de mauvaise humeur, de mauvaise foi, d'entrer pour ne pas acheter, de repartir sans un mot, de faire rapporter par le chauffeur la petite « merveille » livrée une heure auparavant, en arguant d'un point décousu, d'un infime mauvais pli...

S'il arrive aux vendeuses et aux premières, qui sont tout de même des êtres humains comme les autres, de considérer que la « femme » est par trop odieuse — dans les maisons de couture, les clientes, fussent-elles duchesses, sont désignées comme des « femmes », et, dit ainsi, c'est un titre —, c'est à peine si elles échangent un regard derrière son dos.

Cette immense courtoisie, que j'imagine être l'ultime reflet de celle qui devait régner à certaines cours d'autrefois, n'est pas inspirée par le lucre, l'envie de retenir une cliente ou de vendre à tout prix — bien que les vendeuses soient en partie payées à la guelte. Il s'agit d'une règle aussi impérieuse que celle des couvents, à laquelle doit se plier sur l'heure toute nouvelle recrue, sous peine de ne pas « faire l'affaire », comme on dit dans le commerce.

Toutefois, une question insidieuse me poursuit à l'évocation de la grande époque de la Haute Couture où les femmes, clientes et ouvrières, n'avaient pas le droit de vote ni l'égalité avec les hommes (une infériorité qui les rapprochait les unes des autres, qu'elles fussent dans le luxe ou dans la mouise) : n'en était-il pas ainsi dans les bordels de luxe ?

Je le demanderai à mon père qui, ayant traversé le siècle, a connu les deux, mais je sais d'avance que ma question commencera par le choquer ! Il n'y a sans doute jamais songé, tant il doit s'agir à ses yeux d'établissements distincts et même contraires, quoique — dans les deux cas — entièrement tenus, gérés, organisés et peuplés par des femmes de tous milieux et de toute origine, occupées à cultiver ensemble cet univers de la féminité sans lequel il n'est pas de civilisation digne de ce nom.

A la demi-saison, beaucoup de ces femmes arrivent avenue Montaigne, un double renard argenté négligemment jeté sur une seule épaule. Une fois la cliente débarrassée de son manteau ou de ses fourrures, la première vendeuse ordonne aussitôt à sa seconde de prévenir l'atelier qu'on apporte sur-le-champ les essayages de Madame Untel.

C'est l'une des fonctions d'une bonne vendeuse : avoir scrupuleusement en tête tout ce qui concerne « sa cliente », exploit qu'elle accomplit de mémoire.

Parfois, la cliente déclare qu'en fait, elle n'a pas envie d'essayer ce jour-là, elle est seulement venue revoir un modèle dont elle a gardé souvenir et auquel elle resonge.

Vite, la vendeuse l'installe sur une chaise ou un fauteuil, dans le grand salon situé à la gauche du hall — il existe toujours ! — et, quelques instants plus tard, un mannequin surgit dans le modèle réclamé.

— Je ne me souviens plus bien, a dit la cliente à sa vendeuse, mais c'est la petite chose avec un mouvement comme ça au col, je ne sais plus le tissu ni la couleur...

Il y a plus de trois cents modèles dans la collection, pourtant la vendeuse ne se trompe pas, car cela fait partie de son quotidien de savoir reconnaître un modèle à une description approximative, comme le pharmacien devine de quel médicament vous venez d'écorcher le nom. Toutefois, si la vendeuse a un léger doute, elle fait alors venir plusieurs modèles, présentés par plusieurs filles.

Les jeunes mannequins de la cabine, qui en comportait à l'époque vingt-deux, présentent la collection l'après-midi. Le matin, elles ont pour rôle de demeurer perpétuellement sur le qui-vive, juste vêtues de leur blouse de coton qu'elles ne nouent pas toujours à la taille et sous laquelle on aperçoit leur gaine ou leur soutien-gorge, quand elles ne sont pas toutes nues.

Quelle gaieté, là aussi, dans cette volière composée uniquement de très jeunes et très jolies filles, la plupart d'origine modeste.

« Des filles de concierge ! » disent les jaloux, cherchant à les diminuer en les englobant toutes sous ce terme méprisant.

Que les « concierges » peuvent s'enorgueillir d'avoir engendré de telles merveilles ! Minces comme des lianes et encore embellies par la fierté d'être élues, parmi un grand nombre de candidates, pour vivre cantonnées dans la serre parfumée d'une cabine de la plus haute couture !

Parfois, des éclats de rire aigus en sortent par une porte entrouverte. La directrice de la cabine tente aussitôt de les faire taire, dans la crainte qu'il n'en parvienne quelque chose jusqu'au grand salon où les clientes de tous âges, de tout genre et aussi de toute fortune, croient plus élégant de prendre l'air ennuyé.

Le plus souvent, la cliente qui revient le matin a déjà assisté à la collection, mais elle passe revoir un ou plusieurs modèles pour occuper son temps de grande oisive, et, je le soupçonne aussi, par sadisme ! Dans l'intime satisfaction de faire défiler pour son seul plaisir une ravissante fille qui se doit d'obéir complaisamment à ses ordres : « Approchez, Mademoiselle... »

La cliente tâte alors le bord d'un tissu, soulève même le pan d'une jupe, avec un dédain aujourd'hui inconcevable pour le corps qui se trouve dessous.

Ou alors c'est la vendeuse qui énonce des ordres quasi militaires à l'endroit de la jeune femme : « Marchez, mon petit, revenez... Tournez... Montrez votre dos, ouvrez le manteau, qu'on voie un peu la robe... »

Aucun des mannequins ne se révolte devant cette

nécessité de recommencer indéfiniment les mêmes gestes. Et s'il leur arrive de percevoir de la malignité chez certaines clientes qui s'appliquent à mécaniser les plus belles filles de Paris tout en feignant de les ignorer, elles doivent se dire — ou même elles savent avec pertinence — que c'est leur façon à elles d'essayer de se venger d'une humiliation ou d'une tromperie que leur a infligée l'homme de leur vie.

Parfois même avec la jeune fille en question !

Car le monde des femmes était alors petit, et les liens entre elles beaucoup plus étroits et communiquants qu'il n'y paraissait de prime abord. Certaines femmes, qui ont su se faire épouser par un riche admirateur, ont elles-mêmes débuté comme mannequin et se paient maintenant le luxe de revenir sur les lieux exhiber leurs bijoux et leurs fourrures, face à un personnel qui a pour consigne de ne pas les reconnaître.

Ce sont ces femmes-là, racontent les anciennes vendeuses, et non pas les duchesses ou les femmes de la haute bourgeoisie, qui se montrent les plus exigeantes et les plus insupportables. Car elles connaissent tous les trucs pour humilier les mannequins ou exaspérer le personnel.

Chez Vionnet, quand une cliente arrive pour son essayage, s'il n'y a plus de place au rez-de-chaussée, elle monte au premier où une vingtaine de petits salons, installés le long d'un couloir central, meublés d'une chaise, d'un porte-manteau et d'un miroir à trois faces, attendent de la recevoir.

Il peut se produire que plusieurs clientes, dont une même vendeuse a la charge, se présentent en même temps, et c'est son art, assistée de ses aides et avec la complicité des essayeuses, de donner à chacune le sentiment qu'elle est l'unique, en tout cas la favorite !

Car si les vendeuses disent « ma » cliente, les clientes, de leur côté, disent « ma » vendeuse. A l'arrivée d'une nouvelle femme dans la maison, parfois amenée par une amie, le choix de la vendeuse se fait « au tour de bête ». C'est-à-dire que chaque cliente nouvelle venue échoit à tour de rôle à une vendeuse : hasard parfois excellent, parfois exécrable ou décevant... Tant pis si l'on tombe sur une femme qui ne sait pas ce qu'elle veut ou n'achète rien, c'est le réglement ! (Les vendeuses reçoivent un petit fixe, mais gagnent surtout leur vie, parfois très bien, avec leur « pourcentage » sur les achats de leurs clientes, qui peuvent atteindre un niveau délirant.)

On ne peut empêcher les vendeuses d'avoir leurs têtes : que ce soit par intérêt pour de très grosses clientes comme Madame Revel, Madame Martinez de Hoz ou la princesse de Faucigny-Lucinge dont j'entends prononcer le nom presque chaque jour à la maison — car cette dame richissime, vivant avenue Foch, achète pour son plaisir, mais aussi pour affirmer son rang, *toute* la collection, et ce, dans plusieurs grandes maisons —, que ce soit aussi, dans certains cas, par préférence sentimentale : ainsi certaines actrices, payant fort mal ou ne s'habillant qu'en soldes, sont adorées. « Je me suis arrangée, ne vous tourmentez pas, on vous fera un petit prix », chuchotent les vendeuses d'un ton tendre à l'artiste qui hésite devant une toilette au-dessus de ses moyens, mais qui lui va si bien.

Une grande affectivité court en effet entre toutes ces femmes, et comment pourrait-il en être autrement quand on sait que la plupart d'entre elles — à commencer par ma propre mère — passent avenue Montaigne l'essentiel de leur vie ?

Les employées, ouvrières, vendeuses, habitent généralement la banlieue et il leur faut se lever encore plus tôt qu'aujourd'hui pour attraper des transports encore plus problématiques, afin de pointer le matin à l'heure juste. (On pointait chez Vionnet, chez Patou, chez Chanel, comme dans les usines d'automobiles.)

Leur véritable famille, c'est la maison de couture.

Madeleine Vionnet, qui fut une patronne libérale et même d'avant-garde, a fait installer un réfectoire dans sa maison, près des ateliers, où les ouvrières mangent gratuitement, et c'est un immense progrès.

Les snacks, en ce temps-là, n'existent pas sur les Champs-Élysées. Dès le printemps, il arrive aux ouvrières d'aller dévorer leurs sandwichs, apportés de chez elles dans une boîte ou du papier, sur les bancs et sous les marronniers de l'avenue Montaigne. Ce qui leur permet d'admirer sur les belles passantes les toilettes qu'elles ont parfois exécutées et qu'elles n'auraient jamais l'occasion, autrement, de voir portées par leurs destinataires.

Il y a encore fort à faire, mais déjà la réputation de modernisme de la Maison Vionnet s'est répandue jusqu'en province (c'est Jacques Griffe, alors ouvrier-tailleur à Bordeaux, qui me le raconte), et tout aspirant ou aspirante à la Haute Couture a pour suprême ambition d'entrer chez Vionnet. Non seulement à cause du *welfare* qu'elle consent à son personnel, mais aussi parce qu'elle est l'inventeur et la spécialiste d'une coupe révolutionnaire : le *biais* !

J'ai trois ans, et mes premières robes sans manches en jersey de soie crème, plates ou plissées, nouées ou pressionnées à l'épaule, et qui, dépourvues de coutures, semblent d'un seul tenant, sont en biais, ce dont je ne me soucie guère !

Car je ne pense qu'à une chose, quand on me conduit avenue Montaigne rendre visite à Marraine

Vionnet : bien me tenir. Dans la voiture, tout le long du trajet, la Miss nous l'a seriné, à ma sœur et à moi : « Surtout, tenez-vous bien ! »

A l'arrivée, le portier monopolise toute notre attention : il est si grand, si superbement décoré de brandebourgs dorés ! Mais à peine avons-nous franchi la porte du rez-de-chaussée que la nuée de vendeuses se précipitant sur nos minuscules silhouettes en robe et manteau de Vionnet — sur les photos, nous avons l'air de mannequins miniatures — nous déborde :

— Qu'elles sont mignonnes !

Toutes ces dames parlent en même temps, sans s'adresser à nous ! Comme à l'endroit du bichon que certaines femmes trimballent sous le bras avant de faire rapporter « le trésor » à leur chauffeur si la pauvre bête manifeste quelque velléité d'indépendance. Nous aussi sommes caressées par une adoration plus ou moins sincère — les filles et filleules des patronnes ! — sans qu'on songe à nous considérer comme des personnes.

Sous cette avalanche machinale, et tandis que Miss Davis se rengorge, fière de son œuvre d'habillage et de frisure — que de bigoudis pour venir à bout de nos cheveux naturellement raides ! —, peu à peu ma peur se dissipe.

Toutefois, une question demeure en suspens : comment se comporter sous un tel assaut de compliments ? Je n'ai pas la réponse, car le traitement qui nous est réservé dépasse le concevable. Seuls les enfants royaux ont à faire face à une telle débauche de sourires, de mignotages et de flatteries dans leur plus jeune âge, ou alors — j'y reviens ! — l'enfant d'une pensionnaire de maison close présentée aux camarades de sa mère !

En plus — et cette préoccupation m'aide à garder

la tête froide —, que va bien me dire, cette fois-là, Madame Vionnet ?

Je sais qu'elle se trouve au premier, dans son studio au plafond vitré comme un atelier de peintre. Jamais je ne l'ai vue dans l'escalier ni dans les salons, car elle ne circule pas dans sa maison : on vient à elle. Elle n'assiste pas non plus aux essayages des clientes, ou alors très rarement, quand il s'agit de la duchesse de Windsor, de quelque autre Altesse ou d'une femme jugée très importante. Mais ce sont ces dames qui vont la trouver dans leurs robes en instance : Madame Vionnet, elle en a décidé ainsi, ne se déplace pas.

— Savez-vous que tout le temps que j'ai travaillé chez Vionnet, je ne l'ai *jamais* vue ? me révèle Jacques Griffe. Si, une fois, de très loin, quand elle a fêté ses cinquante ans de couture avec tout son personnel. Elle ne m'a pas parlé et je ne lui ai pas été présenté. C'est des années plus tard que j'ai fait sa connaissance, quand elle a été à la retraite et que j'ai eu ouvert ma propre maison. Elle m'a fait venir chez elle, à la campagne, ç'a été le coup de foudre et elle est devenue ma seconde maman...

Madeleine Vionnet, ma marraine, était-elle aussi ma seconde maman ?

Longtemps elle m'a terrorisée, comme quelqu'un qui, d'un seul coup d'œil, a « tout vu, tout jugé », et qui nous assénait quelque vérité incontournable en nous parlant, à nous les enfants, comme si nous étions des adultes parfaitement responsables de nos faits et gestes, en particulier de notre devenir.

C'est qu'ayant elle-même travaillé à douze ans, été chargée de la confection d'un corsage à quatorze, Marraine Vionnet sait ce qu'on peut attendre d'un tout jeune enfant si on le reconnaît pour ce qu'il est : une personne à part entière.

— Ah ! bonjour. Voilà la petite, et voilà la grande ! Venez, venez...

Marraine ne bouge pas de son fauteuil, devant lequel se dresse parfois son mannequin de bois — devenu légendaire et récemment vendu fort cher, comme sa chaise-longue, à la vente Drouot, en 1984. Elle abandonne alors le modèle qu'elle est en train de confectionner en toile de coton, pour nous ouvrir grand les bras. (Elle-même n'a pas d'enfant, ayant perdu une petite fille en bas âge, drame dont on ne parle jamais.)

Une fois près d'elle, ma peur achève de se dissiper. Cette belle femme un peu dodue — « Je ne me plaisais pas, m'a-t-elle avoué sur le tard, j'étais trapue, je n'avais pas de cou ! Or, tu comprends, je n'aimais que les femmes grandes... ! — ses cheveux blancs vaporeux autour de son visage rond, le regard net, le nez petit et droit, a le même parfum, c'est-à-dire la même odeur que Maman : le sublime parfum Vionnet, dont ma chère mère s'inonde ! (Fabriqué par Coty, et dont on peut retrouver un relent dans l'un des « jus » du grand parfumeur, *L'Or de Coty*).

En fait, dans tout l'immeuble du 50, avenue Montaigne, et pas seulement dans les bras de Madeleine Vionnet, règne l'« odeur de Maman ». Est-ce pour cela que quelque chose de moi s'est « niché » à jamais dans cet univers de la féminité poussée à son extrême de beauté, de raffinement, de luxe — mais aussi de dureté ?

Vionnet me dit

Elle est née le 22 juin 1876, d'une famille extrêmement modeste. Son père avait huit frères et une sœur. Après avoir été gendarme, il était devenu receveur à l'octroi. Quand la petite Madeleine vint au monde, sa mère avait vingt et un ans, son père vingt-neuf.

— Maman était un cerveau. Mais Papa était un cœur. Je l'appelais Papa-la-tendresse. Tu vois son portrait, là, derrière moi ? Tous les soirs, avant de m'endormir, j'avais des conversations avec lui... Il est mort à soixante-seize ans, ça n'est pas vieux ! Moi, j'en ai quatre-vingt dix-huit !

Ses parents se séparent alors qu'elle n'a que trois ans et demi.

— Maman était caissière chez Paillard, un endroit très élégant où l'on soupait, dînait. Elle était jolie et elle avait un oncle commissaire de police dans le quartier de l'Opéra, qui veillait sur elle, ce qui lui permettait de travailler là. Quand ils se sont séparés, Maman m'a d'abord mise chez sa mère, à Joigny, mais dès que j'ai eu cinq ans, Papa est venu me chercher et c'est lui qui m'a gardée. Nous avons vécu ensemble à Aubervilliers, dans un petit appartement. Il avait sa chambre, moi la mienne, c'était bien. Et puis je le trouvais beau, mon Papa ; quand il passait sous mes fenêtres pour aller à son bureau de l'octroi, je le contemplais. Si je suis couturière, c'est un hasard...

Elle me l'a souvent raconté, l'histoire de ses débuts dans la couture, et toujours du même ton à la fois blessé et émerveillé.

Blessé parce que ce fut si dur, et même injuste ; émerveillé parce qu'elle est allée si loin, par la suite, avec ses seules mains, à une époque peu favorable à la réussite professionnelle des femmes, surtout pauvres.

— Mon Papa jouait un peu à la manille et au piquet. Il fréquentait le garde champêtre, et la femme du garde champêtre était couturière. Je réussissais bien à l'école. J'avais eu mon certificat d'études à dix ans et, cette année-là, j'allais avoir le prix d'excellence. L'institutrice était contente, elle voulait me garder. Elle avait demandé une bourse pour que je puisse continuer. Papa avait dit : "Oui, si vous voulez." Mais la femme du garde champêtre est intervenue. Elle a dit à Papa : "Si elle continue ses études, à vingt ans elle ne gagnera toujours rien et il faudra l'habiller. Ça fait des frais ! Moi, j'ai besoin d'une apprentie. Si vous ne me la donnez pas tout de suite, j'en prends une autre et, après, elle ne trouvera plus de place..."

Papa Vionnet a un peu résisté, pas longtemps, puis il a retiré la petite fille de l'école pour la donner en apprentissage à Madame Bourgueil, couturière à La Courneuve, près d'Aubervilliers.

— Et moi j'ai pleuré ! On m'a mise là pour Pâques, ce qui fait que mon prix d'excellence, je ne l'ai pas eu ! Je sens encore l'acuité de cette chose-là...

Est-ce à cause de ce prix d'excellence tant souhaité et escamoté qu'elle voulut tant, par la suite, être la première et qu'elle l'a été ?

Elle avait onze ans, et, en ce temps-là, l'apprentissage était dur :

— Douze heures de présence par jour ! On faisait le ménage et les commissions, et l'heure du déjeuner, qu'on devait prendre à l'atelier, n'était pas payée. Il n'y avait pas de vacances. Entre Pâques et la Pentecôte, on travaillait le dimanche. Le jour de la Pentecôte, on avait droit à des gâteaux.

Avant 1900, les lois sociales ne protègent guère le travail, surtout pas celui des femmes, encore moins celui des ouvrières de la couture. Quant aux apprenties, aux yeux de la loi, elles n'existent pas.

— Une fois, on a eu deux jumelles à habiller, un corsage identique à faire à chacune. L'ouvrière qui en a fait un a reçu trois francs. Et moi, qui venais juste de sortir d'apprentissage, pour faire le même corsage, j'ai eu dix sous. Les deux corsages ont été prêts en même temps, et le mien était aussi bien que l'autre, mais je n'ai reçu que dix sous... Ça m'a vexée pour toujours ! Ces dix sous, Papa ne me les a jamais demandés ; je gagnais dix sous par jour et il me les laissait...

Vexée pour toujours, mais avertie.

Très tôt, Madeleine Vionnet, qui reçut plus tard la Légion d'honneur, s'est occupée des conditions de travail des ouvrières de la Haute Couture, participant aux activités de la Chambre syndicale afin d'améliorer la formation, trouver des débouchés, et continuant après sa retraite à visiter les centres d'apprentissage où elle donnait des leçons de *biais*.

Du temps où elle sortait encore, elle m'a raconté les difficultés de cette formation hautement spécialisée qui initie à un métier qu'on peut qualifier d'art, mais dont les ouvrières sont si mal protégées qu'elles y renoncent, ou alors si mal formées que ce sont les couturiers qui n'en veulent pas !

— Tu vois, moi, j'étais en apprentissage à onze ans. Aujourd'hui, on exige qu'une fille, à seize, dix-sept ans, ait son certificat d'aptitude professionnelle avant de pouvoir entrer comme débutante dans une maison de couture. Mais, six mois après, il faut qu'elle soit seconde main, qu'elle en ait ou non la capacité ! Et six mois plus tard, elle doit être première main débutante, puis elle est promue première main après seulement six autres mois...

Ça la choque. Pour Vionnet, l'avancement dans un métier d'art ne peut que se faire « au mérite ». C'est ainsi qu'elle-même a réussi à une époque où la qualité du travail, le rendement, la production étaient ce qui comptait. La promotion de chacun dépendait de la valeur de ce qu'il fournissait, ce que tout le monde acceptait.

— Chez moi, j'ai eu des ouvrières qui ne voulaient pas devenir premières mains, elles ne se sentaient pas l'étoffe pour commander et préféraient rester secondes. Aucun règlement ne les forçait à assumer des responsabilités dont elles ne voulaient pas. Notre métier, c'était ça : faire ce qu'on se sentait capable de faire ! C'était ainsi, dans l'artisanat.

J'étais petite, mais je me souviens de ces ateliers où des centaines de femmes, esclaves de leur aiguille, ne levaient guère la tête de leur ouvrage, renonçant d'elles-mêmes à la pause du déjeuner si elles ne se jugeaient pas assez avancées.

La retraite était alors misérable, même pour les cadres (je vois celle qu'a ma mère après quarante ans de travail). Seulement, pour des femmes issues du peuple, c'était une promotion qu'accéder à un travail d'une telle qualité, qui leur donnait l'occasion de réaliser des choses aussi belles !

Certaines premières proposaient des modèles de leur cru et quand l'une de leurs toiles était acceptée, quelle fête à l'atelier !

A l'époque, dans la Haute Couture, le meilleur salaire, c'est l'éloge.

Une fois terminée une robe du soir exceptionnelle, lorsque la cliente, venue pour son dernier essayage, se mire, enchantée, dans l'une des immenses glaces murales, on lui demande parfois la permission de faire venir l'ouvrière responsable : « Ça lui fera tellement plaisir ! »

Ou lorsqu'une retouche se révèle trop difficile à expliquer, l'essayeuse dit : « Je vais faire demander l'ouvrière, elle verra elle-même. »

« Vite, vite », souffle-t-on à l'arpète qui part au galop vers les ateliers pour aller quérir et ramener au pas de course l'exécutante. (La vie mondaine n'a pas le temps d'attendre !)

Elles arrivent en souriant, parfois un peu voûtées, rajustant leur blouse de travail, et dès que leurs mains frôlent la robe, c'est éblouissant !

Jamais je n'ai retrouvé depuis, même chez des couturières expérimentées, une telle dextérité. Des mains si prestes que lorsqu'elles courent le long d'un arrondi, volent autour d'un drapé, elles n'ont l'air de rien toucher — pourtant, ça y est, c'est fait, tout est en place.

— Si on travaillait comme autrefois, me dit Vionnet, pour que les ouvrières arrivent à gagner leur vie, les modèles n'auraient pas de prix. Tous ces petits plis, ces fronces, ces nervures, enfin tout ce qui faisait mes robes, cela demandait tellement d'heures ! Tu étais petite, mais tu te rappelles, n'est-ce pas ?

— Oui, Marraine.

Elle soupire, rassurée : moi, du moins, je sais.

C'est si fugitif, la couture ! Quand les robes ont disparu, que les ouvrières sont parties à la retraite et qu'une certaine clientèle — celle qui exigeait la perfection — n'existe plus, comment et par qui se faire comprendre ?

Jacques Griffe, l'ancien couturier, se plaint lui aussi de cette incrédulité : « Quand je raconte à mes neveux comment on travaillait chez Vionnet, ils ne veulent pas me croire ! Ils pensent que j'invente ! »

— Il y a quelque temps, j'allais encore aux collections et j'ai vu comment ça se passe, me dit Vionnet. Maintenant, l'industrie du textile est arrivée à faire à la machine tout ce que nous faisions à la main. Tu penses bien que ça n'est pas la même chose ! Quand nous faisions des plis et des nervures pour une robe, par exemple, ça n'était pas pareil au col et dans le bas, c'était calculé pour que la jupe s'évase... Un vêtement ne doit pas "tomber" sur une femme, il doit suivre la ligne du corps... Tandis que le textile, lui, fait ça au mètre, au rouleau, et on se sert du tissu comme il vient ! Ce qui fait que les femmes sont habillées de la même façon en haut et en bas ! Ça n'est plus de la couture.

— Qu'est-ce que c'est, alors ?

— De l'habillement, de la confection. Ça n'est pas que ce soit mal, le prêt-à-porter ; j'ai vu, j'y suis allée quand je pouvais encore marcher...

Toujours son souci de modernisme, de tout vérifier par elle-même.

— Racontez-moi.

— Un petit hôtel particulier, près de la Bourse. C'est une femme très bien qui s'occupe de ça. Elle m'a dit : "J'ai soixante-quinze machines pour former du personnel, et il faut une machine par ouvrière. Venez voir." Je l'ai suivie et j'ai vu.

— Quoi ?

— Dans la vraie confection, on coupe, on fait de petites encoches, mais on ne bâtit jamais : on met des épingles, ensuite on coupe à un millimètre près, puis on pique. Je me suis approchée des ouvrières ; l'une était très gentille et m'a laissée regarder... Elle faisait les pièces d'un petit vêtement d'enfant, genre tablier. Ça ne paraissait pas très difficile, il suffisait de suivre le patron, il fallait seulement beaucoup d'attention. Je me suis dit : "La prochaine fois qu'on vient me demander conseil pour entrer dans la couture, j'enverrai là." Je l'ai fait. Et puis les petites pleuraient. J'ai demandé au père de l'une d'elles : "Mais qu'est-ce qu'elle a, votre petite ? — C'est que le travail à la machine ne lui plaît pas, elle veut faire comme vous, comme vous faisiez autrefois !" Alors j'ai cessé de les y envoyer, mais je le regrette, parce que la confection, c'est l'avenir.

— Vous ne croyez plus à la Haute Couture ?

— Tu sais, le luxe, ça n'est pas le nécessaire, c'est un superflu pour favorisés. Aujourd'hui, nous sommes entrés dans l'ère du nécessaire qui est érigé à égalité pour tous... Les gens en seront-ils plus heureux ? Je n'en sais rien, mais c'est comme ça. Un plus grand nombre de gens vont avoir plus d'aisance ; seulement, le luxe aura disparu ! Tu vois ce que je porte ? Une jupe rouge, un haut rouge (son célèbre « rouge Vionnet », toujours la même chose ; moi je ne m'habille pas, je ne me suis jamais habillée... Mais, avant-guerre, il y avait des femmes qui s'achetaient toute la collection, ou bien la même robe en dix couleurs différentes. C'était comme ça, dans notre métier, demande à ta mère...

Le travail de Maman

« Vous ne pouvez pas savoir ce que votre mère a travaillé pour en arriver là ! » nous répète ma grand-mère qui vit avec nous, ainsi que ma tante Gabrielle, la plus jeune sœur de ma mère. Car il était d'usage, autrefois, surtout dans les familles issues de la province, de rester groupés — comme aujourd'hui les membres des familles d'immigrés.

Avec le temps, au lieu de s'alléger, le travail de Maman s'est au contraire alourdi. Après une longue journée à la maison de couture, une fois tout le monde couché, dans notre hôtel particulier de la colline de Chaillot, elle se remet à l'œuvre. Le soir, dans le petit lit de ma chambre d'enfant contiguë à la salle de bains, je suis bercée par le cliquetis de ses bracelets d'ébène. Cela signifie qu'assise devant son mannequin de bois — identique à celui de Vionnet —, Maman cherche encore des formes, des coupes, des modèles inédits, et qu'elle va continuer tard dans la nuit... Des années durant, je m'endors au son du travail de ma mère.

Bien sûr, nous vivons dans le luxe : la salle de bains style arts-déco, où Maman veille seule avec sa boîte d'épingles posée sur le rebord du lavabo, est entièrement dallée de marbre gris. Et les trois parois qui ceignent la baignoire encastrée, aux robinets ornés d'énormes cabochons de cristal, sont tapissées par d'immenses miroirs jusqu'au plafond. (J'en ai retrouvé la similitude sur des photos, récemment publiées, de la salle de bains de la duchesse de Windsor, dans cette résidence du Bois de Boulogne qu'elle a occupée jusqu'à sa mort et qui avait été celle d'une amie et cliente de Maman, Madame Lillaz. Leur décorateur était le même.)

Au matin, c'est dans une Peugeot dernier modèle que son chauffeur la conduit avenue Montaigne, avec, posées en vrac à ses pieds dans un sac de jacona noir, toutes les toiles qu'elle a coupées et épinglées pendant la nuit.

A peine arrivée, ma mère réunit ses premières pour les leur distribuer une à une en leur expliquant ses intentions, au cas où son assemblage ne serait pas suffisamment explicite pour ces prodigieuses techniciennes de la réalisation.

L'après-midi, ou même quelques heures plus tard, on les lui rapporte « montées », c'est-à-dire réalisées — toujours en toile de coton — grandeur nature et présentées sur un mannequin vivant.

Je me souviens du regard de ma mère à l'instant où ce qu'elle a imaginé et esquissé avec de minuscules bouts de toile de coton assemblés, lui apparaît en grand.

Ce regard, les créateurs de la couture l'ont tous. Je l'ai vu à Chanel, à Pierre Cardin, à Christian Lacroix. Un regard à la fois vide et avide. Un regard qui absorbe, pèse, soupèse, voit d'emblée les changements à apporter, tandis que les mains — les deux mains de Maman, sans cesse vers l'avant, toujours en mouvement ! — se tendent vers la fille qui n'approche jamais assez vite à leur gré.

Et les mains, qui ne connaissent pas le repos — même aujourd'hui, dans son sommeil, celles de Maman bougent encore —, se remettent à triturer, à découdre, défaire, refaire, pour remonter le modèle autrement.

Un pli vertical entre les sourcils de « ma » créatrice indique à l'enfant que je suis — oubliée dans son coin — qu'à ce moment-là, je n'existe plus pour elle.

Perdue dans son rêve, elle examine, sourcil froncé, le mannequin qui va et vient devant elle sans pour autant la quitter des yeux, comme une lionne tente de lire sur le visage de son dompteur ce qu'il attend d'elle.

Le verdict finit par tomber : « Approchez-vous, mon petit, il faut faire autre chose ! »

(« *Autre chose* » est aussi l'une des phrases clés de mon enfance : « Ça, c'est vraiment autre chose... », « Vous n'avez pas autre chose à me montrer ? », « Vous ne trouvez pas que c'est autre chose ? »)

Et soudain — comme sous le ciseau d'un sculpteur une colonne devient insensiblement un animal ou un adolescent — de la robe à l'ample jupe surgit peu à peu un fourreau collé au corps, dont l'unique emmanchure, disproportionnée, rappelle seule sa première destination.

Dans le studio, tout le monde se tait. Le stylo de ma tante cesse de courir sur son bloc, il n'est plus question de savoir si c'est vendable ou non, tout est devenu dérisoire face à l'« autre chose » surgie comme de nulle part, d'elle-même, sous les yeux fascinés des assistants.

— Qu'en pensez-vous ? demande alors Maman.

Et je la soupçonne, elle, la plus sincère des femmes, de se montrer à ce moment-là un peu hypocrite.

Car elle le sait bien, ce qu'elle a fait : par une action tournante, semblable à certaines manœuvres militaires destinées à surprendre l'adversaire du côté où il s'y attend le moins, elle a rendu son équipe incapable de réagir.

C'est par là que la Mode, « art de mouvement », se rapproche dans certains de ces aspects de l'art de la guerre et qu'il règne dans une maison de Haute Couture un climat si disciplinaire. Comment pourrait-il en être autrement quand c'est le coup d'œil, en fait le génie, pour ne pas dire la tyrannie d'un seul, qui doit l'emporter sur l'opinion de tous ?

Combien de fois ai-je vu Maman imposer, à son équipe entière dressée contre elle, une coupe, une garniture, un tissu, une broderie, une longueur, en somme un « effet » ? Décider et imposer son choix en dépit des grognements, grondements, protestations plus ou moins étouffés de celles et de ceux qui ne pouvaient que lui obéir ?

Était-elle à ce point sûre d'elle ?

Certainement pas, et il lui arrivait, comme à tous les créateurs, de revenir sur sa décision : on repartait alors dans l'autre sens, à la satisfaction générale, mais, là aussi, contenue.

Toutefois, l'« essai » n'est jamais inutile : le créateur s'est enseigné quelque chose à lui-même par ses coups pour rien, et, même si ses assistants ne s'en aperçoivent pas, sa prochaine collection en profite.

Vionnet intime

Dans la seconde quinzaine de septembre, Madeleine Vionnet nous recevait chez elle, à la *Maison Blanche* — eh oui, comme celle du Président des États-Unis ! —, sa maison de la Côte, située sur la colline entre Sanary et Bandol, et les souvenirs les plus intimes que j'ai d'elle sont tout auréolés de la chaude lumière de l'automne méridional, imprégnés de l'odeur de figue mûre.

Ce déplacement annuel, du Limousin au Midi, en passant par les gorges du Tarn et Nîmes, ne se faisait pas sans un préalable échange de courrier.

« Je vous attends, écrit-elle à ma mère. Ne tardez plus, tout est prêt. Je vous ouvre mes bras, mais surtout, surtout, soyez prudentes ! »

Le chauffeur, c'est Maman, et le co-pilote, ma tante. Tout le long de ce sinueux trajet qui s'accomplit avec une étape nocturne dans le plus grand hôtel de Nîmes, ma tante, assise à côté de ma mère, ne cesse de l'interpeller : « Tiens ta droite, tu es beaucoup trop à gauche ! Tu vas nous tuer ! » Sur toute une portion du trajet s'ouvre le gouffre des gorges du Tarn, et Maman, d'instinct, tente de le tenir à distance...

Comment conduit-elle ? Il y a peu de femmes

chauffeurs, à l'époque, et le seul fait que ma mère tienne le volant représente un exploit. Cela nous fait remarquer, ce dont je suis fière.

Notre voiture, dans ces années proches de la guerre, est une Peugeot beige rosé à la carrosserie d'un modèle spécial, en forme de tête de chien, qui ne passe pas non plus inaperçue.

D'autant que ma mère et ma tante sont dans leur « tenue de voyage », jaquette de tweed ceinturée, blouse de lingerie, longue jupe à pli creux, chaussures bottier assorties à leur sac à main ; chacune a sur la tête le petit feutre crânement incliné qui a remplacé le chapeau cloche des années vingt.

Toujours maquillées — une femme « convenable » ne voyage jamais sans maquillage ni chapeau —, elles sont ravissantes. Je suis trop petite pour me l'expliquer, mais j'ai pris l'habitude, en leur compagnie, qu'elles se fassent remarquer partout. Plus encore dans les lieux rustiques, comme ces bistros du bord de route où nous nous arrêtons pour boire un verre de limonade. Dans le regard étonné du patron, des autres consommateurs et des serveurs, je lis ce qui me paraît être la plus profonde admiration.

A peine la voiture stoppée devant le grand hôtel de Nîmes, une nuée de portiers, de valets, de femmes de chambre se précipite sur nos nombreux bagages, la grande malle, les sacs de voyage, le carton à chapeaux, et nous introduit rapidement dans nos chambres où nous attend une légère collation avant un repos bien gagné. Je me rappelle surtout les moustiquaires, vaporeuses et enveloppantes comme des voiles de mariée, qui signifient que nous sommes entrées dans ce qui est alors l'empire des moustiques, le Midi !

Le lendemain, sous un soleil que je revois toujours radieux, après un petit déjeuner où abondent d'inhabituelles gâteries, croissants, confiture, miel, nous reprenons la voiture avec tous les bagages. La cérémonie des adieux au personnel est rituellement ponctuée par les chuchotements de ma mère à ma tante : « Que dois-je donner comme pourboire ? — Mais je n'en sais rien, mon petit vieux ! — Gabrielle, je t'en prie, aide-moi, on leur a laissé combien la dernière fois ? — Je ne m'en souviens pas, moi, c'est toi qui t'en occupes... »

Soucis de femmes seules, aux déplacements rares.

La dernière étape est relativement courte, ce qui n'empêche pas ma tante de continuer à s'égosiller : « Attention, tiens ta droite, freine, tu vas nous tuer ! »

Au tournant où s'amorce la descente sur Bandol, on voit soudain la mer. Ce virage-là, marqué par des pins parasols, je l'attends depuis Nîmes, car nous avons pris l'habitude d'y faire étape pour admirer, à l'horizon, le petit triangle bleu de la Méditerranée, pour nous congratuler d'être encore vivantes, en dépit des pronostics pessimistes de ma tante, et surtout pour faire un brin de toilette.

La *Maison Blanche* n'est plus qu'à un quart d'heure, et il est impensable de nous présenter devant Marraine Vionnet sans nous être recoiffées, lavées le museau si nécessaire, et, pour ces dames, remaquillées.

Ce soin des personnes, qui relève d'une étiquette non formulée, mais qu'il n'est pas question d'esquiver, a disparu. Il m'en reste quelque chose, en ce sens que j'ai plutôt plaisir, quand je retrouve des amis, fût-ce après un long voyage, à me présenter à eux telle quelle, sans même un coup de peigne. Comme si j'avais trop souffert, à l'époque, d'avoir eu à « m'arranger » avant de me jeter dans les bras de Marraine Vionnet.

Elle aussi s'est préparée. Depuis de longs jours, déjà, elle a pensé à notre arrivée, et nous a accompagnées par la pensée tout au long de la route. Ses lettres fourmillent de conseils, d'informations, de questions, d'injonctions sur les précautions à prendre. Marraine Vionnet, comme le prouve l'ingéniosité de son travail, a l'imagination du moindre détail.

A l'heure qui lui paraît la bonne, elle s'installe pour nous guetter sur le péristyle de la *Maison Blanche*.

Attendre est une occupation de femmes, mais l'était davantage encore avant la guerre, et les femmes de ma famille n'y manquaient pas. Quand ma mère, sa collection terminée, prend la route, en août, pour nous rejoindre dans le Limousin, ma grand-mère l'attend... depuis la veille au soir ! A mesure que les heures passent, son angoisse grandit et devient si tangible qu'elle se communique à nous, les enfants, pour nous tordre le cœur. Maman n'arrive pas, et si elle était morte ?

Des années durant, le dimanche, à Paris, ma mère, retour de la messe, est immanquablement en retard, car elle s'attarde à des courses alimentaires dans le luxueux quartier de son église du Gros-Caillou. Ma tante alors ne tient plus en place : « Il lui est arrivé quelque chose, j'en suis sûre ! Mes pauvres enfants, qu'allons-nous devenir ? »

Des attentes, à travers mes chéries, j'en ai vécu mille — « attente des femmes », comme dit Pavese, qui évoque l'état de grossesse, mais aussi celle de ces générations de femmes espérant en vain le retour d'un homme parti à la guerre ou en mer, de l'autre côté de l'horizon.

Blanche, la maison de Marraine l'est tout entière ; à colonnes aussi, d'inspiration néo-grecque, comme son homonyme de Washington — et il faut être enfant pour s'amuser à escalader sans cesse les escaliers à double révolution qui flanquent sa façade.

Le jardin, qui descend jusqu'à la mer, est lui aussi tout en pente et exige du souffle. A la *Maison Blanche*, tant aimée, nous étions comme des chèvres, perpétuellement à la recherche de raccourcis pour grimper le plus à pic possible ! (J'en parle au passé, car les nouveaux propriétaires, après Madeleine Vionnet, ont mis à bas cette merveille en forme de temple, pour rebâtir de plain-pied, j'imagine.)

Au dernier instant, il ne faut pas rater l'allée privée qui, après plusieurs tournants en lacets, permet d'accéder à la maison, et ma tante s'égosille une dernière fois : « Ralentis, je te dis que c'est là ! — Mais non, c'est un peu plus loin ! »

Fin des criailleries quand nous nous retrouvons enfin sur la bonne voie. Le bruit du moteur de la Peugeot qui, lourdement chargée, monte le raidillon en première, avertit Marraine Vionnet de notre arrivée : elle est debout pour nous accueillir, sourire aux lèvres, bras en croix.

Elle aussi s'est « arrangée ». Jamais je n'ai vu Marraine Vionnet négligée, ni même en peignoir ou en robe de chambre. Elle porte généralement une jupe-culotte, un corsage de crêpe taillé dans le biais et de couleur claire, des sandales de cuir assorties à sa tenue de vacances, un léger maquillage, mais pas de bijoux. Elle sent bon. Sa voix musicale contient toutefois une note de reproche : elle s'est inquiétée !

Oui, Marraine Vionnet est, elle aussi, sujette à l'angoisse, comme ses lettres me le confirment. Que ce soit du côté de ma grand-mère, de ma mère ou d'elle-même, je n'ai cessé de ployer sous les mises en garde ! Le monde, à entendre ces femmes courageuses et seules, regorge d'une infinité de dangers physiques (il est moins question des dangers moraux, en particulier ceux de l'amour, pourtant bien plus menaçants !). On peut tomber, s'écorcher, se casser un membre, se faire piquer — par un cactus ou un serpent —, être écrasée, se salir, se déchirer, se noyer ! En fait, je le comprends avec retard, ces dames, pour leur tranquillité personnelle, nous auraient voulu sages comme des images. De vraies poupées que nous étions presque, ma sœur et moi, mais jamais assez à leur goût.

A cause de son escarpement qui ne permet guère aux adultes d'être toujours derrière notre dos, le terrain de la *Maison Blanche* se révèle un paradis pour nous autres enfants. De la plage, à laquelle on accède par un petit tunnel qui passe sous la route côtière, jusqu'au haut du terrain qui débouche sur la voie de chemin de fer, que de courses-poursuites, d'errances, de rêveries sans frein ! Septembre est l'époque des figues, du raisin, des abricots et des ultimes floraisons. Nous profitons avec volupté des dons de cette côte lumineuse qui nous paraît de cocagne, à côté de notre bien-aimé mais plus austère Limousin.

Et puis, il y a Marraine Vionnet...

Les premières années, nous ne mangeons pas à la même table, car les adultes, en ce temps-là, n'ont point trop de patience avec les enfants qui, s'ils sont la prunelle de leurs yeux, ne sont pas pour autant des dieux, encore moins des tyrans domestiques, comme il arrive aujourd'hui. Le désir des adultes, en toute chose, passe avant le nôtre, qu'il s'agisse des menus, d'une promenade, de faire la sieste, d'aller se baigner, et, surtout, de la façon de s'habiller.

Combinaisons-shorts de Vionnet en toile rose, blanche ou jaune, maillots de bain eux aussi « maison » : pour ce qui est de la tenue, nous avons appris depuis notre naissance à nous laisser faire. La résistance est inutile, la critique impensable.

De toute mon enfance, je ne me rappelle pas avoir jeté un seul coup d'œil sur la vitrine d'un magasin de vêtements ou sur l'éventaire d'un marchand en plein air. Il est bien évident que n'importe quel article ne peut être qu'en dessous de ce que nous portons, ça n'est pas pour nous, et le convoiter eût été déchoir.

Nous sommes griffées, tatouées « Vionnet », personne ne songe à revenir là-dessus.

Si être Vionnet est un privilège, tout privilège comporte ses contraintes. Il ne faudra pas moins que la guerre, la fermeture de la maison Vionnet, mon éloignement de ma famille, pour envisager d'enfiler autre chose, avec, la première fois, l'impression de commettre un sacrilège.

En revanche, ce qui est plus que permis, ce sont les câlins. Nous pratiquons beaucoup le corps à corps, dans notre enfance. Ces dames, plutôt sevrées côté messieurs, en ont probablement besoin, et, avec le sixième sens des enfants, nous nous dépêchons d'y pourvoir. Nous sommes sans cesse sur leurs genoux, ma sœur et moi, passant de l'une à l'autre, nous échangeant pour ne pas faire de jalouses. Je me souviens de mon application à donner à chacune le sentiment que je l'aime au moins autant que les deux autres. Hormis ma mère, ces charmantes femmes sont sans enfants ; elles ont besoin, je le sens, de notre bavardage, de notre chaleur, de notre agitation, de nos inventions naïves !

Mais point trop n'en faut ! Madeleine Vionnet ne tolère pas ce qui est « déplacé », c'est-à-dire sans grâce ou irrespectueux, pas plus que les paroles étourdies ou insolentes. J'apprends très tôt à me surveiller.

Là encore, il est difficile d'exprimer à quel point un reproche de Madeleine Vionnet, un froncement de ses sourcils, une expression désapprobatrice sur son visage est pire qu'une gifle ! Je n'en reçois jamais, ça n'est même pas la peine, car j'aurais tout fait, je fais tout pour éviter de lui déplaire, tant je redoute sa fâcherie, même muette.

La Grande Patronne, qui pourtant se veut en vacances avec nous, reste en fait une éducatrice de tous les instants.

« Elle était juste, elle était bonne, me dit aujourd'hui Jacques Griffe, mais, surtout, elle aimait la vérité. »

Mentir, en sa présence, est effectivement impossible et ne me vient pas à l'esprit. Et comme je n'aime pas être prise en faute, surtout par elle, je prends l'habitude de ne jamais rien faire d'interdit, pour n'avoir rien à cacher.

C'est dur, pour un enfant, car c'est dans la transgression, petite ou grande, qu'on explore le monde et se découvre soi-même. C'est aussi en prenant des risques pour aller plus loin que la précédente qu'une génération dépasse l'autre. Mais Marraine Vionnet, nous répète-t-on, est parfaite sur tous les plans, il n'y a donc rien à faire « de plus » que ce qu'elle fait, ni à l'accomplir autrement. Une fois pour toutes, elle a établi les règles de l'existence la meilleure possible. Sa gloire est d'ailleurs sans mélange, comme le confirme ce que j'en lis dans les magazines de l'époque, *Le Figaro illustré*, *Vogue*, *Femina*, *Harper's Bazaar*... Aucune critique dans les comptes rendus la concernant — cas unique quand on connaît l'esprit des journalistes —, mais, au contraire, un assaut de louanges répétitives : « Madeleine Vionnet, dont la perfection est toujours irréprochable... » Ou bien : « Madeleine Vionnet, la première dans son art, nous ravit une fois de plus par le summum du raffinement ! »

Même si, à l'époque, je ne lis pas les magazines, son

intangible réputation de perfection ceint ma Marraine d'une aura de divinité.

Inutile de dire que les repas sont à l'heure, et, quand nous sommes autorisées à les prendre avec elle, l'absolue correction à table va de soi.

Rien de plus frugal que nos menus, jamais de vin ni d'alcool — Vionnet, comme Maman, a quelques soucis de digestion (on ne saurait être parfaite en tout !). Toutefois, le plat le plus simplement cuisiné, volaille, pommes de terre, salade, compote, est d'une qualité suprême.

Des années plus tard, je retrouverai à la table de Chanel, dans son studio de la rue Cambon, ce même alliage de simplicité et de qualité totale. Chanel, à mon étonnement, fait griller ses biscottes dans un grille-pain posé à même la nappe blanche.

— C'est meilleur, tu ne trouves pas ?

— Oui, Mademoiselle.

Ai-je jamais fait autre chose que dire « oui » à ces grandes dames de la couture ?

« Oui, Marraine » est mon leitmotiv obligé, et il ne saurait pour moi y en avoir d'autres.

En échange, que de compliments, de phrases louangeuses, de baisers, d'encouragements à encore mieux faire ! On ne s'adresse pas directement à nous, mais les phrases d'admiration s'échangent à nos oreilles pardessus nos têtes.

— Madeleine sera longue, elle a de longues jambes, un long cou.

— Quel joli teint a Simone, un brugnon ! Viens, petite chichoute, que je te caresse la joue !

Dans les lettres qu'elle nous envoie, je suis sa « petite châtaigne dorée », ma sœur est sa « petite mûre ». En somme, nous sommes bonnes à consommer, ce dont ces dames ne se privent pas.

Entre elles, c'est également un assaut de paroles aimables. Si Madeleine Vionnet est « Madame », ma mère et ma tante sont appelées par leur prénom, comme il convient de grande patronne à proches collaboratrices.

Vionnet, sa vie durant, ne voit que très peu de monde et préfère à toute autre compagnie celle des gens qui travaillent avec elle. Son directeur commercial, Monsieur Trouyet, sa femme et leur fils, passent d'ailleurs l'été dans une villa située sur la route de Sanary, bien simplette, c'est normal, à côté de la *Maison Blanche* qu'ils fréquentent assidûment.

Les rapports entre Vionnet et son entourage comportent naturellement toute la déférence qui lui est due. Une fois à la retraite, elle continuera de voir en priorité les membres de son ancien personnel, ou fera enfin leur connaissance. Pour elle, ce sont les meilleurs. Ou bien elle recevra ceux qui furent ses plus fidèles fournisseurs, les Lesage, les brodeurs, Louis Bourdeu, le fourreur, ou quelques rares artistes dont elle apprécie le talent, tel le laquiste Dunand ou le dessinateur Gus Bofa. Elle verra aussi des couturiers qui, plus jeunes qu'elle, viendront à elle comme vers leur maître : Molyneux, Balanciaga.

Jacques Griffe, qui occupe désormais sa maison de Cély-en-Bière, la fréquentera beaucoup jusqu'à sa mort, et il me relate ce qu'il a retenu de cette femme exceptionnelle dont le comportement, à ce que je constate, a été le même toute sa vie :

— Votre Marraine, comme votre Maman, étaient suffisamment conscientes de leur talent et de leur maîtrise dans leur art pour ne pas avoir besoin de prouver quoi que ce soit dans leur vie privée. Ni l'une ni l'autre n'aimaient sortir. Elles vivaient chez elles dans le plus grand raffinement : verreries de Baccarat, argenterie de Puiforcart, lingerie sublime — tout ça rien que pour se recevoir entre elles !

Sur la table de notre salle à manger se déploient uniformément des coupes perlées couleur fumée, des verres de cristal taillé, des assiettes de porcelaine fine, des nappes de dentelle dont ma sœur et moi possédons encore quelques éléments, et cet apparat nous paraissait normal.

Comme de nous habiller, dès nos cinq ans, d'un pantalon de velours noir et d'un chemisier de satin blanc pour dîner seules avec notre gouvernante.

Car si les adultes voient peu de monde, nous aussi, les enfants, vivons isolées. Deux ou trois fois par an seulement, nous sommes autorisées à inviter pour un grand goûter — l'écrivain Bernard Franck s'en souvient, il y fut ! — nos camarades de classe et quelques autres enfants, dont nos cousins.

Les enfants des clientes ne se seraient pas mélangés à nous, et l'idée ne m'est jamais venue de m'en étonner.

— Vous ne pouvez pas savoir comme Madeleine Vionnet était sauvage, me dit Griffe. Un jour, Madame Nathalie Clifford Barney l'invite chez elle pour lui faire rencontrer Madame Yourcenar. Après maintes hésitations, Madame Vionnet se décide, s'y rend et que voit-elle ? Une foule ! Aussitôt, elle tourne les talons ! Heureusement, Madame Barney l'avait vue, elle la rattrape et a pu la présenter à Marguerite Yourcenar. Une autre fois, la voilà qui accepte d'aller à une grande réception qui avait lieu le soir à l'hôtel Trianon, à Versailles. Vionnet avait l'habitude de venir y déjeuner, le dimanche, mais sans apprêt ; pour l'occasion, elle s'était maquillée et s'était fait une coiffure du soir. Elle entre et quand elle demande sa table au maître d'hôtel, celui-ci hésite, car il ne la reconnaît pas. Longtemps elle en a ri, un peu vexée quand même : “Le pauvre n’avait pas l’habitude de me voir habillée !”

Mais la Grande Patronne avait une grande passion : les voitures. Les siennes, Delahaye, Bentley, étaient toujours dernier cri, une couverture de vigogne jetée sur leurs coussins de cuir clair, parfois décapotables et astiquées comme des miroirs.

Conscient de ses responsabilités, amoureux lui aussi des belles mécaniques, François, son mécanicien, s’y consacre entièrement et renâcle quand on lui demande de faire autre chose que les bichonner. Vionnet, qui prétend s’en plaindre, au fond est d’accord ! Le même François nous fait le service en gants blancs, les jours de pique-nique. A peine la spacieuse voiture garée le long de la route, non loin d’un endroit ombragé, François sort du coffre le matériel : la table et les chaises pliantes, diverses mallettes de cuir et d’osier contenant verres, couverts, assiettes, trousses de luxe confectionnées par un grand sellier, sans doute Hermès, à l’intention exclusive de Madeleine Vionnet. Puis François déplie une nappe blanche damassée, des serviettes assorties, dresse le couvert, présente les aliments maintenus au chaud dans des thermos, et nous sert l’une après l’autre.

On imagine la tête d’éventuels conducteurs découvrant, au détour de la route, le surprenant spectacle de trois dames super-élégantes, avec deux petites filles, servies au bord du fossé par un valet de chambre en veste blanche !

Décorum pour rien, juste pour l’amour et la beauté de la chose, puisqu’il n’a guère de témoins ! C’est ainsi, dans l’attention constante accordée au moindre détail de ce qui fait l’existence et son cadre, que nous apprenons à vivre.

Étranges et belles sont les images qui me restent de ces grandes dames toujours solitaires — seules parce qu'elles le voulaient bien, probablement, mais aussi parce que ce qu'on appelle le « monde » ne voulait pas d'elles.

Que de leur travail.

Tout commence par le désordre

C'est l'arrivée déferlante d'un monceau de rouleaux de tissus qui m'avertit que la collection a commencé, du moins dans l'esprit de Maman.

Nous habitons alors square Pétrarque, dans notre hôtel particulier situé au sommet pile de la colline de Chaillot. Madame Vionnet a repéré ce petit square tranquille en construction dans le haut de la rue Scheffer, dont les maisons limitées à trois étages se bâtissent sur un modèle imposé par le style en vogue à l'époque : celui des Arts-Déco ! Vionnet s'en réserve un — elle habitait alors 33, rue Vital —, puis, tout bien considéré, dit à Maman, pour qui les conseils de la Patronne ont force de loi : « Prenez-le plutôt pour vous et votre famille, Marcelle, cela risque d'être trop spacieux pour moi, je vais me chercher quelque chose de plus petit. »

Et tandis que Madeleine Vionnet se déniche, plus bas dans Passy, l'étroit petit immeuble du square Antoine-Arnaud — « mon puits », dira-t-elle — où, cinquante ans plus tard, elle finira ses jours, mon père et ma mère installent avec allégresse notre modernissime demeure du square Pétrarque.

J'y ai vécu jusqu'à mon mariage et je conserve à son

endroit des sentiments partagés. Bien sûr, c'est la maison de mon enfance, d'où ma nostalgie. Mais qu'il était malaisé de vivre dans cette construction tout en angles et en espaces géométriques étudiés pour demeurer vides, comme l'exige l'art contemporain.

Aujourd'hui, les gens s'exclament sur l'élégance du style 1930. Ils n'y ont pas grandi ! Chez nous, pas un objet, cendrier, lampadaire, bouton de porte, qui ne soit d'époque et signé. On ne peut y déplacer les meubles, trop pesants, à commencer par l'énorme paravent en sycomore que Maman craint toujours de voir tomber — ce qui finit par arriver, et nous crûmes alors à une explosion ! —, mais aussi parce que leur place a été impérativement assignée par Chaneau, le maître décorateur. Quant aux bibelots, il n'y en a pas, sauf quelques bronzes d'artistes contemporains ou des coupes de cristal taillé : à partir de 1930, l'esprit de l'art décoratif est au vide (comme les cerveaux attendant passivement la Seconde Guerre mondiale ?), et de préférence monumental !

De gigantesques vases, l'un de Dunand, d'autres de Lalique, dans lesquels s'épanouissent des arums ou des tulipes — seules fleurs tolérées comme ayant du « style » —, apportent un peu de vie dans ce cadre plus qu'épuré. (Je ne connaîtrai que plus tard l'existence d'autres espèces florales !) Deux pieds d'hortensias, plantés à la droite et à la gauche de la grande porte d'entrée en fer forgé doublée d'un vitrage opaque, accentuent l'allure froide, vouée au graphisme, de notre habitat. Les miroirs muraux installés du sol au plafond, la lumière indirecte, le marbre, le palissandre, les moquettes immanquablement grises ou beiges, achèvent de conférer à l'ensemble un côté mausolée qui caractérise une époque pour laquelle, en dépit de mon mal-être, je garde une immense tendresse.

Mais comme nous nous sentons perdues, je dirais même déplacées, nous, les enfants, mais aussi ma mère, ma tante et ma grand-mère, venues en droite ligne de leur Limousin, dans ce décor qui conviendrait à l'art funéraire et qui, dans les années trente, fait figure de *must* !

Malaise qui n'est pas sans compensation : notre cadre de vie fige d'étonnement, sinon d'admiration, les quelques camarades de mon très chic cours Fénelon-Lamartine, situé rue de la Pompe, que j'ai parfois la permission d'inviter à goûter ! (Certaines, retrouvées cinquante ans plus tard, m'en parlent encore...)

Mais, heureusement, il y a la couture ! A temps régulier, un cadeau du Ciel pénètre chez nous et submerge tout : *le désordre !*

Il surgit deux fois par an sous la forme de cet multitude de rouleaux de tissus amoncelés dans le grand salon et que je dois enjamber pour parvenir jusqu'à mon piano, un Erard blanc gainé de parchemin, cadeau de Marraine Vionnet pour ma première communion.

Tissus de haut lignage, soies, lainages, jerseys, velours, signés des plus grands noms, Bianchini, Léonard, Pétillaut, Moreau-Chatillon, Ducharne, Buche, Meyer, Bucol, Labbey, Lesur, et resplendissants de couleurs à chaque saison nouvelle. Liasses de mousseline et de jersey de soie, de marocain, de faille, de granité, de velours, d'organza, d'ottoman — le tout déposé en vrac sur le sol.

La couture révèle enfin son vrai visage : celui d'un jeu !

La preuve : pour ce qu'ils appellent leur travail, les adultes se répandent sur le sol uniformément recouvert de moquette à lés, comme nous avec nos jouets. Personne alors ne songe plus à dire : « Ramasse » ou « Relève-toi, c'est sale ! »

Pendant cette période bénie, le sol devient ce qu'il devrait toujours être : une aire d'activités privilégiée, un lieu de vie, comme chez les primitifs, en Extrême-Orient, ou encore dans cette Maison Verte, fondée dans le XVe arrondissement par Françoise Dolto, où les tout petits se socialisent en se précipitant à quatre pattes les uns vers les autres !

Cette habitude m'est restée, et qu'on ne s'étonne pas de trouver chez moi, à même parquet et moquette, mes vêtements, mes livres, mes manuscrits, et souvent ma propre personne ! C'est en vivant à ras de terre que j'ai échappé, dans mon enfance, au complet dessèchement, et j'ai conservé l'habitude de m'y ressourcer quand ça va mal.

Grâce aux photos de couturiers que publient les magazines, je constate d'ailleurs que la tradition continue : tous les créateurs utilisent le sol comme surface de travail.

Quand je pense à cet étalage coloré, je revois le geste sec et précis de Maman pour déployer un tissu afin d'en juger le coloris, les reflets, le tombé : elle le saisit par un coin, en tire rapidement plusieurs mètres tout en le secouant pour l'animer, l'obliger à se cabrer, à montrer ce dont il est capable.

C'est à ce stade de la collection que la Haute Couture se révèle un art. Il ne s'agit pas de « femmes », à ce moment-là, ni de mode, encore moins de « caprice », mais d'un combat sans artifice ni tricherie avec... la pesanteur !

Selon sa matière, mais aussi son mode de tissage (et les soyeux, les laineux, authentiques créateurs, se surpassent de leur côté de saison en saison), chaque tissu a sa façon de « chuter » en formant des plis, des godets, des fronces avec lesquels le couturier doit compter. Soit pour « aller dans le sens du tissu », soit, au contraire, pour le « contrarier ».

Mon oreille d'enfant enregistre tout, et c'est en suçant le lait de ma mère que j'apprends que « Il va falloir contrarier » n'a rien à voir avec « embêter », mais signifie... quoi au juste ?

Avant tout, que Maman n'est plus disponible pour jouer avec ses petites filles : elle s'amuse sans nous, avec d'autres grandes personnes, à des jeux supérieurs !

Ses uniques jeux, à vrai dire, car Maman ne joue à rien avec nous, pas même à des jeux de parole : jamais elle ne nous raconte ou ne nous lit une histoire. Quant à jouer à la poupée, n'y joue-t-elle pas seule toute la sainte journée ?

Il lui arrive bien, en vacances, de s'amuser à ces jeux d'adresse appris dans la cour de récréation de son couvent limousin : osselets, diabolo, volant (déjà !). Maman excelle à ces jongleries comme à tout ce qui exige une pleine maîtrise de l'espace. La base de la couture, j'ai fini par le comprendre, c'est sculpter l'air du temps.

Marraine Vionnet non plus n'est pas une « joueuse ». Mademoiselle Chanel, que j'ai connue et fréquentée par la suite, en dépit d'un humour parfois mordant, ne m'est pas apparue comme très disposée à « rigoler », elle non plus.

— Et Christian Dior, Marguerite, est-ce qu'il aimait jouer ?

— A vrai dire...

Les couturiers jouent tout le temps, mais à un jeu qui leur est propre.

Leur grand jeu, c'est de tirer parti d'un matériau, et, pour cela, de « tricher » avec lui, le « renverser », le « gonfler », le « grignoter » pour, finalement, « aller en mourant »...

Lutte titanesque, grande aventure où ça n'est pas moins que la condition humaine qui est en quelque sorte, dans des salons bien feutrés, mise à l'épreuve !

Blottie dans un coin du studio de Maman où j'essaie de me faire oublier, je me rappelle avoir assisté à des essayages de clientes. Personne ne plaisantait, là non plus. Quels regards sévères et même impitoyables jetés sur l'ouvrage en voie d'achèvement, et si l'aréopage, composé de l'essayeuse, de la vendeuse, de ma mère, parfois d'une ouvrière, ouvre la bouche, c'est pour se murmurer des mots sans appel :

— Ça manque !

— C'est pauvre !

— Ça dégueule trop...

La cliente, qui feint d'ignorer ces termes d'atelier pour bien marquer sa différence et souligner son statut supérieur, donne son opinion dans un langage parallèle où priment l'esthétisme et le narcissisme :

— Je suis bien...

Ou alors :

— Je me trouve engoncée...

Ou encore :

— Ça n'est pas très flatteur...

A chacune de ses remarques, dépourvues d'aménité comme il convient à qui paie suffisamment cher pour avoir droit à l'excellence, les techniciennes répondent dans leur propre jargon :

— Ne vous inquiétez pas, Madame, on va redonner de l'aisance, lâcher par ici, reprendre par là...

Il y a de quoi rire de ces discours qui paraissent s'ignorer l'un l'autre ; pourtant, personne ne le fait.

Personne ne rit au cours d'un essayage de Haute

Couture. L'heure est grave, chaque geste périlleux. Certains irréparables.

Ceux qui consistent à accentuer un décolleté, par exemple. Le plein milieu de la robe est encore marqué par un fil de bâti, plus clair ou plus foncé que le tissu pour être tout à fait visible : c'est *ici* qu'il faut intervenir. Après mûre réflexion (et là, je suis tout à fait oubliée, comme si je n'avais jamais existé !), ma mère se décide : « Il faut cranter un peu plus. »

L'instant est solennel. Il s'agit de donner un coup de ciseau qui menace à un dixième de centimètre près la chair de la cliente — ou du mannequin. Ce sera alors irrattrapable !

Ma mère tend la main dans laquelle une « aide », comme en chirurgie, dépose bien à plat une paire de ciseaux dans le tissu, et, le sourcil archi-froncé, elle empoigne l'instrument d'une façon bien particulière : en n'en laissant dépasser que la pointe, sans doute pour mieux l'avoir en main.

Dans le silence, on entend alors le *crac-crac*, s'il s'agit de laine, ou le *cric-cric*, quand elle crante dans de la soie, qui annonce qu'elle « opère ».

Aussitôt fait, on rabat le tissu avec quelques épingles comme il sera une fois cousu, et tout le monde se concentre pour juger de l'effet dans la glace. Voir si vraiment « c'est mieux comme ça ! ».

Et il est préférable que ce le soit ! Sinon, il ne reste plus qu'à recommencer, à recouper la robe dans un nouveau métrage de la même étoffe : les robes de Vionnet étaient d'une seule pièce ! La perte est au compte de la maison.

Ce qui caractérise l'art du couturier, c'est qu'il travaille en public. Non seulement sous l'œil de ses assistants, ces grandes techniciennes qui, sachant tout du métier, jugent et apprécient chaque geste, mais aussi celui de la cliente. Les chirurgiens se rendent-ils compte qu'ils bénéficient jusqu'à présent d'une grâce sans égale ? Leur patient à eux est endormi. Pas les clientes d'un grand couturier !

Certaines, à la longue, et au rythme de dizaines de robes par mois (la princesse de Faucigny-Lucinge s'en fait préparer une par jour tout au long de l'année), sont devenues des expertes en l'art de la couture. Ça n'est pas à elles qu'on ferait accepter un ourlet mal arrondi, malfaçon relativement facile à déceler, pas plus qu'une minime asymétrie dans la coupe, un bouton placé un poil trop haut, une épaule « triste » ! On dirait même qu'elles mettent toutes leurs capacités d'observation et de jugement à prendre les ateliers et leurs dirigeantes en défaut ! C'est une occupation comme une autre, engendrant une satisfaction qui relève de ce qu'on nomme la *murder party*, car elle nécessite un intense effort de concentration, de réflexion, et, sans conteste, de « méchanceté ».

D'autant qu'ici plus qu'ailleurs, une cliente n'a jamais tort ! La raison d'être d'une maison de Très Haute Couture n'est-elle pas la perfection ?

Trois ou quatre essayages doivent suffire pour y parvenir. Or, au bout du sixième, du septième, du huitième, il arrive que certaines femmes, toujours insatisfaites, se laissent tomber sur la chaise située dans la cabine ou le petit salon d'essayage, dans la toilette considérée par tout le monde — sauf par elles — comme terminée, en s'exclamant : « Je suis désespérée ! »

Désespérées, je ne doute pas qu'elles le soient, mais cela n'est certainement pas à cause de la robe, du manteau ou du tailleur, mais de quelque problème de vie privée. C'est alors la maison de couture et son personnel, psychanalystes en leur genre, qui encaissent !

Au cas où l'ampleur du désespoir résiste à tous les premiers soins, on fait appel au consolateur suprême, au créateur.

— Je n'acceptais d'essayer que certaines clientes, me raconte Jacques Griffe, sinon j'y aurais passé ma vie ! Toutes voulaient avoir affaire à moi, il paraît que j'essaie comme personne...

Maman aussi a ce don de l'essayage.

Je veux bien croire qu'il tienne au coup d'œil et qu'en effet, le créateur — qui a généralement commencé comme technicien et connaît tout de l'art de la coupe et du maniement du tissu — surpasse en cela ses assistants, même les plus spécialisés. Mais je soupçonne autre chose : il y a du psychothérapeute chez ces hommes et ces femmes qui se sont voués à l'habillement des femmes.

Je revois Maman, arrivant toute suavité, toute tendresse, tout amour pour cette cliente hors d'elle-même et qui a forcément raison puisqu'elle n'est pas contente ! (« Mon métier, me dit Jacques Griffe, c'était de donner satisfaction... ») Et la femme, sentant d'emblée cette connivence, est déjà apaisée à l'idée qu'il existe quelqu'un, de par ce triste monde, pour lui donner raison avant même de l'avoir entendue.

Elle n'a d'ailleurs pas le temps d'exposer le motif exact de sa plainte que le couturier s'exclame : « Mais cela ne va pas du tout ! Enfin, voyons, là, c'est trop plat, et ici, ça remonte... Donnez-moi vos ciseaux, Henriette... »

Et avant que qui que ce soit puisse s'interposer, le couturier défait quelques points, arrache un col, une manche, ou se contente de faire une béance qu'il va colmater avec quelques épingles, pour achever de remonter le modèle, dans certains cas, exactement comme il était avant !

Il a fait droit à la plainte, à la demande de sa cliente, laquelle se déclare ravie, enchantée : tout ira bien, désormais, tout va bien !

J'ai même vu des couturiers, à l'essayage de clientes plus que grincheuses, simplement leur « imposer les mains ». Oui, j'ai vu Pierre Cardin, doué lui aussi de mains prodigieuses, se mettre de dos, derrière une cliente impossible à satisfaire, et poser ses deux admirables mains sur les hanches de la femme. Inutile de dire qu'elle ne tolérerait ce geste de personne d'autre, et que la première qui a besoin de mettre en place une jupe sur elle s'y prend tout autrement : elle tire, si besoin est, sur la doublure ou par le bas de l'ourlet ! Mais elle se garde bien d'imposer les mains en direct sur le corps de sa cliente...

— Eh bien, dit Pierre en fixant la femme dans les yeux à travers la glace, c'est qu'elle était mal placée. C'est tout ! Vous voyez, il faut la poser sur vous comme ça, en tirant dans le dos... Cela dit, si vous voulez qu'on la défasse et qu'on la remonte, on va le faire... Mais moi, je la trouve très bien comme ça !

— Non, non, elle est parfaite, vous avez tout à fait raison ! Je n'avais pas compris ! Bien sûr : il faut la rejeter en arrière... Tout le chic est là ! Voilà, comme ça, c'est au point ! Je la veux pour ce soir, j'ai un grand dîner, et je tiens absolument à la mettre !

— Annie, faites livrer Madame immédiatement...

— Mais bien sûr, Monsieur !

Annie, la vendeuse, exténuée comme l'ensemble des personnes qui s'occupent de cette femme-là depuis plusieurs heures, aurait éventuellement livré la robe elle-même pour en être délivrée.

Et, dans le dos de la cliente enfin sur le départ, quel muet regard de gratitude on jette alors au Sauveur...

Oui, on ne plaisante pas dans la Haute Couture : l'humour n'est jamais de mise ! Même lorsque la mode, cette saison-là, est à la gaieté, à l'excentricité, et que les collections débordent de la plus exquise des frivolités !

Nos clientes

Dès qu'une femme entre dans la course à l'élégance, il ne lui suffit pas d'être bien, il faut qu'elle soit *la mieux* ! Les années trente, c'est l'époque des concours d'élégance, en compagnie de chiens et de voitures de luxe, auxquels les femmes les plus huppées se prêtent avec tact.

Il n'y a pas si longtemps, la belle Otero, Liane de Pougy, Émilienne d'Alençon tenaient le haut du pavé dans une concurrence fracassante et... ruineuse. Il leur fallait quotidiennement de nouvelles fortunes à croquer. Otero se fit offrir colliers et diadèmes ayant appartenu à des têtes couronnées, et les perdit — élégance suprême — au jeu.

Nos belles clientes se considèrent donc comme raisonnables quand elles ne dépensent en vêtements et bijoux — et pour des occasions honorifiques et bien précises — que l'argent de leurs riches maris.

Le luxe vestimentaire, qui exige une dure discipline, commence ainsi à se moraliser (jusqu'à devenir cet art relevant de l'ascèse, sans autre objet que lui-même, pratiqué en « laboratoire » par les couturiers contemporains).

Quand les « numéro Un » de l'élégance mondiale,

Madame Revel, Madame Martinez de Hoz, Madame Simpson débarquent avenue Montaigne, l'humeur n'est donc pas à la rigolade. Ni même à la fantaisie. Tout le monde est sur l'œil.

La maison de couture, d'abord, qui se sent en concurrence ! Car ces dames, et c'est leur droit absolu, vont assister à d'autres collections chez d'autres couturiers, et comparent : Lanvin, Patou, ou alors Schiaparelli, Chanel, si elles cherchent à se montrer plus fantaisistes !

Tandis qu'elles revoient les modèles qu'elles ont déjà pointés — moment capital où l'on s'arrange pour que les femmes que l'on sait en compétition, fussent-elles amies par ailleurs, ne se rencontrent pas —, elles sont concentrées au maximum.

Il s'agit d'imaginer la robe sur elles-mêmes et dans l'occasion où elle sera portée, avec ses accessoires. En particulier les bijoux. Certaines femmes se font d'ailleurs accompagner de leur femme de chambre, qui porte les écrins : la parure de diamants, les émeraudes.

On compare les tons, on se figure en situation, dans l'« ambiance » ! S'il s'agit d'une manifestation de plein air, comme les courses, il faut aussi prévoir plusieurs sortes de toilettes pour tous les temps possibles.

Les vendeuses ont l'habitude. Il y aura la tenue pour beau temps, celle pour temps moyen, ou carrément pour temps pluvieux. Dans des circonstances aussi importantes, on ne lésine ni sur l'argent ni sur le mal qu'on se donne.

Reste l'impondérable : que portera la rivale ?

Les vendeuses, si ça n'est pas la même, communiquent entre elles pour éviter une catastrophe nuisible à la maison de couture : la même toilette au même endroit, à la même heure, sur deux femmes différentes !

Puis la vendeuse susurre, d'un air détaché, qu'elle

croit savoir que Madame X a choisi la robe en plumes, ou celle avec le boléro brodé. Silence de la cliente concernée, qui paraît ne pas avoir entendu l'information fournie par les « renseignements généraux » de la couture — mais qui réfléchit. Car il s'agit de « faire mieux » !

Pour se surpasser mutuellement, la tactique est identique depuis qu'il est des femmes qui s'habillent : si la rivale choisit la somptuosité, on joue la sobriété. Ou le contraste : le blanc si elle est en noir ; le monochrome si elle donne dans le multicolore.

On travaille aussi à mettre en valeur ses propres atouts physiques face aux défauts de « l'autre » — et c'est là que ces dames, décolleté contre ligne de jambes, se révèlent de vraies « championnes », qui savent se critiquer elles-mêmes et ne pas sous-estimer l'adversaire.

On n'en est plus toutefois au machiavélisme de certaines élégantes du siècle dernier qui, tenues au courant des projets vestimentaires d'une invitée par leur réseau (femmes de chambre), faisaient subrepticement changer la tapisserie de leur mobilier afin que sa couleur « jure » avec la future toilette de la rivale. De quoi s'évanouir !

On a pourtant vu certaines de ces dames pousser la stratégie jusqu'à dire bien haut qu'elles porteraient telle robe ou tel ensemble, pour, au dernier moment, dérouter l'adversaire en choisissant autre chose.

Au jour dit, que d'amusantes — ou tragiques — scènes muettes !

L'entrée des élégantes sur un champ de courses battait même celle des chevaux...

Cette compétition sans merci explique la ténacité, l'ardeur, la violence que mettaient les femmes à exiger le meilleur de leurs fournisseurs.

N'importe qui, même s'il n'est pas « né », peut à présent faire partie du « monde ». A cette condition que Marcel Proust a bien soulignée dans *A la recherche du temps perdu* : qu'on excelle en élégance. Pour y parvenir, les hommes comptent sur leurs femmes, qui elles-mêmes comptent sur leurs couturiers.

D'où notre importance !

Je le sentais sans me l'expliquer, car il y a quelque chose d'étrange, pour un enfant, dans le comportement des femmes qui arrivent chez leur couturier pour se commander des robes.

La première chose qu'elles font, c'est se déshabiller !

Bien sûr, leur lingerie est sublime, de la pure soie brodée main, ornée de dentelles sans prix, repassée au dernier instant par leur femme de chambre, différente à chaque essayage, avec le soutien-gorge, la combinaison, la petite culotte, le porte-bas de soie assortis.

Toutefois, jamais ma mère, ma tante, Madame Vionnet, ni aucun membre du personnel de la maison Vionnet ne se dévêtent en public ! (Si ces dames ont besoin d'un essayage, elles s'enferment à double tour dans leur studio.) Jouer la grande poupée que d'autres habillent et déshabillent, est l'apanage des seules clientes ! (Et des mannequins)

Ces femmes, si j'en entends parler quotidiennement, je ne les vois pas, et, pendant des années, les grandes clientes de Vionnet ne sont pour moi que des noms à la consonance romanesque, poétique, parfois bizarre, dont ma mère égrène sans cesse le chapelet.

Il y en a qu'on prononce avec affection, comme ceux des diverses baronnes de Rothschild, d'autres avec inquiétude, celui de la princesse de Faucigny-Lucinge, par exemple, laquelle commande tellement de robes à chaque collection qu'elle ne semble jamais tout à fait contente d'aucune. Ou alors, c'est avec un respect confinant à la terreur qu'on parle de celles qui mènent le train, les fameuses Madame Revel ou Madame Martinez de Hoz.

Ma tante, qui plus que ma mère a le sens du modernisme, se plaît à appeler ces femmes par leur seul patronyme.

— Martinez de Hoz revient demain à onze heures pour essayer à nouveau son tailleur, quelque chose ne va toujours pas du côté du col. J'espère que Lucile va s'en tirer et pourra le lui terminer à temps, elle en a besoin pour le soir même !

Ma mère, en revanche, dit toujours « Madame » en parlant de ses clientes, et je sens, à son ton, que ces femmes très riches dont elle ne partage pas et ne partagera jamais le genre de vie, ont toute sa considération.

La plupart des créateurs de la couture sont respectueux vis-à-vis de leurs clientes : on dirait qu'il existe un pacte secret entre eux et ces femmes qui leur font l'honneur de porter leurs modèles. En somme, qui font vivre leurs robes, car une robe n'existe pas en elle-même !

Ce qui me frappe aussi, à l'époque, c'est l'emploi que l'on fait du mot « besoin ». Lorsqu'on dit, chez nous, qu'une femme a un « besoin » urgent de sa robe pour tel jour, de plusieurs tailleurs, de trois robes du soir, d'une cape et d'un manteau de fourrure, c'est comme s'il s'agissait d'une nécessité vitale.

Jamais je n'ai entendu critiquer l'insatiable appétit de certaines femmes pour un amoncellement parfois démentiel de toilettes. Il faut dire qu'il était exclu, pour une élégante qui se respectait, de se faire voir deux fois par les mêmes personnes dans la même robe, à moins que le ton n'eût varié !

On se contente d'enregistrer : « Madame X a recommandé la petite robe à volants dans une cinquième couleur... »

— Elle lui va tellement bien.

— C'est ce qu'elle a dit à Léonie. Ah ! et puis elle veut aussi le grand manteau de velours en rouge, le noir ne lui suffit pas.

— Il faut faire rentrer des échantillons de velours, j'espère qu'il y a un beau rouge.

— Sûrement, le tissu est teint à fil.

Ce qui étonne également mes oreilles d'enfant, c'est qu'on qualifie certains vêtements de « petits » — la petite robe, le petit tailleur — et d'autres de « grands » — la grande cape, le grand ensemble. Définit-on ainsi l'occasion au cours de laquelle ces vêtements sont portés ? Grand bal ou petit dîner ?

Certaines clientes, comme la duchesse de Windsor, savent exactement ce qu'elles veulent et étonnent leurs vendeuses par la pertinence de leur choix. En plus, leur sûreté de jugement fait gagner du temps.

Mais d'autres réclament explicitement de l'aide : « J'aimerais que Madame Chapsal vienne me donner son avis. »

Maman, quand c'est elle le conseil — je l'ai vue faire plus tard, avenue George-V —, soupèse rapidement plusieurs éléments, la circonstance, l'allure physique de la cliente.

Certaines femmes, soumises à cet examen et se connaissant bien, prennent les devants : « C'est que je suis un peu petite ! »

— Comment pouvez-vous dire ça ? dit Maman. Vous avez une classe, une distinction, une allure...

Ma mère ne ment pas, elle insiste seulement sur le bon côté : il y en a toujours un !

Je me rappelle son ton extasié pour mettre en valeur

une qualité, fût-elle unique : « Avec une couleur de cheveux comme la vôtre ! » Ou bien : « Quelle ligne ! »

Sous ces compliments prodigués par un expert — toujours justes —, la cliente la plus timide finit par gagner en assurance et se retrouve, au bout de quelques saisons, beaucoup plus capable de choix.

Certaines, en effet, poussées par un mari nouvellement enrichi, ou devenues amies d'un riche protecteur, débarquent un beau matin sans la moindre notion de l'art de se vêtir. C'est le rôle du couturier, assisté de ses vendeuses, de le leur enseigner sans en avoir l'air. Moins difficile qu'il n'y paraît, car la plupart des femmes ont le goût de la couture, même si elles n'ont pas eu, avant d'entrer chez un grand couturier, la possibilité de l'exercer et de l'affiner par l'usage.

Celles qui possèdent un sens exceptionnel de l'élégance finissent même par guider et inspirer subtilement le créateur. Quand elles disent : « Ça n'est pas pour moi ! » ou, pire encore : « Ça fait fête à Neu-Neu ! », le couturier en prend pour son grade et, à sa prochaine collection, baisse le ton !

C'est ainsi que fonctionne la Haute Couture, comme un art d'initiation, de couturier à cliente, mais aussi bien de cliente à couturier.

Les robes de Marraine Vionnet

Si je pense à Marraine Vionnet, de petite taille mais à l'époque plus grande que moi, ce que je revois avant tout, ce sont ses jupes-culottes. En lainages de toutes espèces, en toile l'été, toujours impeccables.

Maman acceptait ses vêtements un peu froissés, parfois décousus, l'ourlet rebâti à grands points ou tenu par une épingle. Vionnet, elle, du genre maniaque et obsessionnel, était toujours nette et parfaitement « repassée ». D'où la splendeur de ses blouses et de ses hauts de robe, miracles de ses ateliers, journellement renouvelés, dans d'indicibles tons pastel qui mettaient encore plus en valeur sa magnifique auréole de cheveux blancs.

D'elle, drapée dans un pan de velours d'un rouge un peu orangé, le grand laquiste Dunand fit un portrait dont je ne possède qu'une photo et une petite copie. L'original est englouti dans les fins fonds de son héritage, où je l'espère en sûreté. Rien ne rend mieux compte que ce laque de ce qu'il y avait d'impérieux et même de majestueux chez cette femme alors âgée d'une cinquantaine d'années.

Plus la vie passe, plus je comprends que les gens ne valent que par leurs visions, leurs fantasmes. Ce qu'ils imaginent. Quand leur imagination, comme chauffée à blanc par un travail d'alchimiste propre à chacun — leur « œuvre au noir » —, atteint un certain degré d'incandescence, il arrive que quelques-uns donnent vie à leurs images. Car si tout le monde a « ses voix », tout le monde n'a pas la force ou la chance historique d'être Jeanne d'Arc, de Gaulle, Van Gogh, c'est-à-dire de passer à l'acte.

La petite Madeleine a eu le toupet, l'insolence et le génie réunis de devenir la Grande Vionnet. Pour ce fait d'armes, elle reçut, fait rarissime à l'époque pour une femme, la Légion d'honneur ! Le ruban, puis la rosette remis à une couturière, il fallait qu'il s'agisse d'une sacrée bonne femme... et d'un sacré chiffre à l'exportation !

Était-ce dû à ce petit bout de rouge sur sa poitrine ? Je n'ai connu Marraine que le torse bien bombé, le cou droit, la tenue impressionnante, sans une tache, sans un pli, sans une boucle qui fût dérangée, la voix toujours admirablement timbrée, celle de quelqu'un qui s'est entièrement discipliné soi-même.

Apparence d'abord : c'était là son métier, sa profession, son être. Leçon, exemple, et, en même temps, crainte.

L'œil de Vionnet était impitoyable. Elle avait déjà vu et se préparait à corriger ce qui clochait avant même qu'on eût achevé de franchir la porte de son studio, de sa chambre, de la salle à manger !

Heureusement, à Bandol, nous mangions à une petite table à côté de celle des adultes, dans la grande et belle salle claire, tenue fraîche par son péristyle à colonnes et dallée de marbre. J'eusse aimé y poser mes pieds nus, mais point de ces inconvenances en présence de Madeleine Vionnet, même en été, même dans le Midi !

Diététicienne, Vionnet était folle de légumes. De poulet, de poisson aussi, de pommes de terre, mets simples que je préfère encore à tout. Il lui arrivait aussi de faire servir des petits plats mijotés. Mais Vionnet, pas plus d'ailleurs que Chanel, ne voulait accorder trop d'importance à ces fariboles que sont les jouissances de la bouche. Pour elle comptait avant tout la tenue, et qu'elle fût appropriée à l'événement.

Pour aller sur la plage qui prolongeait le très grand jardin en pente et en terrasses où poussaient figuiers et plantes grasses, Vionnet mettait un serre-tête à visière, contre le soleil, et une jupe-culotte de toile avec laquelle elle pouvait s'asseoir sur un pliant ou sur une grande serviette à ses initiales, et surveiller nos ébats maritimes.

Pour la messe, tandis que nous autres enfants portions chapeaux assortis à nos robes et manteaux, socquettes de fil et gants blancs, Vionnet, Maman et ma tante se mettaient sur leur trente et un. A Sanary, passe encore, mais quand nous entrions toutes les cinq à l'église d'Eymoutiers, dans notre Limousin, nous étions le point de mire de l'assistance qui devait en faire des péchés de commérages, tandis que nous en commettions, nous, de coquetterie et d'orgueil.

Chère Marraine ! Quelle attention elle portait à tout ce qui nous concernait ! La tenue, mais aussi les études, le dentiste, le vocabulaire, la santé... Ses lettres — j'en ai des cartons — sont pleines de questions manifestant sa juste et authentique sollicitude, et elle n'oubliait rien ni personne de notre entourage, pas même « Sophie », la petite scotch-terrier.

Il n'y a pas si longtemps, si fraîche encore dans ses soies roses ou ivoires, toute menue et redressée sur les coussins de sa dernière chaise-longue, dans sa demeure du square Antoine-Arnaud, elle me redisait : « Je ne me déplace plus, mais, tu sais, j'ai conservé toute ma tête ! »

Pour sa façon bien à elle d'aimer, c'était vrai.

L'enfance, par manque d'éléments de comparaison, ne sait pas ce qui est exceptionnel, mais le perçoit. Cette femme qui enterra deux maris et mourut sans descendance était de la très grande espèce. J'eus la chance inouïe d'être en partie éduquée par elle, et c'est maintenant que je lui rends son dû. Unique, tout le monde l'est, mais Vionnet la solitaire était un peu plus unique que les autres.

Rien que son écriture !

Maman aussi possède une écriture superbe qui en « jette » sans affectation ! En fait, ce qu'elles ont en commun, ces deux écritures, c'est de la puissance. Féminines, toutefois, et élégantes dans leurs boucles et leurs arrondis. Mais Vionnet, l'ultra-secrète, double et même triple ses *o* et ses *a* : personne n'entrera dans sa cachette !

Enfant, elle se réfugiait sous la table ou bien s'enfermait dans une sorte de cercle magique, une maison qu'elle se construisait avec des chaises, et c'est ainsi protégée qu'elle jouait, rêvait sa vie avant d'entrer en apprentissage.

Griffe, retiré dans sa maison de campagne de Cély-en-Bière, qu'il chouchoute désormais depuis vingt-cinq ans, me raconte : « Vionnet haïssait les fenêtres. C'est la seule chose que j'ai transformée à Cély : j'ai fait ouvrir quelques fenêtres et portes-fenêtres, on n'y voyait pas ! »

On n'y voyait pas non plus à la *Maison Blanche*, encore moins square Antoine-Arnaud, son ravissant petit immeuble en forme de cheminée. La seule lumière qu'elle acceptait était celle tombant d'une verrière. La plus vaste surplombait son studio de l'avenue Montaigne ; une autre faisait trouée dans la cage d'escalier de son immeuble de Passy ; il y avait également la grande serre de Cély-en-Bière, le plafond vitré de la salle de jeux, celui du corridor du deuxième étage, et c'est par la terrasse que s'éclairait ce petit temple fermé sur lui-même qu'était la *Maison Blanche*, à Bandol. Chaque fois, elle en avait été l'architecte.

Vionnet, qui parlait souvent du Bon Dieu, n'aimait-elle à ce point que la lumière tombée du ciel ?

Tendresse de Vionnet

En dépit de nos liens, aurais-je pénétré l'univers si secret de Madeleine Vionnet si je n'avais pas conservé ses lettres ?

Je les relis avec étonnement : c'était donc aussi cela, la Grande Patronne ? Cette pudique tendresse, cette émotion, cet émerveillement et ce perpétuel tremblement pour qui elle aime ? En particulier pour nous, les enfants :

> « *N'avais-tu pas une bicyclette, l'année dernière ? Si oui, je pense qu'elle sera devenue celle de petite Simone, autrement avec quoi joue-t-elle quand tu montes sur ta bicyclette ? Je sais bien que Maman prévoit tout, et tante Gabrielle aussi ; toutefois, dis-moi comment vous faites. Comme je vais à Paris pendant deux ou trois jours, je peux envoyer à ma Simone une petite bicyclette qui se tiendra debout toute seule.*
>
> *Mais peut-être est-elle assez grande pour rouler sur une vraie ? Quand on n'a pas de petite fille autour de soi, on ne sait pas bien ce qu'il faut.*
>
> *Dans ta dernière lettre, tu me disais aller en ville pour ton piano. Fais bien tous tes exercices,*

afin de garder l'adresse acquise de tes doigts, leur force aussi. Rien que des exercices bien faits suffisent, et ça n'est pas un travail, et tu ne peux pas faire d'erreurs.

Petite Simone un peu à moi, je sais que tu apprends à lire. Apprends vite à écrire pour que nous puissions nous écrire. J'aimerai tant tes lettres — je le sais d'avance — que je suis pressée d'en recevoir.

Embrasse Madeleine qui écrit pour toi en attendant que tu saches, et venez toutes les deux dans mes bras comme si j'étais là.

Je vous serre bien fort, je ferme les yeux et je crois sentir vos petits corps, et je vois le petit dos de Simone, un peu plus grand que celui d'un bébé, pas encore celui d'une vraie petite fille.

Et le poussin apprivoisé ? Vous suit-il encore ou est-il assez grand pour se promener seul ? Il doit venir à Cély pour être plus près de vous quand vous serez à Paris et pour que vous puissiez plus facilement l'y aller voir. Parlez-en avec Maman. Je vous quitte, mes petites chéries. Je vous aime de tout mon cœur en toute tendresse. »

Il y a aussi les lettres à ma mère, à ma tante, pour hâter notre venue lorsqu'elle-même est à Bandol et nous attend.

Humour, parfois : « *Si je savais dessiner, je ne vous enverrais qu'un énorme point d'interrogation sur cette page blanche.* »

Dans d'autres, on reconnaît cet esprit de commandement et d'organisation qui ne veut rien laisser au hasard — en se retenant pour ne pas tout régenter.

« *Ma chère Marcelle, je ne cesse de penser à*

votre venue et je vous installe par la pensée ! Je crois qu'il faut me laisser dans la salle de bains, mais j'aimerais qu'en toute confiance vous me disiez ce que vous en pensez. Les enfants coucheraient-elles ensemble dans un grand lit ? Se reposeraient-elles ? En ce cas, je prendrai le grand lit d'une chambre pour le mettre dans la leur. Je voudrais que dès le premier jour vous vous sentiez bien, surtout après le voyage. »

Ce long voyage du Limousin à la Côte, avec étape à Nîmes, qu'elle redoute et qu'elle ne cesse, de loin, d'organiser et de préparer :

« *Je viens d'écrire à Michelin pour avoir l'itinéraire bien documenté que vous devez suivre pour venir à moi. C'est la seule question qui me préoccupe, et je désire la bien connaître. Pour le reste, tout me semble parfait et réjouissant. Il n'est pas question d'hôtel ! Ce serait une fatigue pour celle qui irait, il est à quatre ou cinq cents mètres de la* Maison Blanche, *et c'en serait une en retour pour moi qui la partagerais.*

Nous ferons une excursion à Porquerolles, qui semblait vous tenter, j'irai en reconnaissance un de ces jours.

Venez ! Il y a de beaux melons d'eau, des figues merveilleuses que l'on ne peut consommer que sur place. Une soubrette impressionnante, d'un charme troublant. A Paris, elle était jolie fille, mais un peu lourde ; Marseille a fait d'elle ce que vous verrez, sans rien de commun. Une Ève brune !

Tout le reste de la maison est clos dans une chasteté qui permet de contempler cette flamme sans se brûler.

Rien d'utile à ajouter. J'enverrai l'itinéraire aussitôt reçu et recopié. Si vous avez quelque chose à me demander, écrivez-le. Je noterai d'ici là ce qui me semblera devoir vous être utile. Encore une fois, seul le voyage aller me préoccupe. Pour le retour à Paris, après les premiers soixante-quinze kilomètres de Bandol à Aix, la route est magnifique. Première étape : Bandol-Lyon. Deuxième étape : Lyon-Paris, cinq cents kilomètres. Mais j'ai pensé à mieux : Lyon-Cély, quatre cent cinquante kilomètres, et cet arrêt à Cély vous semblera bon...

Ci-joint le croquis de l'installation que je vous prévois. Les proportions ne sont peut-être pas à l'échelle, elles sont à l'empreinte d'une boîte de bonbons à la menthe de Madame de Sévigné (cadeau de vous) ; s'il manque quelque chose, ce doit être en longueur.

Personne n'ira à l'hôtel, à moins que vous pensiez n'en éprouver aucune fatigue. Dans ce cas, je tâcherai de me faire à l'idée, désirant avant tout que vous soyez à l'aise. A bientôt, je le désire ardemment. »

Mais la guerre approche, et bientôt les lettres portent une autre empreinte que celle des bonbons de Madame de Sévigné, celle de l'angoisse :

« Malgré le succès de la collection — nous dépassons les concurrents de dix longueurs, m'écrit Monsieur Trouyet —, nous étions un million au-dessous de l'année dernière, il y a quelques jours. Il est vrai que les prix de vente sont encore réduits de cinq à dix pour cent.

Ce second semestre m'inquiète ; le premier nous laissait intacts, et je lui en savais gré. Quelle époque et quelle politique ! Que de trafics ! Garder son équilibre devient un souci constant.

Tout "fout le camp", comme le café de la France, comme la jeunesse.

Je vous embrasse toutes les quatre ainsi que votre Maman, ma chère Marcelle. Et vous qui êtes l'axe du noyau, je vous embrasse en désirant que toutes les lumières de la vie vous soient données. »

Un an plus tard, c'est la guerre, la fermeture de la maison Vionnet. Les lumières se sont éteintes sur la France, dont, à jamais, celles d'un certain luxe et d'une certaine forme de raffinement que Madeleine Vionnet incarnait mieux que personne.

C'est surtout après la Libération que sa correspondance reprend pour devenir, maintenant qu'elle n'est plus au travail, presque hebdomadaire.

Je n'en extrais que quelques passages. Ils donnent le ton d'un échange qui n'a cessé de s'intensifier, entre elle et moi, à mesure que je prenais mieux conscience de ce qu'elle représentait :

Conseils de moraliste qui privilégie la mesure :

« *Merci pour tes envois de fleurs, de livres (le tien surtout). Ne t'oblige pas à d'autres à côtés, l'essentiel suffit toujours — il a seulement besoin de compter.* »

Notations d'artiste aussi et d'amie des femmes :

« *Tu me diras le nom de ces lis rampants que tu m'as envoyés — si tu le connais — sur neuf, sept se sont ouverts complètement. Les tendres roses aussi se sont ouvertes totalement, elles doivent en souffrir comme le ferait une ancienne belle/jolie coquette...* »

Soudain, l'émotion la déborde :

« *Madeleine chérie, je te dois cette lettre : 1°) pour te remercier des félicitations que tu m'as envoyées pour ma rosette, mais 2°) surtout, surtout, pour une vraie joie, une vraie détente que tu m'as donnée aujourd'hui.*

Je range mon bureau, mes classeurs, et, dans l'un d'eux qui porte la mention "lettres d'enfants", avec fautes et pâtés, j'en retrouve une de toi dont je te fais la copie, et je souhaite que tous, à La Sauterie, *vous y trouviez du plaisir.*

Elle n'est pas datée et tu devais être toute petite, Maman la situera dans le temps. Je ne peux que rendre le style et l'orthographe, mais je te la montrerai un jour. Surtout, ne t'imagine pas que j'en aie ri dans le sens de se moquer. Tu es assez grande pour comprendre, au contraire, le sentiment qui me fait t'écrire, ce soir, et te la rappeler. Voici : "Chère Marraine, je suis très contente de le livre de chansons que vous ma vé a poreté. Je peux déjà joué des chansons et je suis déjà alé ala micarême et Maman a di qu'elle vous en véré des fauto pasque nous nous som faite fotographié moi et Simone dans notre beau costume. Javé une robe de 1830 *(le 8 est oblique, et les trois autres chiffres droits)* et Simone et té ten marquise et je vous embrasse fore au revoire Marraine. Madeleine."

Dis-moi si ça n'est pas attendrissant. Chose adorable de retrouver un peu de soleil dans des jours gris ! Il y avait aussi trois narrations de toi, traitées en "grande personne".

Merci, chérie, de m'avoir donné cette joie ; tu ne peux t'imaginer à quel point elle était bienvenue !

Je te prends dans mes bras et t'embrasse de toute ma tendresse. Marraine. »

Dans une lettre à ma mère datée du 20 juin 1958, la vieille dame qui, deux jours plus tard, va fêter ses 82 ans : — « *On met de grosses bougies pour les dizaines !* » — s'émerveille devant la variété de ce qu'elle a vécu :

« *Ce que j'ai vu et constaté depuis que je suis au monde ! Je dois m'arrêter ! Songez, Marcelle, que j'ai vu le premier tramway à vapeur. J'avais huit ans, Papa m'avait emmené du côté des Buttes-Chaumont ! Que n'ai-je vu depuis ! Je me rappelle même qu'une fois, étant en voiture avec le mari d'une amie, directeur d'une grosse compagnie de loueur de voitures et camions Renault, il m'avait dit que dans quelque temps on volerait ! Je me suis écartée de lui, peureuse, méfiante quant à sa raison ! Oui, j'ai vu assez de progrès. Seuls m'intéressent ceux qu'on ferait dans les robes. Je n'en vois nulle part. On va au rendement parce qu'on devient pauvres... Je subis ce fâcheux changement...* »

Et Madeleine Vionnet se console en songeant à une beauté que rien ne peut atteindre, celle de l'infini :

« *Je me souviens qu'à Bandol j'avais chaque jour le tourment d'être rentrée pour le coucher du soleil. Je le contemplais chaque soir avec un plaisir nouveau, sans cesse accru. Je me complimentais, me déclarant paysagiste ! Bandol s'allumait déjà dans l'ombre avant que disparaisse le dernier rayon qui éclairait encore* Maison Blanche. *Je ne m'en suis jamais lassée... J'y pense encore avec bonheur...* »

Sa propre vie s'enfonce, elle aussi, paisible, sereine, dans la gloire. Heureuse ?

L'effort pour être belle !

Dès mon plus jeune âge, j'assiste aux collections. Non à la première présentation, mais plus tard, lorsqu'il y a moins de monde, de préférence un jeudi, jour où nous n'avons pas cours.

Très vite, ce qui compte pour moi, ça n'est pas d'apprécier les modèles — j'en suis bien incapable —, mais de reconnaître sans me tromper ceux créés par ma mère de ceux qu'a conçus Madeleine Vionnet. Je prends pour habitude d'attribuer les toilettes les plus *flashy* à Maman ; le plus souvent, je tombe juste. Maman, qui a quinze ans de moins que la patronne, s'appuie sur ce qu'a inventé Madame Vionnet pour laisser courir la forme.

Je revois en esprit les robes du soir en satin de mon enfance, si moulantes que rien n'échappe du modelé des fesses de la femme qui les porte. Même lorsque la mode a généreusement montré la poitrine ou le dos, la partie la plus charnue de l'anatomie féminine était longtemps restée pudiquement dissimulée. Est-ce parce qu'on la découvre enfin ? On invente à son propos toutes sortes d'expressions plus ou moins flatteuses : la fesse *en goutte d'huile* étant la moindre !

Ma tante, qui a l'esprit à rire, ne s'en prive pas ;

ma mère, plus réservée et qui préfère l'admiration à la critique, fronce alors le sourcil.

A cette époque, il ne vient pas à l'esprit de jalouser ou de dénigrer une femme élégante. Bien au contraire, puisqu'elle en a les moyens, on attend d'elle qu'elle fasse honneur à son rang. Comme au temps des rois : le peuple pouvait bien être misérable, il se réjouissait de voir ses souverains vêtus de satin, de tissus d'or incrustés de pierreries, et l'emporter en somptuosité sur les majestés étrangères. Au Camp du Drap d'or, la primauté du luxe de François Ier sur celui de Henry VIII fut ressentie par toute la France à l'égal d'une victoire militaire !

Lorsque nous étions dans le Limousin où Madeleine Vionnet nous rendait visite tous les ans, occupant alors la « grande chambre », celle de Maman, tout le bourg attendait de ces dames qu'elles « épatent » par leurs toilettes. Elles ne décevaient pas sur le chapitre, et l'habillage, pour la grand'messe en particulier, constituait une véritable cérémonie dont ma sœur et moi faisions partie sans le moindre entrain.

Comme nous aurions préféré jouer dans les prés ou le jardin, plutôt que revêtir ces robes à volants et certains chapeaux en velours marron surpiqué, noués à nous en étrangler sous le menton !

Des personnes du cru, désormais très âgées, me parlent encore de leur éblouissement devant ce déploiement : « Votre maman, votre tante, Madame Vionnet, mon Dieu qu'elles étaient élégantes ! On les rencontrait parfois sur la route, toujours vêtues de clair, dans des toilettes qu'on n'avait jamais vues, un vrai plaisir ! » C'est l'inverse qui eût choqué : que ces dames ne fissent pas d'effort, sous prétexte qu'elles étaient à la campagne. Là, on se serait senti floué et en quelque sorte méprisé.

État d'esprit qui, à l'époque, était celui de la plupart des femmes qui n'avaient pas les moyens de s'habiller : leur plus grand plaisir était d'admirer, dans les « catalogues », lorsqu'elles pouvaient les acheter, ou bien en les feuilletant chez le coiffeur ou leur petite couturière, l'élégance des femmes du monde dont elles s'ébaudissaient de bon cœur.

Comme elles étaient reconnaissantes à celles qui en faisaient le plus !

— C'est elle la mieux ! s'exclamait-on avec ferveur.

C'est que la gent féminine se sentait tout entière valorisée par celles d'entre elles qui, en ayant les moyens, prenaient la peine de faire de leur propre personne ce chef-d'œuvre auquel les hommes se sentent obligés de rendre hommage. Et tous le font, du Président du Conseil au commissaire de police, de l'employé des postes à l'ouvrier.

Même aujourd'hui, devant une femme élégante, n'importe quel homme s'incline d'instinct.

En consultant ces magazines que ma mère a conservés, je vois des femmes du monde dûment nommées poser avec leurs plus magnifiques bijoux, dernières créations des plus grands bijoutiers de l'époque. Seul le prix n'est pas indiqué, mais la nature des pierres et le nombre de carats, oui !

Étalage impensable aujourd'hui : on craindrait à juste titre de se faire huer, jalouser, cambrioler, vilipender et poursuivre par le fisc !

Mais, avant guerre, être belle, se parer est au contraire un devoir d'État. Il y va du prestige de la France et de notre industrie nationale inégalée : la Couture ! Puisqu'on le peut, on le doit, et on en veut aux femmes riches qui « ne font pas d'efforts ».

Car l'élégance, en ce temps-là, n'est pas considérée comme égoïste, mais comme un spectacle offert gratuitement par les privilégiés de la fortune à ceux qui n'ont pas les moyens d'y participer. Les anciennes ouvrières me le confirment : « Quand nous le pouvions, nous allions sur les marches de l'Opéra voir défiler les toilettes ! » Ou alors : « Les jours de courses, on se mettait sur le passage des autobus à impériale pour admirer les élégantes. »

Désormais, seuls les mannequins de profession, à qui les robes sont prêtées et qui sont payées pour les exhiber, ou alors les comédiennes, pour une nuit des Césars, peuvent se permettre de nous enchanter le regard, en photos ou à la télévision. Ça n'est plus « pour de bon » !

Certaines reines et altesses royales aussi, à condition qu'elles « n'exagèrent pas » : car on a tôt fait de reprocher à celles d'entre elles, pourtant jeunes et ravissantes, qui dépassent la mesure — laquelle ? fixée par qui ? — de dépenser des fortunes en garde-robe. Avant-guerre, cet état d'esprit chagrin n'existe pas : plus le spectacle est extraordinaire, plus on montre de gratitude aux femmes qui se donnent le mal de l'offrir.

Les élégantes d'alors peuvent, sans crainte d'agression, se promener à pied le long des trottoirs, dans leurs fourrures, avec leurs bijoux, et même prendre le métro ainsi parées. Tout ce qu'elles risquent, c'est de se faire « charrier » par ceux qu'on appelle gentiment les voyous, quelque titi parisien ayant le mot juste pour mettre en boîte une mode ou une autre. Mais c'est la preuve même qu'il l'apprécie en connaisseur !

En fait, Paris tout entier, et la province à sa suite, vit au rythme de la Mode. Et la Mode, ce sont mes chéries qui la dominent.

On comprend mon orgueil.

Les robes de Maman

De toute notre vie commune, jamais je n'ai vu ma mère toute nue !

Ma grand-mère encore moins... Cette douce et belle femme, qui ne quittait plus le noir depuis la mort de deux de ses cinq enfants, ne s'est jamais mise en maillot de bain et portait ses robes aux chevilles. Au moment de sa toilette, elle s'enfermait à double tour dans sa salle de bains pour n'en sortir qu'entièrement habillée et coiffée. Une fois ou deux, il m'est arrivé de l'apercevoir en train de nouer serré son chignon de cheveux blancs, lesquels lui descendaient jusqu'à la taille. A chaque fois, j'en ai éprouvé un choc, le sentiment d'une indécence. C'est dire le rapport que nous entretenions avec le corps dans ce foyer où tout tournait autour de la Haute Couture.

Que mettait ma grand-mère sous sa robe ? Je ne l'ai jamais su. Maman était tout de même un peu moins pudique, et j'avais pu m'apercevoir qu'outre son soutien-gorge, elle affectionnait les « gaines », ces étuis en tissu élastique qu'elle a portés, même en été, jusqu'à plus de quatre-vingt-dix ans. Succédanés du corset de ses vingt ans, ces gaines, d'une forme inaltérable, servaient à fixer les bas, mais aussi à maintenir une sorte d'écran, presque de carapace, entre la partie la plus charnelle du corps féminin et autrui. Impossible de pincer un derrière protégé par une gaine, mais aussi d'en repérer la forme exacte !

C'est donc à une Maman très habillée, une Maman mannequin, que j'ai eu à faire, une fois terminée la fusionnelle époque de l'allaitement. Une Maman qui se manifestait à moi d'abord par ses robes et son parfum.

Ah ! les robes de Maman !

On a tendance à penser que les femmes s'habillent pour les hommes. Ou alors pour elles-mêmes. C'est oublier leurs enfants. Si quelqu'un a gardé un souvenir ébloui et sensuel de la garde-robe de Maman, c'est bien moi !

Maman avait plusieurs sortes de tenues. Je ne parlerai pas de ses vêtements de nuit, car pour les mêmes raisons que celles touchant à ma grand-mère, je ne les connaissais pas. A peine ai-je entrevu, entre les mains de la femme de chambre qui les ramassait avant de les ranger, quelque ravissante chemise de nuit en satin incrustée de dentelle, traînant sur l'un des meubles gainés de parchemin de sa chambre entièrement tapissée de satin blanc. Sa chambre de star où cette féconde et solitaire créatrice, jamais malade, ne faisait que dormir. Levée assez tard — nous étions déjà en classe —, Maman, qui avait travaillé une partie de la nuit, s'enfermait elle aussi à double tour dans sa salle de bains au décor de miroirs et de marbre gris.

Ce n'est qu'habillée, parfois même déjà revêtue de son chapeau et de son manteau, que Maman se présentait à nos yeux enfantins. Elle affectionnait les couleurs claires, tous les tons de beige et de marron chaud, les jaunes ocres, les roses pâles, peu de bleu, sauf le marine, le blanc très souvent, et, bien entendu, le noir : la petite robe noire, rehaussée du clip en diamant, tenue obligée de la Parisienne d'avant-guerre. Jamais de boucles d'oreilles (des bijoux trop près du visage lui paraissaient manquer de classe, tout comme les bijoux fantaisie), et, bien sûr, des talons, mais mi-hauts, pour « tenir » debout toute la journée.

Des gants, de tous les tons, dans des chamois d'une infinie finesse, dont elle n'enfilait que le gauche pour garder sa main droite, la main du travail, toujours disponible et en action.

La coupe effective de ses robes m'échappe, mais nous étions dans les années trente et, à nouveau, la jupe était redescendue pour couvrir les genoux. Je me rappelle surtout la douceur de leur toucher.

Les tissus d'avant-guerre, soies ou laines, étaient d'une excellence inégalée aujourd'hui. Ni même souhaitée : dans le domaine du vêtement de luxe comme dans les autres, on ne travaille plus pour toute la vie.

Ce que je revois le mieux, ce sont les cols : drapés, plissés, ajourés, nervurés, dans lesquels ma sœur et moi adorions enfouir notre tête dès que Maman était un peu assise — c'était rare — et que nous pouvions enfin nous glisser sur ses genoux.

J'ai encore, au bout des doigts, le jeu et la structure d'une infinité de fermetures : agrafes, boutonnages, nœuds, pans, que nous nous amusions subrepticement à défaire et remettre en place, parfois de travers, ma sœur et moi, comme nous aurions assemblé et désassemblé quelque puzzle d'étoffe.

Rien de plus architecturé qu'une robe de Vionnet, et je conçois que mon esprit d'enfant ait été fasciné par ces inventions toutes différentes et quelque peu diaboliques. (La mode exigeait un renouvellement encore plus intensif qu'aujourd'hui.)

Toutefois, comme Vionnet, Chanel, Grès, Lanvin, toutes les grandes dames de la Haute Couture, Maman, quelle que fût la mode, a fini par se cantonner dans une « ligne » devenue son style. Elle aimait les épaules larges, ce qui donne de l'allure à la manche, de l'importance au col, la possibilité d'y ajouter ampleur et fantaisie. Les modèles que se faisait faire Maman pour son propre compte avaient généralement la taille peu marquée, car elle souffrait un peu du côté de la digestion et détestait se retrouver comprimée à cet endroit-là. La jupe, en biais, n'apportait que son tombé, plis ou godets, l'essentiel se jouant autour du visage.

De ce côté-là, grâce à Maman, j'ai tout vu, tout connu, tout considéré et de tout près, le nez sur l'objet, comme font les petits enfants : plissés, nœuds, empiècements, incrustations, boutons minuscules ou géants dans le même tissu que le vêtement ou alors en os, en écaille, en corne, en corozo, en cuir, en métal, en matière synthétique, ton sur ton, de toutes les couleurs, irisés, en strass, en miroirs, simples, doubles, ronds, oblongs, carrés, en olive, en pyramide... La variété, la déclinaison de l'objet « bouton » était si stupéfiante que je pourrais en faire une énumération interminable, mais ce qui surnage, c'est l'idée d'une infinie série de bonbons !

Oui, j'éprouvais vis-à-vis des boutons — ces géniales modulations des ateliers Vionnet ou des maisons de fournitures et de paruriers — le même désir oral que je pouvais avoir pour des bonbons ! Je les touchais, les tripotais, les caressais, finissais par les faire sauter et les lécher, dans une avidité si grande que je finis un jour... par en avaler un !

Épouvante familiale, appel au médecin, bouillie, rebouillie ! J'ai évacué le bouton... mais point l'amour ni le désir qu'ils m'ont inspirés et qui se traduisent, encore aujourd'hui, par de multiples boîtes pleines des survivants de l'époque.

Maman changeait de robe tous les jours, et même trois fois par jour, comme il seyait aux femmes de son époque et de son milieu. D'une robe à l'autre, c'est à une longue variation non seulement de boutons, mais de cols et de décolletés, que j'ai assisté durant mon enfance...

En dehors du besoin évident, sensible, critiqué par mon entourage mais irrépressible — que je conserve de cette période — de me jeter sur tous les vêtements qui me tirent l'œil et d'en emplir mon armoire pour la seule joie de les avoir, de les accumuler, les collectionner, les empiler, sans pouvoir m'en défaire (une sorte de maladie), je garde aussi le goût du tissu, du matériau à l'état brut. Si je ne me raisonnais pas, je m'en achèterais tous les jours un métrage ou un coupon ! Pour un foulard, une écharpe dont je ne prends pas la peine d'ourler les bords car, dans huit jours, rassasiée, je le rangerai dans un tiroir, un carton, une panière, une armoire, au grenier, pour vite m'en procurer quelque autre.

Je sais bien à quoi j'obéis en cédant à cette fringale !

Maman parlait peu, Maman était souvent absente, toujours entourée d'étoffes, de mannequins, de modèles. Maman, au fond, c'était d'abord des vêtements !

Il m'arrive de me coucher dans une robe neuve, au risque de la froisser, mais qu'importe : c'est d'amour que je me revêts ! Qu'y puis-je si c'est ainsi que j'atteins et retrouve ma mère, à travers les robes et par les robes ?

Il y avait aussi son parfum ! Celui de Vionnet, dont il me reste quelques flacons, dénichés au grenier, admirables de proportions avec leurs arêtes noires qui se détachent en pans coupés sur la bouteille de cristal clair, probablement dessinée par Lalique, sous son étiquette au logo sublime : une figure de mannequin stylisé tenant devant lui l'épure d'une robe, qu'on retrouve sur sa griffe et son papier à lettres.

Cet effluve m'a poursuivie pendant des années et il me suffit encore d'approcher mon nez du bouchon, que je n'ôte plus de crainte d'évaporation définitive des dernières gouttes, pour que toute la nostalgie de mon enfance m'envahisse et me submerge.

Derniers feux

Je me penche, fascinée, sur le beau papier couché, demeuré brillant malgré l'usure, et enfin je les vois !

Qui ? Mais les clientes ! Celles dont je n'avais conservé que ces noms prestigieux que ma mémoire égrenait comme une comptine. Enfin je découvre leurs visages, leurs silhouettes, leur port, dans le monceau de magazines poussiéreux, termités — à l'image du monde qu'ils représentent ! — que j'ai sauvé de déménagement en déménagement pour les empiler sous les combles. Aujourd'hui, cinquante ans après, je les ouvre.

La voici donc, la si renommée princesse de Faucigny-Lucinge ! Sans âge, un visage un peu chevalin, aperçue aux courses dans un tailleur de Vionnet en lainage clair, manches de ragondin et jupe sombre. Elle me paraît un rien maladroite, son sac de crocodile au bout du bras, les jambes plantées droit et quelque peu écartées.

Madame Revel, proie des photographes, a plus d'allure : presque toujours en buste et de profil. Ses chapeaux de Caroline Reboux — j'en compte plus de cinq différents le même mois — forment la plupart du temps un fond, un cadre, une auréole, sur lequel son profil net, « distingué » disait ma mère, se découpe, souverain. Qu'elle est belle, toute en blanc Vionnet, crêpes de soie, manches longues, petit chapeau de velours noir à double aigrette, l'une pointant vers le haut, l'autre recourbée contre le cou, le visage si pâle sous la poudre !

A la page suivante, sinon aimable du moins souriante, (car ces dames ont de la branche), la voici en conversation avec sa rivale Madame Martinez de Hoz. Fort belle, elle aussi, visage à la Garbo, l'arcade sourcilière haute, la joue légèrement creusée.

Voici encore madame André Dubonnet, en buste, sous un chapeau de Caroline Reboux — la modiste préférée de Madeleine Vionnet. La tache lumineuse d'une grosse perle aux oreilles, elle offre son regard profond, avec la petite tête noire de son scotch-terrier, toiletté au poil près, juste un peu au-dessous de la sienne.

Chaque cliché est accompagné d'une mention en gras : MADELEINE VIONNET/CAROLINE REBOUX, le nom du couturier et celui de la modiste.

Toutefois, que ces dames ont l'air sévère !

— S'habiller était tout un travail ! m'a dit Vionnet. Tu ne peux pas imaginer ce que cela représentait ! Il y avait les essayages presque quotidiens chez le couturier, mais aussi la modiste, le bottier, le coiffeur, la manucure, les accessoires... Elles n'arrêtaient pas.

Vionnet avait souri. Je crois qu'elle considérait, comme Maman, qu'elle était plutôt du bon côté : elle faisait les robes, mais elle n'avait pas besoin de participer à l'incessante compétition de la vie mondaine.

Je découvre également les modèles d'autres grandes maisons, mais là je suis partiale, je trouve ceux signés Vionnet toujours les plus beaux !

A l'époque, on ne photographie jamais les modèles des grands couturiers dans la rue — ce serait vulgaire, et puis on a besoin de sunlights — mais dans de luxueux salons, ceux de la cliente, du couturier, ou alors dans le studio feutré d'un maître photographe, le plus souvent Harcourt ou Laure Albin-Guillot.

Ces maîtres du portrait prennent également des femmes du monde dans leurs plus somptueuses toilettes. Sous ces portraits, il n'y a pas le nom du couturier. On considère sans doute que ce serait faire de la publicité, ce qui est un métier de mannequins anonymes. Pour une femme du monde, ce serait déchoir.

Souvent plus âgées et moins belles que les mannequins, elles incarnent quelque chose qu'elles se croient seules à détenir — plus prisé, à l'époque, que le sex-appeal — et c'est la *classe*, la vraie.

Est-ce pour accentuer leur différence avec les beautés payées pour l'être que ces femmes ne sourient guère ? Je rêve longtemps sur ces portraits où la moindre imperfection est gommée, ce qui donne une image sans âge, lisse et austère.

Je trouve à ces personnes, dont aucun cheveu ne dépasse, un charme indéniable. Le monde qui les entoure, semble-t-il, est un lac de sérénité. Même le temps est soumis à leurs ordres et tout tourne autour de leur moindre caprice.

Image bien trompeuse, en cette année-là !

Je feuillette avec plus d'attention encore les magazines datés de juin, juillet, août 1939...

C'est le feu d'artifice de la mondanité !

Jamais il n'y eut autant de bals et de déploiement d'élégance, en particulier aux courses — à Chantilly, Longchamp, Deauville, au Touquet, à Lyon où a lieu la Semaine de l'Élégance — que dans les dernières semaines qui précèdent la déclaration de guerre. Gala des Bleuets aux Ambassadeurs. Concours d'Élégance automobile au bois de Boulogne, — une Delage emporte le prix d'honneur !

Déjà, en 1937, année de l'Exposition universelle, le Pavillon de l'Élégance, face à l'avenue de La Bourdonnais, organisé par Madame Jeanne Lanvin, avait battu des records de luxe et d'affluence. Tous les couturiers avaient tenu à être représentés par des mannequins portant leurs derniers modèles.

Mais jamais les femmes ne sont autant sorties, ne se sont autant montrées, n'ont aussi souvent changé de toilette qu'en cette année 1939.

Les voici toutes, une dernière fois, les plus grandes clientes de Vionnet, celles dont les noms continuent encore de me poursuivre !

En tête, la plus distinguée de toutes, Lady Mendl, âgée mais inimitable, Lady Diana Cooper, la marquise de Polignac, Madame S. de Lopez, la comtesse de Noailles, la princesse Amédée de Broglie, Madame Charles-Roux, Madame André Citroën, la princesse Aga Khan, la marquise de Castellane, la princesse Caraman-Chimay, la duchesse de Magenta, la princesse Sixte de Bourbon Parme, les baronnes de Rothschild, Lady Kent, Madame Pierre-Louis Dreyfus, Madame Lacloche, Madame Besançon de Wagner, la marquise de Montesquiou-Fezensac, Madame de Rochechouart, Madame Pol Roger, Madame Hirsch, la baronne de Waldner, la duchesse de Blacas, Madame Jean Dupuy, la comtesse d'Arcangues, la comtesse San Just, Madame Robert Lazard, Madame Harrisson Williams, Madame Eve Curie, Madame de Carbuccia, Madame de Rohan Chabot, tant d'autres encore et, bien sûr, Madame Revel et Madame Martinez de Hoz, leurs leaders.

Sans compter les actrices, Mary Marquet, Françoise Rosay, parmi celles que les « catalogues » mettent en avant.

Toutes habillées par Madeleine Vionnet.

Dans une explosion de festivités, éblouissantes d'élégance, de beauté, d'appétit de vivre et de paraître, jusqu'à la dernière seconde.

Pas un mot, dans les textes d'accompagnement lus ligne à ligne, ne laisse transparaître le moindre soupçon d'inquiétude.

Pourtant, les esprits lucides prévoient depuis un bon moment la catastrophe, et, du côté de la maison de couture, même s'il n'y paraît rien dans les salons et si la collection n'a jamais été aussi somptueuse et fournie, on en mène moins large que d'habitude.

Tout le monde sent grossir le nuage, peser les plus lourdes menaces et chacun sait bien qu'en cas de malheur, ce sont les industries de luxe qui prennent les premières.

En attendant, il faut faire face et puisqu'on les a commandées, ces toilettes, on se doit de les exécuter, les essayer, les livrer et les porter.

En feuilletant un numéro de *Femina* daté de février 1939, le mot « guerre » me saute enfin aux yeux. Et je lis : *La guerre des robes ! Qui va gagner, la robe étroite ou la robe large ?*

A la maison non plus, je n'entends pas parler de la guerre ni de Hitler, car nous avons un immense souci : la société Vionnet arrive à son terme, fixé par les statuts à l'année 1939. Madeleine Vionnet a laissé entendre à ma mère que lorsqu'elle prendra sa retraite, ce sera elle, sa principale collaboratrice, qui en aura la direction pour en assurer, comme elle le fait déjà, la continuité.

Est-ce dû à la pression des événements, à celle des

commanditaires qui profitent de la conjoncture pour retirer leurs billes ? Mais soudain la décision est prise : la maison Vionnet ferme et tout le monde est mis à la rue, ma mère la première.

C'est seulement maintenant que je mesure l'ampleur du drame qu'a été cette fermeture-surprise pour ma mère, ma tante, ma grand-mère (laquelle meurt un an plus tard) et, par voie de conséquence, pour nous, les enfants.

Le monde est sur le point de s'écrouler, le nôtre bascule le premier.

La guerre et les dentelles

En septembre 1939, nous finissons nos vacances dans le Limousin, ma grand-mère, ma sœur et moi. La rentrée des classes n'a lieu que le 1er octobre, ce qui permet de profiter un peu des fruits de l'automne, pommes, cèpes, châtaignes. Je me trouve dans ma chambre, au second étage de notre maison, quand, de la cour, s'élève un grand cri, suivi d'un concert de lamentations féminines.

C'est la guerre !

Ma grand-mère, la femme de ménage, la métayère, qui viennent d'apprendre la funeste nouvelle et qui, avec leur intuition féminine, ont saisi dans l'instant tout ce qu'elle comporte d'horreurs à venir, se battent les flancs en gémissant.

Glacée, je demeure dans ma chambre. Nous ne parlons jamais de la guerre de 14 à la maison, bien qu'on y accumule, je m'en rends compte plus tard, les Croix-de-guerre. Elles sont rangées dans leurs boîtes, au fond des tiroirs, et on les déteste.

Ma grand-mère a perdu à la guerre son fils Charles Chaumont, ainsi que son neveu Adrien Samy, tous deux décorés. Mon père, lui aussi Croix-de-guerre, a été grièvement blessé à Verdun : un éclat d'obus long de deux centimètres lui est entré dans la poitrine où il demeure fiché tout près du cœur. Croix-de-guerre également, mon oncle maternel, Raoul Blessmann, qui a perdu l'ouïe à la suite de l'éclatement d'une grenade. Croix-de-guerre, mon oncle Pierre Chapsal, frère cadet de mon père, auquel il manque un doigt. Et bien d'autres jeunes gens, ces « filleuls de guerre » dont la silhouette s'efface sur les photos jaunies rangées en vrac dans des cartons à chapeaux, et qui tournent autour de ces ravissantes jeunes femmes que sont ma mère, ses sœurs, leurs cousines et leurs amies — tous sont morts, ou invalides, et décorés.

L'hécatombe n'est jamais évoquée, surtout dans le milieu de la couture, mais elle nous imprègne.

Les robes, l'élégance, la beauté, je sais maintenant à quel point cette exaspération de la frivolité se découpe sur un fond sinistre. Qui sait si l'énergie sans bornes que déploie ma mère pour mener au sommet sa fulgurante carrière ne prend pas ses racines dans une fuite en avant ?

Et voilà qu'elle nous rattrape, la guerre, qu'elle recommence et promet d'être pire, puisque, cette fois, le pays entier est occupé de Dunkerque à Toulon, en passant par Paris et le Limousin : les Allemands habiteront notre maison d'ici, coucheront dans ma chambre et dans mon lit.

Nous ne sommes à l'abri de rien, rien n'est protégé ; les hommes ne sont plus pour les femmes ce viril rempart qu'elles pouvaient imaginer. Quant à l'élégance, comme certains dominos du carnaval de Venise, ce qu'elle dissimule sous ses falbalas, c'est un squelette et la mort.

Cette vision macabre devait être tout entière contenue dans le cri terrible de ma grand-mère, car je l'ai saisie en cet instant même. J'ai quatorze ans et ce qui va venir, pas même la révélation des camps, quatre ans plus tard, ne va me surprendre. L'humanité est abominable, et rien ne m'étonne. Si, une chose : me retrouver en vie à la Libération.

J'aurais pu ne pas l'être, non pas à cause des dangers directs du conflit, mais parce que je suis attaquée par la tuberculose, qu'on soigne très mal à l'époque.

Sur ordre de ma mère, qui veut nous mettre à l'abri le temps que « ça s'arrange », comme on l'espère encore pendant la « drôle de guerre », nous passons l'hiver 1939-1940 dans le Limousin où une répétitrice tente de nous garder à flot pour nos études. Pendant ce temps, ma mère ouvre sa maison de couture sous son nom, avenue George-V.

Peu de mots, peu de lettres, peu d'informations sont échangés, ou alors ma grand-mère les a gardés pour elle. On épargne beaucoup trop les enfants, à l'époque. Je me revois, par cet hiver glacial, errant dans le petit jardin en terrasse couvert de neige, à regarder tournoyer les corbeaux qui croassent autour des sapins comme l'armée allemande sur la France.

Pendant ce temps, à Paris, a lieu la liquidation de la maison Vionnet. J'ai entre les mains l'élégant petit dépliant qui annonce au public la mise en vente de tout le stock de vêtements. Je lis :

> « *Fourrures confectionnées, pelleteries fines, soieries, beaux manteaux, tapis et couvertures de fourrures, lainages, mercerie, ouatine, batiste, linon jaune et brique, percale, fermetures Éclair, jaconas blanc et noir, toile tailleur, gros-grain, fil, grenadine, cordonnet noir et blanc, extra-fort, agrafes, chimique noir et blanc, etc.* »

Tout doit disparaître, tout disparaît sous le marteau

de Maître Robert Bignon, commissaire-priseur, les 4, 5 et 6 décembre 1940, à l'hôtel Drouot.

Qui assiste à cette vente, en ces heures où les Français ont d'autres soucis que la couture ? Ma mère s'est-elle déplacée pour constituer, ne fût-ce qu'en fil et toile de coton, le stock de la maison Chaumont en formation ? Ou a-t-elle le cœur trop lourd pour venir jeter seulement un coup d'œil sur ce qu'elle a considéré comme étant sien et qui s'envole au vent de la débâcle ?

Une fois la France occupée, l'armée allemande installée, la maison Chaumont ouverte, ma mère vient nous chercher pour nous ramener à Paris dans sa voiture qui roule sur les bons d'essence alloués aux maisons de commerce.

Orléans a été bombardé, ses ponts sont détruits et c'est à Gien que nous franchissons la Loire. C'est là que nous rencontrons le premier barrage militaire et que je vois mes premiers Allemands.

Ils nous contraignent à descendre de voiture, ma mère, ma tante, ma grand-mère, ma sœur, la chienne Sophie et moi, et à montrer nos papiers d'identité, cependant qu'ils fouillent nos bagages.

Me croira-t-on si je dis que mon seul souci, en cette heure cruelle, est de « bien me tenir » ? C'est tout ce qu'on m'a appris et, quoi qu'il arrive, pendant des années, ce sera là mon premier réflexe et mon unique réponse à n'importe quelle situation extrême : bien me tenir, en digne filleule de Madeleine Vionnet ! (Piètre défense.)

Toutefois, le choc intérieur est rude. Ma grand-mère meurt rapidement d'un cancer de l'estomac et le médecin s'inquiète de la tache grandissante que présente mon poumon gauche.

Il faut dire qu'il n'y a pas trop à manger, square

Pétrarque, et pas du tout de quoi se chauffer. La chaudière à charbon, faute de combustible, a cessé de fonctionner. Nous possédons un ou deux radiateurs électriques qui marchent en permanence dans notre chambre, lorsqu'il n'y a pas de coupures d'électricité, et celle-ci devient le quartier général de la famille.

L'une après l'autre, nous nous mettons à cheval sur l'appareil — au grand dam de Maman qui trouve que la position manque d'élégance — afin d'emmagasiner quelques calories sous nos jupes !

Nos repas, réchauffés au sous-sol où se trouve la cuisinière à gaz — lui aussi sujet à éclipses —, se composent le plus souvent d'une tasse de faux café à base d'orge, accompagné de pain fabriqué avec des farines de couleur grise. C'est là que les origines campagnardes de ma mère et de ma tante refont surface : passer du plus grand luxe à l'extrême frugalité ne semble pas les démonter.

J'ai repris mes classes au cours Fénelon-Lamartine, mon père est démobilisé, il vient de se remarier et je ne le vois pour ainsi dire pas.

Qu'en est-il de la guerre ? On n'en parle pas chez nous, bien que le square Pétrarque, vidé de ses habitants qui ont tous fui au moment de l'exode, se retrouve bientôt occupé par de jeunes S.S. Sauf notre immeuble qui n'a jamais été déserté, puisque ma mère, pour raison de commerce, est demeurée sur place.

Que pense-t-elle ? Peut-être n'ai-je pas envie de le savoir, car je la sens désespérée, ce qui n'arrange pas mon propre état d'esprit.

Le square est barré par des sentinelles allemandes et bientôt il nous faut un *ausweiss* pour rentrer chez nous à bicyclette.

Pourquoi les Allemands nous tolèrent-ils dans ce qui est devenu leur réduit ? Est-ce parce que nous ne sommes que des femmes ? Parce que ma mère est dans la couture ? En tout cas, nous adoptons d'instinct un même comportement à leur égard : ne pas leur adresser la parole. Ce silence instinctif des femmes qui haïssent l'occupant tout en étant contraintes de supporter sa présence.

Comme eux ne parlent qu'allemand, et nous pas du tout, la règle ne sera pas transgressée jusqu'à leur départ précipité, en 1944, portrait d'Hitler jeté à la va-vite sur les camions, comme nous l'observerons depuis nos fenêtres.

Tout cela, je l'ai reconstitué comme j'ai pu, car, en cette sombre année 1940, ma grand-mère meurt, et ma tuberculose galope. Pour ma part, avec l'indifférence de la jeunesse à sa propre vie, je m'en fiche, mais pas ma mère.

Ma tante paternelle s'est réfugiée en zone libre, à Megève, avec ses enfants, et elle accepte de m'accueillir. Je me souviens de ce long voyage en compagnie de ma tante Gabrielle, de Paris à Sallanches, dans des trains non chauffés qui fonctionnent par à-coups. A Lyon, nous passons la nuit dans la gare de Perrache où, après d'infinies discussions, ma tante obtient pour nous la permission de dormir dans un compartiment de couchettes à l'arrêt (non chauffé). Le lendemain, c'est Sallanches, l'autobus à gazogène qui se traîne jusqu'à Megève, les premiers sapins, la neige immaculée sur les bas-côtés, puis les sommets. Cette image s'est imprimée dans ma mémoire, sans doute parce qu'elle est pour moi libératrice. Je ne me le dis pas, mais quelque chose en moi le sait : je commence une nouvelle vie !

Et d'abord, fini, pour moi, la couture !

Je me trompe...

D'abord, si je survis, c'est parce que ma mère

travaille et peut envoyer quelque argent. Ensuite, elle nous fait parvenir, à ma tante et à moi, des vêtements « de sport » confectionnés par ses ateliers.

Ah, l'étrange conception du sport et de ce qui convient à la vie en montagne que se font les ateliers de la Haute Couture ! Je revois l'espèce d'anorak taillé dans le biais, capuchon à même, en élégante gabardine gris pâle doublée de lapin, dont m'a pourvue ma mère ! Le lapin est la principale fourrure utilisée pendant la guerre. La possession et l'usage d'armes à feu étant interdits, il n'y a pas de chasse, et seuls ces pauvres herbivores élevés en clapier sont là pour nous nourrir et nous réchauffer. Il y en a de toutes les couleurs, et l'art avec lequel la couture accommode leurs peaux, doublures, manches, manchons, cols, toques, parements, ne cesse de se perfectionner.

Oui, dans l'abomination ambiante, ma mère continue de créer, les ouvrières d'exécuter, et la Haute Couture de tenir !

On pourrait même dire : comme par le passé. A quelques détails près : ainsi, pendant les années de guerre, on ne fête pas partout la Sainte-Catherine. De plus, tous les soirs, après le travail, on se munit d'un grand aimant et on ramasse une à une, dans les ateliers et les salons, les épingles et les aiguilles tombées au sol : l'acier est devenu rare.

Pour le reste, on improvise...

Jeanne Mardon, plus âgée que moi et alors ouvrière chez Marcelle Chaumont, me fournit aujourd'hui les informations qui me manquent :

— Quand votre mère a ouvert la maison Chaumont après la fermeture de Madeleine Vionnet, elle a gardé une partie du personnel de ses ateliers, mais elle n'a pas eu tout de suite son local de l'avenue George-V. Alors nous sommes allées faire les modèles chez elle, square Pétrarque. Seulement, c'était en 1940 et ça n'était pas chauffé !

Les pouvoirs publics n'ont pas encore mis en place un système de bons et de cartes de rationnement, le marché noir non plus n'est pas organisé.

— Il faisait 10° chez votre mère ! Nous étions obligées de garder nos manteaux, des bonnets de laine, et, quand c'était possible, des mitaines... Ça n'est pas très commode pour coudre ! Et les mannequins ! Quand elles devaient se déshabiller pour essayer, c'était le grand frisson ! N'empêche, nous avons fait la collection dans les délais, la maison a ouvert et ça été un grand succès.

Cette Haute Couture de guerre, j'en étais séparée par la ligne de démarcation, mais je ne peux y songer sans un pincement au cœur : dans des circonstances si contraires, elle a continué et elle a tenu. Sans doute parce qu'il fallait à ces femmes travailler pour survivre, mais aussi en vertu d'un certain esprit « frondeur », caractéristique de Paris, et qu'ont décrit les grands témoins de l'époque :

> « *Tour à tour disparurent la soie, le lin, le fil, le cuir, le feutre,* rapporte Germaine Beaumont. *Il fallait faire avec ce qui restait et que nos adversaires jugeaient sans doute inutilisable, c'est-à-dire la dentelle, les rubans, les perles, le tulle, la gaze. La Mode utilisa l'inutilisable, tressa le papier, découvrit le crin, creusa le bois...* »

De nouvelles maisons démarrent, montées, comme celle de ma mère, par les chefs des anciens ateliers Vionnet, tels Jacques Griffe, Charles Montaigne et Marcelle Dormoy. D'autres, comme Jacques Fath qui a ouvert en 1939, poursuivent durement leur effort.

Avec un personnel sous-alimenté, des matériaux synthétiques — ces *ersatz* qui parfois fondent sous le fer à repasser en dégageant une déplaisante odeur —, les couturiers au travail luttent saison après saison pour rester ouverts.

Dans les rues aussi, la femme française résiste à la pénurie en multipliant les prouesses individuelles : j'apprends qu'elles se peignent les jambes à la main et tracent une couture au crayon pour imiter les bas absents ; c'est le règne des semelles compensées retenues par des lanières souvent en papier mâché.

L'écrivain Colette, grande *fan* de la couture jusqu'à la fin de sa vie (dans sa chaise roulante, arthritique, elle assistait aux collections de ma mère pour qui elle a écrit un joli texte sur le luxe), a salué cet esprit de défi de la Haute Couture sous l'Occupation :

> « *Je me garde d'oublier une des figures de la femme de chez nous : celle de la guerre. Élimée, privée de tissus, le lainage mesuré aussi chichement que le sucre, il fallait la voir ! A une question d'une acheteuse étrangère égarée chez nous, "Avec quoi est-ce fait ?", il fallait l'entendre répondre : "Avec rien, Madame !"* »

En plus de la pénurie, une autre menace pèse sur la couture. Il est venu à l'occupant l'idée saugrenue de transporter la Haute Couture parisienne... à Berlin ! Les nazis ont la sinistre habitude de pratiquer les déplacements de population.

C'est Lucien Lelong, alors président de la Chambre syndicale, qui parvient à empêcher ce qui aurait été la mort de cette industrie de luxe, dépendant plus encore qu'une autre de son cadre. Il expose aux autorités allemandes que les créateurs, sans leur personnel, ne sont rien. Qu'à cela ne tienne, on embauchera des ouvrières allemandes ! Oui, certes, mais une première main parisienne et une première main berlinoise, sans vouloir peiner personne, est-ce tout à fait la même chose ? Et puis, il n'y a pas que les cousettes, il y a aussi les paruriers, les brodeurs, les accessoiristes, les fourreurs, les bottiers, les dentellières, les lingères, les modistes, les laineux, les soyeux... La liste de ceux qui contribuent à faire la Haute Couture se révèle pour ce qu'elle est : inépuisable. En somme, conclut Lucien Lelong, si on veut déménager la couture, il faut déménager Paris.

Les Allemands sont-ils convaincus ? Ont-ils commencé à avoir d'autres soucis ? Ils renoncent à leur projet.

Je possède une photo de Maman siégeant à cette époque à la Chambre syndicale de la Haute Couture. Sous un chapeau blanc tout en hauteur qui lui emboîte la tête à la façon d'un turban, elle a le visage lisse, fermé, douloureux, que je lui découvrirai à la Libération. Elle lutte, et son combat réussit, mais, d'une certaine façon, elle doit se sentir trahie.

D'abord par les événements.

La voici obligée de démarrer en pleine guerre, sans matériel, sans argent, sans publicité, et avec une clientèle mutilée : une partie de nos meilleures clientes a volontairement quitté la France ou ne peut y revenir ; l'autre, sans qu'on le sache bien encore, a été déportée.

Mais d'autres femmes apparaissent, certaines enrichies par les événements. On les appelle les BOF, ce sont les initiales des produits — beurre, œufs, fromage, désormais si précieux — d'où elles tirent leur toute nouvelle fortune. Elles arrivent avec, en poche, des liasses de billets de banque qu'elles posent sans complexe sur le bureau des vendeuses. Leurs manières, leur langage ne sont pas exactement dans le ton de la couture, mais les femmes, pour la plupart, s'initient vite à l'élégance !

On reçoit aussi des artistes, vedettes de cinéma, du music-hall, du théâtre.

La Haute Couture a-t-elle eu raison de poursuivre, dans son ensemble, ses activités sous l'Occupation ? En cette époque trouble, toutes sortes d'industries indispensables à notre survie, comme à la préparation de l'après-guerre, continuent de fonctionner, au prix parfois d'énormes sacrifices, tandis que d'autres, pour des raisons patriotiques, mais parfois aussi personnelles, se sont sabordées. L'histoire n'en finira pas de juger, mais une chose est sûre : l'exercice raffiné de la frivolité peut contribuer à la préservation du moral...

Quelle joie, à Megève, quand nous recevons deux vestes de beau et épais lainage des mains de ma mère, venue nous rendre visite pour prendre *de visu* de mes nouvelles. Il en fallait, des *ausweiss* et des autorisations multiples, pour franchir la ligne de démarcation et entrer en zone libre. Je lui reste surtout reconnaissante de son cadeau hors pair : bien épaulées, les poches plaquées, un peu cintrées à la taille, ces vestes sont exceptionnelles et nous font immédiatement remarquer, ce qui n'est pas pour nous déplaire. Celle de ma tante Fernande est d'un rose fuchsia, la mienne bleu roi. Nous les avons portées tous les jours, pendant trois ans, car nous n'avions rien d'autre à nous mettre, du moins d'aussi joli.

Maman profite-t-elle de son bref séjour pour parler de ses soucis ? Curieusement, je ne m'en souviens pas. Je crois que j'ai peur d'en savoir plus long et d'entendre de sa bouche le récit de ses misères. L'adolescence, par égoïsme inconscient, se préserve de ce qu'elle n'a pas la force de supporter.

C'est aussi l'époque où je mets pour la première fois des vêtements qui ne sont pas de la Haute Couture. J'ai grandi et ce que j'ai apporté de Paris ne me va plus. Ma tante Fernande m'emmène chez Allard, le tailleur renommé de Megève, et me fait faire sur mesure mes premiers pantalons fuseaux. Toutefois, on me demande de choisir mon tissu, ma couleur, et de donner mon avis à l'essayage. Or, j'en suis bien incapable ! On a tellement tout fait pour moi, en ce domaine, que je n'ai pas la moindre idée sur ce qui convient ou ne convient pas. Maman, je le découvre, ne m'a pas appris son métier ! Sur le plan du vêtement, je ne suis, moi aussi, que l'un de ses « objets façonnés ».

Mais ce que ma mère m'a transmis d'une façon impérieuse, c'est le goût de la toilette. Se « faire belle », comme on le répète sans cesse à la maison — « Va te faire belle », « Fais-toi belle ! » —, me paraîtra toute ma vie plus qu'un plaisir : une règle de vie.

Je ne suis pas la seule à penser ainsi. En 1943, au moment où le Président Roosevelt s'apprête à engager les États-Unis dans la guerre, il convoque Madame Helena Rubinstein à la Maison Blanche et lui demande d'entreprendre une tournée de conférences à travers les États-Unis pour prôner aux femmes américaines la nécessité de prendre soin de leur beauté ! Rester belles, se faire belles, d'après le Président américain, représente un acte salutaire pour le moral de la Nation ! Marlène Dietrich, allant rendre visite aux G.I.'s sur le front, comme le fera plus tard Marilyn Monroe, obéissent à cette tradition.

A Paris, la Haute Couture française continue bravement à réaliser des formes qui paraissent se moquer des nécessités qu'impose l'actualité — dont celle, pourtant générale, de rouler à bicyclette...

C'est à bicyclette que ma mère se rend avenue

George-V créer ses modèles. C'est en vélo-taxi qu'on livre les robes ou que débarquent les clientes. Cela n'empêche pas les chapeaux d'être gigantesques, comme les coiffures, et on ne peut pas dire que les semelles compensées soient pratiques pour pédaler. Mais la Mode, et c'est sa force, n'est jamais logique.

Beaucoup d'ouvrières habitent la banlieue, et, les jours de bombardements — dont ceux, si redoutables, de la gare de triage de Juvisy —, une lourde question préoccupe la maison : trouveront-elles le moyen d'arriver à temps pour terminer le travail en cours ? La plupart se « débrouillent ». Toutefois, au lieu des rires habituels, c'est le silence dans sur les ateliers. Même si l'on continue, par tradition, à ne pas s'étendre sur ses malheurs personnels, beaucoup se demandent si elles retrouveront leur pavillon en rentrant le soir.

Je n'ignore pas que c'est grâce à ces habitantes de la banlieue — encore la campagne, avec ses fermes et leurs élevages clandestins — que le reste de la maison de couture, dont ma mère, ma tante et ma sœur, est ravitaillé en suffisance. Personnel et direction unis, comme d'habitude, dans une seule famille en souffrance.

Compensation : les mannequins, comme les autres, ma mère y compris, n'ont jamais été plus minces ! Si on a perdu bien des choses, la ligne, elle, est plus que conservée !

Est-ce ce qui explique, dès la Libération, l'éclosion de cette mode ceinturée à l'extrême, et le déferlement du *New Look* ? En tout cas, nous sommes nombreuses à nous vanter encore de notre tour de taille de l'époque : il ne dépassait pas les cinquante, parfois les quarante-cinq centimètres !

C'était quand même le bon côté des restrictions !

Je fais partie de ces sylphides, et je m'en réjouis !

Depuis quelques mois, en effet, j'ai regagné Paris. La zone libre a été supprimée et Megève, où fleurit la dénonciation comme il est d'usage dans les localités où tout le monde se connaît et s'épie, est devenu malsain. A Paris, l'anonymat est mieux préservé, mais la capitale sombre dans le sinistre : les Allemands serrent les dents et un accablement mortel pèse sur les Parisiens, de plus en plus menacés par la haine de ceux pour qui le vent tourne. Couvre-feu, barricades multipliées autour des lieux stratégiques, incessantes vérifications d'identité : on sent grandir la fureur de l'occupant.

Mais je suis mince, j'ai dix-neuf ans, et, privilège inouï pour une jeune fille en âge de s'habiller, ma mère possède une maison de Haute Couture !

La maison Chaumont

Situé au premier étage du numéro 19 de l'avenue George-V, l'appartement où ma mère installe la maison Chaumont, en 1940, a beau être vaste, il n'est en rien comparable à l'immeuble monumental qu'avait occupé la maison Vionnet avenue Montaigne. Il n'y a d'ailleurs place que pour trois ateliers donnant sur la cour, au lieu des vingt-huit qu'employait Vionnet, et dont treize étaient dirigés par ma mère.

Chez Vionnet, on note au jour le jour, sur des bulletins imprimés à cet effet, le travail de chaque atelier. Voici la liste de ceux que dirigeait ma mère, le 14 décembre 1938, sous le nom du chef d'atelier ou de la première : Renée - Petit - Jane - Perrêve - Manoury - Lenfant - Paulette - Mad (qui deviendra Mad Carpentier) - Henriette - Yvonne - Lucile - Lucienne - Charles (qui deviendra Charles Montaigne) - Apprêts Julia - Apprêts Germaine - Toile de Corps - Lingerie - Mécaniciennes.

Treize ateliers — Madame Vionnet en dirigeait tout autant — plus les ateliers annexes. Le nombre d'heures de premières mains, de secondes mains et de petites-mains et apprenties est indiqué dans une colonne à cet effet, face au nom de chaque chef d'atelier. Le total est donné au-dessous, plus le nombre de commandes, soit deux cent soixante six pour cette seule journée.

On mesure, rien qu'à ces chiffres, l'ampleur du travail à l'époque.

Ma mère, qui n'avait en charge que la moitié de la maison Vionnet, commandait à plus d'ateliers que la plus grande maison d'aujourd'hui.

Mais c'est cette réduction même qui me charme quand ma mère, à mon retour à Paris, me fait visiter le local où elle va travailler pendant près de dix ans. Dans ces lieux simplifiés, je me sens plus à l'aise que chez Vionnet.

L'entrée, déjà, est celle d'un appartement normal : une grande table gainée de parchemin, deux chandeliers de bronze, un tableau moderne représentant des fleurs dans un vase, une moquette claire. On peut se croire chez soi.

En réalité, Maman, manquant de capitaux, a dû faire au plus juste, côté décoration. Tout son effort a porté sur le grand salon qui s'étend sur la droite et dont les cinq fenêtres en hauteur ouvrent sur les premières branches des marronniers de l'avenue George-V.

Je me rappelle encore les discussions qui ont précédé l'arrangement du salon de présentation. Maman souhaitait des boiseries, mais c'était hors de question : bien trop cher ! Ou alors une belle peinture comme il y en avait chez Vionnet dans le salon bleu. Mais la pièce n'étant pas assez grande, cela la diminuerait encore.

Soudain ma mère a une idée. Depuis toujours, elle aime le blanc. Pour sa chambre, square Pétrarque, elle a fait recouvrir ses fauteuils et son dessus de lit d'un épais satin blanc capitonné — interdiction aux enfants de s'en approcher ! — et les autres meubles, tables de nuit, coiffeuses, sont gainés de parchemin. Du côté de la fenêtre, l'entière cloison est drapée d'un tissu d'un blanc doux et brillant que l'on nomme peau d'ange.

C'est dit : les quatre murs du grand salon de l'avenue George-V seront drapés de peau d'ange, tombant en plis généreux et serrés depuis le plafond ! Il en faut sans doute des dizaines de mètres, peut-être même une centaine, mais lorsqu'on pénètre dans cette longue pièce propice aux défilés, où la peau d'ange réfléchit la douce lumière de Paris, on peut se croire dans une boîte à bijoux, un écrin, en tout cas un lieu hors du temps où, même en ces heures difficiles, il ne peut vous arriver que des choses agréables.

Le cadre qui convient à la Haute Couture.

Une rangée de petites chaises dorées attend les clientes — on en loue en plus grande quantité les jours de collection — et, par une avancée qui continue la draperie des murs, le salon correspond avec la pièce qui sert de cabine aux deux mannequins.

Eh oui, il n'y en a plus que deux, c'est déjà beau, en cette époque de pénurie : Antoinette et Marcelle dont les physiques, totalement différents et même contraires, se complètent.

Antoinette, haute et superbe fille un peu en chair, toujours hâlée par le soleil auquel elle s'expose dès les premiers rayons, avec ses cheveux teints en roux foncé et ses yeux mordorés, a l'air sculptée dans du bronze. Son succès auprès des hommes est prodigieux.

Marcelle, épouse d'un sergent de ville, plus petite, si mince et plate qu'elle en paraît maigre, blonde et le visage creusé, a l'allure nerveuse et ce chic dépourvu de chair qu'on prête à la vraie Parisienne.

Dans le couloir qui longe le grand salon, les quelques vendeuses qu'a pu conserver ma mère — parmi elles, Léonie et Annie — ont chacune leur bureau aligné contre le mur, et, au fond du couloir, après la porte conduisant à la cabine, il y a le studio de Maman. Une toute petite pièce dont la fenêtre, comme on peut le voir de l'avenue, est située juste au-dessus de la porte cochère, prise dans le placage extérieur en bois.

C'est la que ma mère vit, officie, reçoit, crée, et cela du matin au soir. Elle n'est à la maison que le dimanche et pour dormir, d'abord parce qu'il y fait froid, ensuite parce que son travail, déjà énorme chez Vionnet, est devenu gigantesque depuis qu'elle est à son compte.

Pour la Haute Couture du temps de guerre, les rentrées sont minces et le plus souvent tardives. C'est une vieille et mauvaise habitude prise dans les années fastes que de ne pas faire payer les clientes au comptant, et elles en profitent pour laisser des ardoises ! Car les femmes, même honnêtes, n'ont plus envie de payer leur robe dès qu'elles l'ont portée. Du coup, faire une collection est un drame, un pari financier, un gouffre.

Pendant près de six semaines, deux fois par an, la maison, se consacrant tout entière à la création des modèles, ne travaille pas, ou très peu, pour les clientes. On paie donc les ateliers sans rentabilité immédiate, plus les vendeuses, les mannequins, les employés, les frais généraux, les fournitures, les tissus... Les banques avancent l'argent avec les lourds intérêts qu'on imagine. Dès la présentation de la collection, il faut vendre le plus vite possible pour pouvoir rembourser.

Jeanne Mardon qui, chez Vionnet et chez Chaumont, a travaillé dans l'atelier du flou, me confirme cette insécurité saisonnière :

« Même chez Vionnet, on redoutait la morte-saison, particulièrement la fin novembre ! Si les commandes n'avaient pas été suffisantes, la maison débauchait. La saison suivante, toutes celles qui avaient été débarquées n'étaient pas forcément rembauchées. Les chefs d'atelier avaient eu le temps de nous juger et ils ne reprenaient que les meilleures. C'est vous dire si on se donnait du mal, quand on était au travail, pour se faire garder ! »

Cercle vicieux, pratiquement intenable, dans lequel ma pauvre mère, comme la plupart des couturiers qui n'ont pas, pour les soutenir, l'aide de parfums ou d'accessoires, va se débattre des années durant, avant de sombrer.

Pourtant, que j'aime y aller, dans cette maison Chaumont ! A tel point que je ne puis, aujourd'hui, remonter ou descendre à pied l'avenue George-V sans que le cœur me manque.

C'est le « lieu de Maman » et je n'ai pas besoin de me faire annoncer, je sais qu'elle est toujours là. Si j'ai envie ou besoin de voir ma mère, de me « recohéser », comme dit Françoise Dolto, mes pas se dirigent automatiquement vers la maison de couture. Je n'ai qu'à pousser la lourde porte cochère, monter un étage ; dès l'entrée, je suis accueillie par une bouffée de parfum, un énorme bouquet de fleurs fraîches, et je me sens aussitôt réconfortée par le luxe ambiant, je suis chez moi !

Je passe le long des bureaux des vendeuses, au sourire toujours si aimable, pour pénétrer directement dans le studio de Maman où, si elle n'est pas en train de présider à l'essayage d'une cliente, je la trouve forcément au travail en compagnie de ma tante, qui joue auprès d'elle le rôle d'assistante.

Jamais je ne me suis clairement interrogée sur cette invraisemblance : ma mère toujours debout, à quelque heure de la journée que ce soit, le sourcil froncé, en train d'arranger, draper, couper un morceau de tissu sur une femme ou une autre.

Je devais tout de même être sensible à ce paradoxe que, dans des lieux consacrés au luxe, au bien-être de personnes riches et oisives, il se trouvait des êtres, comme ma mère, pour travailler sans répit, sans jamais s'asseoir ?

Déjeune-t-elle ? En tout cas, sa tenue a la fixité d'un uniforme. (Chanel, devenue âgée, en fait autant : les grandes dames de la couture sont, pour ce qui les concerne, dégoûtées des changements.) Je la vois vêtue de modèles qui ne varient avec les saisons que par le tissu et la couleur, ces robes en biais qu'elle préfère aux tailleurs, car leurs larges emmanchures lui permettent de lever plus facilement les bras quand elle est au travail, c'est-à-dire tout le temps.

Trouvant, comme Madeleine Vionnet, qu'elle a le cou un peu court, Maman préfère, même en été, le col montant sur lequel ses deux rangs de perles apportent l'unique note de brillance. En dehors de ses bracelets d'ébène au cliquetis continuel, d'un clip, guère de bijou. Dans des chaussures au talon bottier, pour plus de stabilité, elle écarte un peu ses bonnes jambes de Limousine qui, jusqu'à plus de quatre-vingt-dix ans, ne lui ont jamais causé de souci.

— Ah ! te voilà, me dit-elle sans se retourner. Tiens, essaie ça.

Je me déshabille sous l'œil amical du mannequin et de ma tante toujours présente, et j'enfile l'un des modèles sur lequel ma mère est au travail, puis je tente d'apercevoir ma silhouette dans la glace à trois faces devant laquelle Maman continue à œuvrer.

Dès qu'elle en a fini avec le mannequin, elle me considère.

Au fond, elle a besoin de me mettre dans ses modèles avant de pouvoir s'intéresser à moi. Tels sont nos étranges rapports, et je finis par y trouver mon compte.

J'ai pris goût, moi aussi, à ce changement perpétuel de formes, de couleurs, de matières. C'est un jeu, une occupation, notre façon à nous de communiquer.

Lorsqu'un vêtement ou un autre, de l'avis général, me va particulièrement bien, ma mère me dit : « Emporte-le. » Ou alors : « On va te le faire répéter. »

Sa générosité vestimentaire à mon égard est sans limites. (Peut-être pour compenser ce qu'elle ne me donne pas par ailleurs.) Parfois, tant de laxité me gêne. Mais je m'y habitue et en profite même du plus que je peux, comme si quelque chose en moi était averti que ça ne pouvait pas durer.

Ma tante Fernande aussi a bénéficié du bonheur de Maman à voir ses robes sur les femmes qui la touchaient de près, que ce soit chez Vionnet, puis chez Chaumont, pendant la guerre :

« Une ou deux fois, lorsque j'avais pu obtenir un *ausweiss*, je suis venue à Paris pour régler certaines affaires, me raconte-t-elle. Comme je n'avais rien à me mettre, ta mère me disait : “Mais viens donc prendre une robe à la maison de couture, tu nous la rapporteras demain matin.” Je choisissais un modèle fait sur Antoinette, elle avait à peu près mes mesures, et comme ça, pour sortir le soir, je pouvais être élégante. Je me souviens encore de ces robes ! C'était un réconfort... »

Dès que je suis rentrée de la montagne, au printemps 1944, Maman m'autorise moi aussi à emprunter n'importe lequel des modèles de sa collection. Ils me vont tant bien que mal, car Antoinette est plus large et plus grande — d'où l'usage immodéré que je fais des épingles doubles — et Marcelle plus étroite de hanches. Mais la mode est aux jupes en forme et ce sont les modèles larges faits sur Marcelle que je choisis de préférence et emporte sans précautions, à même mon bras, sur ma bicyclette.

Comme ma tante, je me souviens de certaines robes, peut-être pour la même raison qu'elle : parce que leur luxe était dans un tel contraste avec ce que l'on vivait qu'elles nous apportaient le souvenir — ou l'espoir — de temps meilleurs.

L'une, en lainage turquoise, entièrement coupée en biais, est corsetée d'un droit fil à fermoir doré de même hauteur que la ceinture. Une autre, presque sur le même modèle, à la jupe très large et au buste serré, est en toile blanche, avec une haute ceinture incrustée dans la même matière, mais d'un rouge vif. Il y a aussi la robe « aux petits chevaux », un modèle devenu si célèbre que Jacques Griffe s'en souvient. Dans une soie sang-de-bœuf, elle est imprimée de minuscules cavaliers, mais ce qui est remarquable, ce sont les trois petits nœuds qui resserrent le buste sur le devant. Robe courte en mousseline vert cru, toute drapée, avec laquelle, plus tard, je fais un malheur à Deauville, sans compter les immenses robes du soir, celle en broderie anglaise avec corselet de velours noir, portée un soir à l'Opéra, celle en velours broché émeraude, celle en mousseline légère imprimée de fleurs pâles, celle en faille vert bronze à une seule manche, qui fait de moi une femme fatale avant l'âge...

A qui sont ces robes ? A moi ? A ma mère ? A personne, en vérité. A la Couture...

Je revois le sourire d'approbation d'Antoinette ou de Marcelle lorsque je passe l'un de leurs modèles que j'ai décroché dans la cabine tout imprégnée de leur parfum. Elles aiment, elles aussi, jouer à la poupée — une grande poupée — avec moi.

Et moi, à quoi est-ce que je joue ?

Ça n'est pas encore la Libération, mais la maison de couture fonctionne assez bien, et Maman, ravie de voir que j'ai tellement grandi — je la dépasse d'une tête —, se dépêche de me constituer une garde-robe personnelle ou me fait « reprendre » pour mon seul usage des modèles de la collection précédente.

C'est superbement vêtue que je vais m'inscrire à la faculté et que je commence, à bicyclette, en métro, au début avec timidité, à découvrir ma ville, ce Paris où je suis née et dont j'ignore presque tout.

En particulier le Bois de Boulogne voisin, champêtre en ce temps-là, où nous autres adolescents nous rendons en bande. Les voitures sont si rares que nous pouvons sans danger remonter, à deux ou trois de front, l'avenue Henri-Martin, devenue depuis Georges-Mendel, une main posée sur l'épaule de celui ou celle qui roule à nos côtés.

Toutefois, les événements se précipitent, la Libération approche, les combats de rue commencent. Cela se traduit par la réduction de notre périmètre : interdiction de sortir de Paris ; cet été-là, il n'est pas question de vacances. Puis des barrages militaires empêchent d'aller au-delà de Saint-Cloud. Puis, à Saint-Cloud même, le Bois de Boulogne aussi nous est finalement interdit. Bientôt, on engage les populations civiles qui n'ont pas l'obligation absolue de sortir à rester à l'abri, car on tire des toits.

Maman n'en tient pas compte, elle doit terminer sa collection, et elle se rend tous les jours sur sa bicyclette avenue George-V. Par l'une des journées splendides de cet été historique, je monte sur la terrasse du square Pétrarque, quand un sifflement me fait lever les yeux vers le ciel où je vois passer... un petit obus.

A l'époque, rien ne surprend personne, et ma mère m'écoute à peine lorsque je lui parle le soir venu de ma « vision ». Elle a d'autres soucis : ses tissus qui n'arrivent pas ! ses ouvrières bloquées ! et la date de la présentation qui se rapproche !

Soudain, c'est la Libération. On trouvera à juste titre que je vais vite en besogne, mais c'est que nous, les couturiers, tenus par les nécessités d'une industrie fragile, vivons ces semaines décisives dans la chaleur intense, le fracas extérieur, au rythme d'un travail qui ne s'interrompt pas. Les événements se précipitent, et un beau matin, c'en est fait : les Allemands sont partis, les Américains arrivent, et toute la population se retrouve dehors, dans les rires, les bals spontanés, la fraternité réapparue, et aussi l'indifférence aux tirs isolés, pourtant meurtriers.

C'est ainsi qu'un jour d'août 1944, j'emprunte une robe-choc : toute en crêpe blanc, les manches longues, ceinturée d'un ruban de velours noir ; des deux côtés d'un décolleté plongeant jusqu'à la taille, elle est ornée de deux longues guirlandes brodées main de coquelicots et de bleuets. En somme, elle est bleu blanc rouge !

Consciente que tous les regards se tournent vers moi, je descends en figure de proue le trottoir alors si large des Champs-Élysées, dans cette robe sublime et symbolique dont je ne suis que la présentatrice.

Personne ne m'aborde, à cette époque-là : l'élégance dans la rue fait encore partie de l'apanage des femmes, et même dans des toilettes de grand prix, nous n'avons pas l'impression de provoquer, mais le sentiment très doux de charmer.

Dans un Paris qui à nouveau respire, on voit revenir quelques-uns des absents — hélas, pas tous —, on savoure des libertés perdues, comme celle de circuler jour et nuit à sa guise, mais cela ne change pas grand-chose à la situation de la Haute Couture : on manque toujours de matériaux, les acheteurs étrangers, dont on peut craindre qu'en quatre ans ils n'aient appris à se passer de nous, ne sont pas de retour.

Néanmoins, pour ce qui me concerne, j'entre jour après jour dans un monde complètement neuf : celui de la fête !

Les fêtes

En ce temps-là, il est très facile de vivre en vase clos !

Il n'y a pas de télévision, nous n'avons pas le temps d'écouter la radio, j'ignore même si nous possédons un poste de T.S.F., en tout cas je n'en revois pas et quand ma mère rentre à la maison, le soir, c'est pour s'effondrer dans un lourd sommeil.

Quant à moi, sans qu'on l'ait encore diagnostiquée, ma tuberculose continue à bas bruit et me laisse affaiblie. D'où de brusques accès de lassitude qui me poussent en pleine journée à m'allonger où que je sois, parfois à même la moquette, et à dormir.

Surtout, nous avons pris l'habitude, depuis le début de la guerre, de ne pas acheter de journaux, hormis les magazines de mode. Ils nous dégoûtent, car nous savons que quotidiens et hebdomadaires ne contiennent que des « bobards » : propagande nazie, fausses nouvelles, imprécations des collaborateurs.

Ce qu'il nous est indispensable de savoir provient du bouche à oreille, très nourri et divers, lorsqu'on vit parmi une population de femmes appartenant à tous les milieux et habitant divers quartiers de Paris et sa banlieue. Ma tante, en particulier, très proche des ouvrières et des employées qui lui confient même leurs soucis personnels, récolte tous les jours une moisson de renseignements. Jeanne Mardon me le confirme : « Je n'aurais jamais osé adresser la parole à votre mère, elle avait l'air si absent, mais avec Mademoiselle Gabrielle, on n'hésitait pas ! »

Par ces femmes, nous sommes donc tenues au courant des événements qui peuvent affecter notre vie quotidienne mieux que nous ne le serions par les journaux.

Maman fréquente par ailleurs la Chambre syndicale. Là, on l'avertit des lois et des règlements souvent modifiés qui régissent le travail de la Haute Couture sous l'Occupation. Ils sont parfois incohérents, du fait de fonctionnaires allemands ou français qui ne connaissent rien au métier, mais toute discussion est impossible. Il faut passer outre, risque que prennent alors en commun tous les couturiers.

Sur les problèmes qui affectent notre vie quotidienne, nous sommes donc informés, mais, pour le reste, c'est notoirement insuffisant.

La naïveté qui est la mienne, à vivre dans cet univers de femmes seules uniquement préoccupées de leur travail, n'est pas sans avantages : tout ce qui me vient de l'extérieur de la maison de couture me surprend, m'étonne, me fait peur, m'enchante, me tombe dessus !

Ainsi, sans avoir trop bien compris pourquoi ni comment, je me retrouve faire partie d'une bande de jeunes gens et de jeunes filles du monde qui m'entraînent à leur suite dans les lieux nouvellement à la mode où, une fois les Allemands partis, il est à nouveau admissible de se rendre.

Mes premières sorties nocturnes, chez *Carrère*, rue Pierre-Charron, au *New Jimmy's*, à *L'Éléphant blanc*, me paraissent le comble de l'enchantement. Une ambiance très douce — nous sommes loin de l'agression actuelle —, une lumière tamisée, des bougies sur les tables, un public très jeune, à nouveau du blues, du jazz, des airs américains : « *Long ago and far away...* », « *Only you* », et les premières chansons d'Henri Salvador.

J'ai l'impression de pénétrer dans cet univers de la fête, jusque-là réservé aux seuls adultes, dont l'écho parvenait jusqu'à mon lit d'enfant lorsque ma mère, avant-guerre, se penchait sur moi pour m'embrasser, dans ses toilettes de mousseline rebrodées de minuscules perles d'argent, son mantelet d'hermine sur les épaules, au bras de mon père.

Boîtes de nuit select dont elle me ramenait des articles de cotillon, grands bals fastueux comme celui des Petits Lits blancs, soirées à l'Opéra ; je croyais cet univers de luxe et de l'insouciance disparu à jamais, englouti dans le cri de ma grand-mère annonçant les abominations de la guerre et de la défaite.

Le voilà qui réapparaît et, cette fois, c'est pour moi !

Bal des oiseaux, plus tard *Bal des rois*, *Bal de la lune sur la mer.* Dans ma découverte des plaisirs revenus de l'avant-guerre, je suis poussée, plutôt que freinée, par ma mère chez qui certains mots comme « bar », « boîte de nuit », font aussitôt *tilt.* C'est elle qui m'enjoint d'accepter d'aller « prendre des verres », à midi pile, dans les endroits chics de notre quartier, l'*Ascott*, le *Relais Plazza*, bien d'autres, qui ont fermé depuis, comme *Le petit Berri*, situé avenue George-V, juste en face de la maison de couture, où ma mère se rend de son côté avec certaines de ses clientes, devenues des amies.

La tenaille de la peur et de l'angoisse s'est en effet

un peu desserrée. Maman se commande de nouveaux chapeaux et, si elle ne sort jamais le soir, elle accepte avec joie d'aller dans de fastueux restaurants où l'on savoure des plats dont on avait perdu jusqu'au goût. Je n'y vais pas moi-même — la nourriture ne me dit rien, et puis je tiens trop à conserver ma ligne —, mais j'enregistre les noms, prononcés sur un ton de respectueuse gourmandise : *Laurent*, le *Saint-Georges*, *Marius et Jeannette*, *Francis*, *Maxim's*.

Maman a ce don rare d'aimer la fête, même si elle n'a guère le temps d'en profiter. Pour elle, un rien suffit : un demi-doigt de champagne, un verre de porto, des petits fours, quelques amis bien disposés, et aussitôt la voilà au septième ciel, tout sentiment de stress et d'accablement disparu.

Ce trait est commun à beaucoup de couturiers, sinon aimeraient-ils — et même sauraient-ils — composer d'aussi magnifiques, féeriques, pour tout dire surnaturelles toilettes ? Les fêtes données par Poiret, et qui ont contribué à sa ruine, sont restées célèbres. Chanel a énormément participé à la vie parisienne. Les bals organisés par Jacques Fath, dans son château de Corbeville, ont fait histoire.

Et si, aujourd'hui, les grands couturiers, conscients de la chape de conformisme et d'austérité qui désormais nous enveloppe, demeurent plus discrets sur leurs « fêtes », il suffit que l'œil d'un photographe pénètre dans un coin ou un autre de leurs somptueuses demeures pour qu'on comprenne qu'ils possèdent tous, quels qu'ils soient, une baguette magique dans leur boîte à coudre. D'une citrouille ils savent faire un carrosse, comme d'un chiffon une toilette de cour !

Maman est ainsi. Même si elle mène jour après jour, depuis qu'elle a ouvert sa maison, une vie rude et disciplinaire, quelque chose en elle considère qu'il n'y a rien de plus important au monde que la fête. Et puis, sans fête, pas de couture ! Et elle me pousse — alors que tant de parents freinent leurs enfants sous des prétextes divers : études, santé — à me rendre à toutes les invitations que je reçois.

Bien plus tard, quand elle sera à la retraite et que j'en recevrai, à cause de mon métier de journaliste et d'écrivain, plus qu'il ne m'est possible d'en honorer, pour des manifestations qui se révèlent à l'usage des corvées plutôt que des fêtes — qui sait encore s'amuser avec légèreté ? —, quand je lui avouerai les mettre directement au panier, elle s'indignera : « Mais vas-y, vas-y ! Tu peux rencontrer des gens intéressants, et puis tu pourras te faire belle ! »

Maman chérie !

Ainsi, dès mes premières sorties, à dix-huit ans, je suis laissée très libre par ma mère à qui cela fait, je crois, autant de plaisir qu'à moi de s'apercevoir que j'ai du succès, qu'une invitation en entraîne une autre, et elle m'aide — c'est son métier — à me parer.

Pour me rendre à ces bals, ces grandes soirées que, sitôt après la Libération, la jeunesse dorée s'est mise à donner avec les fastes vite retrouvés de l'avant-guerre, ma mère préside alors à ma toilette.

Le jour même, pour que j'aie le choix, elle me fait livrer plusieurs grandes robes du soir, m'envoie chez son coiffeur, *Guillaume*, m'initie aux soins du corps, manucure, pédicure, et elle me prête ses bijoux : son clip en diamants, son collier de perles et sa minaudière en or, en somme la panoplie, qu'elle-même n'utilise plus, d'une femme élégante de l'avant-guerre, beaucoup trop somptueuse pour mes dix-huit ans.

Quand le jeune homme qui s'est chargé de venir me chercher a sonné à la porte, après avoir descendu le large escalier de notre demeure, ma jupe froufroutant de marche en marche, mon dernier regard est pour ma mère qui, du haut du palier, dans sa robe de tous les jours, fatiguée, prête à se coucher, me considère amoureusement.

A cet instant-là, je sens que je lui conviens — sinon, elle ne m'aurait pas laissée sortir —, je suis bien son œuvre. Et jamais, je crois, je n'ai éprouvé plus pur plaisir qu'en ce temps de ma toute première jeunesse où ma vue ravissait ma mère.

Mes cavaliers sont pour la plupart les fils des clientes huppées de chez Vionnet, celles qui ne fréquentaient pas ces dames, considérées comme leurs fournisseurs.

Ma mère s'en aperçoit-elle et le vit-elle comme une revanche ? En tout cas, elle ne m'en dit rien et je n'en ai pas conscience. Je sors désormais avec les fils des comtes de Ganay, des princes de Broglie, du marquis d'Arcangues, avec Edmond de Rothschild, Napoléon Murat, les Sainte-Marie, Robert de Douglas, pour ne citer que les plus familiers. Mes amies s'appellent Nathalie de Noailles ou Lorraine Dubonnet.

Comment suis-je introduite dans leur groupe fermé ? Ce que je sais, c'est que les belles toilettes que me prête ma mère n'y sont pas pour rien. Je me rappelle le silence — on ne s'exclame pas, à l'époque — qui accompagne mes « entrées » dans l'une des grandes robes du soir de la collection, décolletée et juponnée à l'extrême, toute dernière création de la maison de couture.

Je ne suis pas la seule. Passé huit heures du soir, nous, les filles, sommes toutes en robes longues, et les garçons en smoking, mais, comme nous n'avons pas de voiture, nous circulons à bicyclette, ou assises sur le porte-bagage du léger deux-roues à moteur de notre

« flirt ». (Point de grosses motos, en ce temps-là, ni de casques.)

Je me revois, des liliums dans les cheveux, retroussant et serrant à pleins bras mes vastes robes pour ne pas coincer leurs précieux volants dans les roues du véhicule de mon cavalier !

Dès le premier soir, j'adore sortir, j'adore danser, ma mère a dû me transmettre son goût de la fête et je ne le perdrai que très tard, quand les fêtes ne seront plus ce que j'en espère, ou lorsque je serai sortie du rêve (contrairement à ma mère qui s'y trouve encore).

En ce temps-là, dès qu'une soirée est prévue, ce dont on s'avertit d'un ton négligent par téléphone, je passe des après-midi entiers sur mon lit, incapable de faire autre chose que de la vivre à l'avance dans une immense exaltation. Qui y aura-t-il ? Comment vais-je me coiffer ? Que vais-je me mettre ?

Faut-il ajouter qu'à l'époque, entre nous, tout se passe dans le plus complet platonisme ? Nous sommes encore imprégnés par les mœurs sévères de l'avant-guerre, on flirte, mais on ne couche pas avant le mariage. On ne boit pas non plus d'alcool, à peine un demi-verre de champagne pour les filles, puis on rentre comme Cendrillon.

Mais que les robes sont belles !

D'autres jeunes filles, dont l'une est la nièce par alliance de Jacques Fath, exhibent des toilettes sans prix. Une image m'est restée comme celle d'une apparition. Nous sommes chez Jean et Guy d'Arcangues et je revois cette jeune fille, encore plus mince que moi, ce qui me rend jalouse, accoudée à une cheminée où brûle une flambée. Dans sa robe montante de Nina Ricci toute de velours noir, aux manches longues très ajustées, qui, après avoir dessiné sa taille frêle, s'évase en plis lourds pour se terminer par une grande hauteur de rayures colorées, elle est surprenante.

Je conserve bien d'autres images romanesques en mémoire, tellement hors du quotidien que je me demande parfois si je les ai vraiment vécues.

Ainsi le souvenir d'un certain bal donné en 1945 ou 1946 pour Nathalie de Noailles, par sa grand-mère, place des États-Unis. Toutes les portes des grands salons sont ouvertes à deux battants, le buffet bien fourni (ce qui était un luxe) et la lumière, dont nous avons tant manqué, éblouissante. Un orchestre joue en sourdine. Les parents se sont retirés, le plus âgé d'entre nous a tout juste vingt ans, nous sommes les enfants de la guerre, de la pénurie, de la peur, et nous avons enfin le droit de danser !

Oui, tout cela est un tel contraste avec ce que nous venons de vivre — ne serait-ce que sur le plan vestimentaire, comme beaucoup de mes camarades, je n'ai possédé qu'une seule paire de chaussures pendant quatre ans — que je me demande encore si cela a réellement existé. Ou me serais-je endormie, un jour, dans la cabine de l'avenue George-V où sont suspendus les grands modèles de la collection, et les ai-je hallucinées, ces soirées enchanteresses en compagnie de beaux jeunes gens aux noms évocateurs ?

A vrai dire, au cours de ces deux années folles qui précèdent mon mariage, je savoure un fait nouveau : désormais, la fille d'une couturière n'est plus tenue à l'index !

Toutefois, et contrairement à l'espoir secret de Maman, ce n'est pas avec l'un de ces héritiers titrés que je vais me marier, mais avec le fils d'un journaliste dont le nom lui est parfaitement inconnu : sa famille ne fait pas partie de sa clientèle...

Cela ne va pas s'accomplir sans grincements de

dents. Surtout étant donné ce que nous pensons des journaux et du journalisme : rien que des menteurs ! Car, aux yeux de Maman, qui n'a jamais eu le loisir de voir autre chose que sa couture et ses magnifiques objets confectionnés pour durer toujours, en entrant dans l'univers de l'aussitôt fait/aussitôt jeté, je déchois, je me déclasse.

Je me revois pleurant une journée entière dans mon lit, tant il m'est cruel de décevoir ma mère (laquelle va adorer son gendre : elle gardera toute sa vie sa photo sur sa table de chevet). Mais je tiens bon (« Quand Madeleine veut quelque chose, dit ma tante, elle y parvient toujours ! »), et le mariage de la couture et du journalisme a lieu.

Que pense de son côté la famille du « promis » ? Un mariage entre très jeunes gens, c'est toujours un peu les Capulet et les Montaigu...

En tout cas, quelle drôle de cérémonie —, à laquelle, bien sûr, assiste Madeleine Vionnet.

Un mariage

Un jour de la fin septembre 1947, des personnes que le hasard a conduites dans la petite église de l'Annonciation, tout près de la rue de Passy, m'avoueront plus tard avoir été plongées dans la plus profonde perplexité par un spectacle inhabituel : un jeune couple de mariés somptueusement vêtus monte puis redescend la nef, accompagné par un maigre, très maigre cortège.

S'agit-il d'un mariage à la sauvette ? Y a-t-il eu un drame dans cette famille ? Mais alors, pourquoi tant de fla-fla : cette robe extraordinaire à la traîne interminable, ce jeune officier d'aviation en spencer blanc, et cette poignée de femmes élégantes, renards argentés, capelines de dentelle, chapeaux à plumes ?

La guerre nous a marqués, nous les jeunes, plus encore que nous ne l'imaginons. Beaucoup de nos camarades sont morts, certains en déportation, d'autres fusillés pour faits de résistance, comme le jeune André Reussner, seize ans, fils d'un commerçant de Megève. Nous ne l'apprenons que maintenant, et nous ne pourrons plus l'oublier. Il y a aussi le retour des déportés. Leur décharnement, leur regard halluciné, qui parlent tout autant que ce qu'ils racontent, nous scandalisent jusqu'au fond de l'âme. L'idée que, dans notre enfance, nous nous sommes faite du monde, de la France et de l'Europe, s'en trouve bouleversée pour toujours.

Je parle énormément de cette guerre avec mon futur époux. C'est même le principal sujet de nos conversations et je rattrape vite mon retard sur le plan de l'information. Il n'est pas pour rien d'une famille de journalistes !

Cette avidité de découvrir puis de communiquer la vérité la plus cruelle, si elle nous rapproche l'un de l'autre, m'éloigne de ce qui a été jusque-là mon milieu. Du coup, je supporte mal l'idée que notre mariage soit l'occasion d'une cérémonie mondaine, un événement de la Haute Couture. Un tel retour aux traditions d'avant-guerre me paraît plus que dérisoire, choquant...

Mais peu importent mes nouveaux états d'âme, il est impossible, littéralement impossible d'empêcher ma mère de préparer une robe de mariée pour sa fille ! Elle, la grande modéliste qui depuis des années en a tant confectionnées pour sa clientèle et pour couronner la présentation de ses collections ! Ce serait la renier, la déposséder, la tuer.

Et nous finissons par céder sur ce point-là, mon futur époux et moi. J'accepte la robe, mais à une condition : pas d'invités, sauf la famille la plus proche, pas même les oncles et tantes.

Cette robe aux essayages multiples va se révéler un chef-d'œuvre, toute la maison de couture se mobilise et Maman se surpasse !

L'immense jupe est composée d'une infinité de petits volants de tulle en étages, le buste taillé en biais dans un épais satin, les manches très ajustées, le col montant. Une ceinture de satin drapée souligne la taille. Quant au voile à plis multiples, il est retenu par une guirlande de lis dont ma mère, le matin même, cherche longuement l'emplacement sur mon front, comme s'il s'agissait de l'essayage d'un modèle, jusqu'à me faire pousser des cris d'exaspération.

Suspendue à mon cou par un gros-grain de soie blanche, je porte la croix en diamants offerte par Marraine Vionnet pour ma première communion.

Marraine Vionnet sera présente. Elle, bien sûr, il n'est pas question de l'évincer.

Escarpins de satin blanc, aumônière taillée et piquée par les ateliers, mitaines en dentelle, ma mère s'est occupée de tout, a tout prévu, jusqu'au mouchoir : un minuscule carré de mousseline de soie bordé des quatre côtés par une très large garniture de dentelle de Valenciennes festonnée.

Quand je me contemple enfin dans les glaces murales du salon, où m'attend le photographe, me croira-t-on si je dis que je suis consternée par cette apparition droit sortie d'une gravure de mode ? Ça n'est pas ainsi que je me vois désormais, et un immense sentiment de mélancolie m'envahit, bien visible sur les photos.

Une fois de plus, je me sens piégée, je ne suis pas moi-même, mais la chose, l'objet, le mannequin de Maman.

Je ne peux pourtant lui en vouloir à la pauvre chérie : elle a fait de son mieux, elle m'a donné son meilleur, le sommet de son art. Mais, sur l'instant, je ne lui en suis guère reconnaissante.

Ce n'est que des années plus tard que je songe à ce qu'a pu coûter une telle toilette. A l'époque, j'ai seulement le sentiment que je suis bien bonne de me prêter à ce que j'appelle *in petto*, du haut de ma toute fraîche révolte intérieure, une mascarade.

Cela m'aurait-il soulagé de savoir que c'était la dernière fois ?

A partir de ce jour, je vais pouvoir m'habiller

comme il me plaît, parfois fort mal. Je me souviens d'un certain chapeau rouge, d'une jupe de faille verte resserrée sous les genoux... Mais il me fallait apprendre à me débrouiller seule !

La longue, très longue séance de photos, prévue par Maman, précède le départ pour l'église. L'un de ces clichés d'art paraît dans *Vogue* : la fille de Marcelle Chaumont dans une robe spécialement créée pour son mariage par sa propre mère. Je n'ai pas conservé le magazine, car quelque chose me choque : pourquoi suis-je seule sur la photo, sans cet homme désormais mon compagnon ?

Qu'a-t-il pensé, ce jour-là, lui ? Sans doute qu'une femme est une femme et une belle-mère dans la couture, une bizarre belle-mère ! Généreuse, charmante, mais totalement ailleurs...

Combien Maman me paraît jeune sur les photos prises par ma nouvelle belle-sœur, Brigitte, sur les marches de la petite église. Dans une robe de marocain noir, sous l'élégante capeline en crin qui l'auréole, de grands gants de chamois jusqu'aux coudes, elle sourit, satisfaite.

Après tout, même tronquée, c'est la fête, et Maman aime tant les fêtes !

A côté d'elle, Madeleine Vionnet.

Je ne l'ai pas beaucoup vue, pendant les années de guerre. Comme tout le monde, la grande Vionnet a eu ses soucis : préserver ses maisons — elle en possédait trois, elle en vendra deux —, se chauffer, manger. Surtout, s'habituer à un état qu'elle n'a jamais connu depuis qu'elle est entrée en apprentissage à douze ans : l'oisiveté soudaine où la plonge la retraite.

Passer de douze cents employés à rien, pour une personne dotée de son autorité naturelle, de son sens de l'enseignement et du commandement, est une lourde épreuve.

Elle n'a pas son habituel chapeau d'homme, en ce jour de mon mariage, mais une très élégante coiffure drapée, œuvre de Caroline Reboux ; elle a minci, elle est superbe.

Je sais qu'elle assiste à toutes les collections de ma mère, comme à celles de Charles Montaigne, de Jacques Griffe, de Mad Carpentier, de Balenciaga, de Dior et de beaucoup d'autres qui n'ont pas tous été ses élèves, mais qui, dès qu'ils entrent dans le métier, deviennent ses admirateurs. (Comme aujourd'hui, me confient-ils, Issey Miyiaké, Christian Lacroix, parmi les derniers venus.)

Et c'est par ce biais, si j'ose dire, celui de l'intérêt sans jalousie qu'elle porte à ses successeurs, comme par ses multiples activités à la Chambre syndicale, à l'école de formation des ouvrières, qu'elle va meubler les trente années qui lui restent à vivre.

Jusqu'au bout, la couture va demeurer la passion de Madeleine Vionnet.

Au fond, ce fut la seule.

Vionnet, 98 ans

« Où en es-tu ? *Tu te réalises ?* »

Chaque fois que je retourne la voir, craignant toujours que ce soit pour la dernière fois, à peine son bel œil grand ouvert s'est-il posé sur moi, que je l'entends à nouveau, la petite phrase de mon enfance !

Longtemps, elle m'a fait peur.

Est-ce parce que je sentais son emprise sur mon entourage, son ascendant moral ? Qu'allait dire, qu'allait penser Madame Vionnet ?

Il ne me serait pas venu à l'idée qu'on puisse aller la voir sans être habillée de neuf des pieds à la tête ! Et quel neuf ! Crêpe georgette, velours de laine froncé, plissé, nervuré, taillé en biais, chaussettes de soie, gants blancs, mise en plis fraîche sur nos permanentes très serrées, petit ruban de velours noir noué sur le front — Marraine Vionnet, comme Maman, n'aimait pas les cheveux libres et épars.

A vrai dire, il ne s'agissait pas d'être élégantes, mais nettes, propres — ce qu'on appelait, à l'époque, « présentables ».

Aussi n'était-ce pas exactement un plaisir !

Si ce qu'elle offrait, goûter, cadeaux, était somptueux, parfois princier — toujours en vermeil, s'il s'agissait d'une trousse ou de couverts, en perles fines pour un chapelet, ou alors des jouets géants, ours, maison de poupées, baigneurs —, ce qu'elle disait était rude, exigeant.

« Travailler, il n'y a que ça, répétait-elle, que ça. » Elle-même en donnait l'exemple.

Il a fallu qu'elle atteigne le grand âge pour que, sous la rigueur et l'intransigeance, je découvre son goût, qui ne l'a jamais quitté, d'aider les autres. Elle s'est toujours plus intéressée aux filles qu'aux garçons, poussant aux études les adolescentes, leur ouvrant les portes de leur futur métier, de préférence le sien, la couture.

Le temps passe, et quand, par goût comme par métier, je me mets à fréquenter les autres couturiers, Jacques Fath, Chanel, c'est à travers leurs propos, ceux de leur personnel, que je prends conscience du rôle unique qu'a joué Marraine Vionnet dans la constitution de cette industrie tout à fait à part qu'est la Haute Couture.

Désormais, chaque fois que je vais la voir, je me mets à l'interroger sur sa vie, son pasé, ses débuts et, un an avant sa mort, je viens même chez elle avec une sténotypiste. Dans l'intention de lui demander, une fois de plus, ce que je sais pourtant de l'intérieur mais que j'aime lui entendre me répéter de sa bouche, dans ses mots à elle, ses mots de chair, à la saveur, l'accent inimitables : Marraine, qu'est-ce que la couture ?

Ce jour-là, elle est, comme toujours désormais, sur sa chaise-longue. L'œil grand ouvert, devenu un peu laiteux, a conservé ce regard soutenu, scrutateur, qui semble vous apercevoir au-delà de vous-même, sur votre horizon.

Sa main, toute petite — « Elle avait une main d'enfant ! » se rappelle Jacques Griffe —, mais toujours vigoureuse, me surprend par la largeur et la longueur de ses ongles :

— Oh non, ils ne sont pas beaux, pourquoi dis-tu ça ! Je ne les fais jamais, je n'ai pas de coquetterie pour ces choses-là.

Elle serre vivement la mienne.

— J'ai vu ta mère enceinte, et maintenant tu es là ! Hier aussi, j'ai reçu quelqu'un que j'ai vu naître et qui continue de venir me voir. J'en aurai eu des bonheurs !

J'ai le cœur étreint à la voir si réduite, mais sa voix reste sûre et claire.

— Est-ce que ça vous fait plaisir, tous ces articles qui paraissent en ce moment sur vous, dans les journaux ?

— Ça m'est complètement égal ! Pourvu qu'on ne dise pas que j'ai fait de vilaines choses... Mais on ne le dit pas, parce que j'ai fait de jolies choses et que tout le monde le sait !

Elle sourit, de son sourire si féminin qui ne cherche pas à séduire, un sourire en soi, comme celui de certains bouddhas.

Ses cheveux blancs, encore épais, entourent gracieusement le vieux et beau visage où le décharnement, dû à l'âge, permet d'admirer la vigueur des structures, l'harmonieux système des os.

— Sais-tu que je vais avoir cent ans dans deux ans ? Encore deux !

— Vous êtes contente ?

— Relativement... A cent ans, on n'est plus vraiment content de rien.

Elle a blanchi très tôt, vers quarante ans, mais n'a jamais voulu se teindre et je ne l'ai connue qu'ainsi, auréolée de ses cheveux blancs.

Mais je me la rappelle bien en chair, même un peu forte et s'en plaignant, elle maitenant si menue, blottie parmi ses châles et les oreillers roses de la chaise de repos qu'elle ne quitte que pour regagner son lit.

— Maintenant, il faut qu'on me transporte ! Mes jambes ne sont plus qu'une garniture... Mais, il y a encore quelque temps, j'arrivais à me lever et à faire quelques pas. C'était une convention entre Solange et moi, elle me disait un-deux-trois sur un certain rythme et à trois j'étais debout ! Enfin, si on peut appeler ça debout ! Je m'appuyais aussitôt sur quelque chose. Mais j'ai une grande chance, je ne souffre pas.

« *J'ai tout perdu,* écrit-elle à ma mère, *sauf la tête, mais la tête, la tête seulement, ça ne suffit pas pour le bonheur de vivre !* » Elle lui confie aussi : « *Parfois, j'entends distinctement la voix de mon père qui me dit : "Mais enfin cesse de te plaindre, ma fille, tu n'as rien, seulement quarante ans de trop !"* »

— Marraine, à quelle période de votre vie songez-vous le plus souvent ?

— A celle de mes beaux modèles, à mes succès !

Mais je ne veux pas résumer ce qu'elle m'a dit, car les mots qu'elle utilise, ce jour-là, à quatre-vingt dix-huit ans, bientôt quatre-vingt dix-neuf, sont la quintessence de toute sa vie. Ils dégagent un parfum d'aromate qui embaume cet au-delà dans lequel, exquisement, elle vit d'avance.

Les voici donc, ses propos, dans leur intégralité, et s'il se trouve qu'elle s'est trompée sur quelque date ou point de détail, c'est broutille à côté d'une lucidité dont elle garde jusqu'au bout plaisir à se flatter — elle le peut — même si elle ne s'en contente pas.

Et puis, ses erreurs, si erreurs il y a (je ne suis pas moi-même en mesure de les rectifier), correspondent à ce qu'elle avait le droit absolu de vivre à cet ultime moment de sa vie : son plus profond désir.

— Marraine, quelle est pour vous la plus belle époque de la Mode ?

— Sous l'Empire, elles étaient un peu trop nues... Au XVIIIe, il y avait trop de plumes, trop de bijoux, on ne voyait plus grand-chose de la femme... Je préfère le Moyen Age ; c'est la période la plus pure, on voyait le corps ! Elles avaient un peu de ventre, mais c'était joli... Et puis j'aime mon époque, bien sûr, parce que c'était la mienne !

— Vous voulez dire que vous l'avez faite...

— Ah ! mes robes souples, dans ces étoffes magnifiques qui ne sont plus ! Ces beaux tissus que me fournissaient les soyeux lyonnais. Bianchini me fabriquait des taffetas mélangés, chatoyants... Là-dedans, je faisais des robes qui se tenaient, mais taillées, avec de l'ampleur, et je mettais dessus mes petites roses ! Elles étaient devenues grosses comme des soucoupes, mes petites roses, et faites dans un biais tournant, pour enlever la platitude du tissu... Remarque, même si les marchands de tissus ne travaillent plus sur commande, ils font encore beaucoup de choses bien, ils cherchent ! Seulement, nous, nous étions tous très proches les uns des autres : les couturiers, les gens du textile, les brodeurs... Regarde, là, sur ma cheminée, la photo de ce vieux monsieur à barbiche, c'était mon plus ancien brodeur, Monsieur Michonet, un ami.

— Que pensez-vous des couturiers d'aujourd'hui ?

— Nous étions des femmes, les couturiers d'aujourd'hui sont surtout des hommes. J'ai bien aimé ce qu'ont fait Balenciaga et Christian Dior. Dior avait du goût, le pauvre, c'est le travail qui l'a tué. Et le petit Jacques Fath ! Il m'avait dit, une fois, que lorsqu'il voyait sur une femme une robe qui lui plaisait, il soudoyait sa femme de chambre afin de l'acheter dès qu'elle ne serait plus portée ! C'est comme ça qu'il en a eu des miennes ; il les étudiait, regardait comment c'était fait, et c'est ainsi qu'il a commencé...

A partir de ce qu'elle a fait !

Elle reste donc « la première », trente ans après...

— Marraine, vous souvenez-vous de vos clientes ?

— Pas bien... Il y avait la duchesse de Grammont, une Italienne née Ruspoli. C'était quelqu'un. Qu'est-elle devenue ? Elle ne vit peut-être plus. Les autres, je n'en connaissais pas beaucoup... Lorsque j'étais encore chez Callot, nous avions toutes les milliardaires américaines, Madame Vanderbilt, Madame Astor, et l'essayeuse, c'était moi ! J'essayais vingt, trente robes pour la même femme dans l'après-midi ! En ce temps-là, elles pouvaient se le permettre... Il y avait également des Françaises, tout aussi riches. Plus tard, chez moi, je n'aimais pas voir les clientes. Quand il y en avait une qui me demandait — une bonne cliente —, je la voyais parce qu'elle voulait que je la voie, mais c'était sans bénéfice moral pour moi...

En fait, les clientes qu'elle a toujours préférées, ce sont les actrices. Cela a commencé quand elle était encore chez Callot, où on lui avait confié le rayon « artistes ». Réjane, Ève Lavallière, Lantelme furent ses premières admiratrices. Des femmes à l'esprit et à la vie suffisamment libres pour comprendre tout de suite ce que cette jeune créatrice faisait et allait faire : révolutionner la mode, et par voie de conséquence la vie des femmes.

Car Vionnet va tout changer, en commençant par le matériau : pour pouvoir travailler en biais, elle demande aux tisseurs de lui faire des tissus en un mètre de largeur en plus. Elle a dégangué, décaparaçonné les femmes, pour mettre à nu ce que le début du siècle ne voulait pas voir, le corps des femmes, la différence sexuelle.

Quelle gloire ! Quelle solitude, aussi...

— Que faisiez-vous entre les collections ?

— J'étais toute seule. Souvent ici, dans ma maison. J'ai toujours aimé ma maison. Regarde comme c'est joli, ces murs, et c'est solide : il y a une peau de mouton par carré, et pas une n'est pareille ! Un troupeau de moutons dont je suis la bergère... Et ça, cette table, c'est moi qui l'ai fait faire avec une dalle de métro. J'étais moderne par le goût, et antique dans la réalisation. J'ai toujours fait les choses pour que ça dure toute la vie.

— Mais les robes se démodent...

— Ce que je faisais n'était pas de la mode, c'était de l'harmonie. Un ensemble de formes et de couleurs qui ne devait jamais changer ni vieillir. Je ne voulais que des choses qui durent, pas seulement un mois ni un an, toujours...

— C'est fragile, une robe !

— Pas les miennes. Vu le matériau que j'utilisais, et par leur valeur artistique, elles étaient faites pour traverser le temps. Tout ce que j'ai fait, je l'ai fait dans cet esprit-là : pour que ça dure toujours... Mais les gens n'en tiennent pas compte, ils perdent, ils abîment, c'est dommage...

— D'où vous vient votre goût de la perfection ?

— Papa n'a jamais fait quelque chose de ses mains, mais s'il l'avait fait, il l'aurait bien fait.

C'est à cause de Papa-la-tendresse, prétend-elle, qu'elle s'est mariée si tôt, à dix-huit ans. Après la naissance et la mort de cette petite fille dont je n'ai jamais su le prénom, elle a divorcé. Pour se remarier bien plus tard avec Dimitri Netchvolodoff, le *Captain*, un officier de marine d'origine russe.

— Il avait dix-huit ans de moins que moi, et tous les deux nous avons fait une affaire, dit-elle avec une lueur de malice au coin de l'œil. Je me prenais un homme jeune, et lui se retrouvait un peu plus fortuné qu'avant !

Ce qu'elle oublie ou ne veut pas dire, c'est que « Netch », comme nous disions en abrégé, ce si bel homme qui s'était retrouvé sans le sou à Paris, comme beaucoup de Russes blancs, était entré chez elle en tant que jeune homme de compagnie pour Papa-la-tendresse, qui s'ennuyait pendant qu'elle était au travail. Et le beau Russe avait épousé la fille. « Je crois qu'elle était très amoureuse », me dit Griffe qui en sait un peu plus long que moi. Mais pas beaucoup. Madeleine Vionnet, sur le chapitre de sa vie privée, est restée d'une grande discrétion. « Elle n'a pas eu une vie à scandales, me confirme Griffe. Sur Vionnet, il n'y a rien à dire. »

Sept années de bonheur en apparence parfait, puis ce qui devait arriver arriva : le « jeune » homme s'amourache ailleurs, Vionnet l'apprend, en souffre, demande le divorce. Le reste de sa vie, elle le passe dans la solitude.

— Comment s'appelait votre premier mari ?

— Le croiras-tu, je ne m'en souviens pas ! Je sais seulement qu'il avait des dents magnifiques, mais le reste n'était pas aussi bien...

Elle ajoute :

— Au fond, je ne peux pas vivre avec un homme. Je ne supporte pas d'avoir un maître, et, autrefois, dans un mariage, c'était le mari qui commandait. Alors je suis partie pour l'Angleterre. Je voulais apprendre l'anglais.

Elle se retrouve dans une maison de santé, à Virginia Waters, où elle est lingère.

— C'était un asile de fous ! Je ne le savais pas, mais j'ai bien vu, en arrivant, par une fenêtre, que ces gens qui tournaient dans la cour avaient un drôle d'air. Un infirmier a pointé l'index sur son front en me regardant, et comme je ne comprenais pas encore l'anglais, il est allé chercher un dictionnaire et il m'a montré le mot : *insane*, fou. J'ai été prise de panique, je voulais m'en aller, mais on m'a expliqué que je ne rencontrerais jamais les malades, qu'ils étaient enfermés à clé tous les soirs dans leur chambre, et que je n'avais qu'à ne pas aller dans la cour. Finalement, cela s'est très bien passé et je les ai même fréquentés, à l'occasion de petites fêtes qu'ils donnaient de temps en temps. Ils étaient très gentils avec moi, et sûrement très riches pour être soignés dans cette maison-là...

Ensuite elle est engagée chez Paquin, qui vient d'ouvrir une succursale à Londres, puis dans une maison anglaise, *Kate Reilly*.

— J'avais deux raisons d'être appréciée à Londres : j'étais française et, depuis mes vingt ans, première main. En plus, maintenant, je parlais bien l'anglais, je pouvais voir les clientes...

On l'envoie aussi à Paris acheter des modèles français. C'est ainsi qu'elle connaît les sœurs Callot, qui apprécient son goût et offrent de l'employer. Elle accepte.

— C'était aussi à cause de Papa. J'allais le voir tous les mois, ça faisait des dépenses, et puis je n'aimais pas tellement *crosser* le Channel !

A vingt-cinq ans, la jeune femme retourne donc à Paris pour entrer chez Callot où Madame Gerber, l'aînée des sœurs Callot, lui apprend vraiment la couture.

Elle passe ensuite chez Doucet, qui était alors, avec Callot, le premier couturier de l'époque. Vionnet va tous les détrôner en bouleversant la façon d'habiller les femmes.

Elles portaient des carcans ; elle va leur proposer du souple, tout près du corps, une façon de s'habiller alors si révolutionnaire qu'on l'accusera, au début, de « mettre les femmes en chemise ».

— Quand je travaillais chez Callot, les femmes étaient encore corsetées. Elles avaient des cols avec des agrafes et des petites baleines ! J'ai tout fichu en l'air. Je me disais : pourquoi tout ça ? On n'a pas besoin d'un col aussi haut ni d'être corsetée ! Moi, je n'en voulais pas pour moi... Je me faisais des robes sacs, et comme j'étais un peu grosse, on disait chez Doucet : "Madame Vionnet a l'air d'un curé de campagne !" D'une certaine façon, c'était vrai, mais ça avait tout de même beaucoup de chic. Et puis j'ai fait bien d'autres choses...

— Quoi ?

— Toutes les femmes habillées en fleurs ! Tiens, regarde, j'ai encore la photo de la duchesse de Grammont, ici, dans une robe de chez moi, prise sur la place Saint-Marc à Venise. Tu vois cette mousseline finement plissée, avec ces petits volants ! Oui, ça donnait aux femmes l'air d'être des fleurs...

— Quel travail !

— Ça demandait des journées entières et plusieurs personnes. Si tu veux en voir, il y en a quelques-unes au musée Carnavalet. Je leur ai donné pas mal de mes anciens modèles, dont des robes qui étaient à moi. L'une est une robe fleur, tiens, me voilà dedans sur cette photo, et l'autre a de grosses roses aux genoux, les roses Vionnet. Mais tu me fais parler de choses qui n'intéressent plus personne...

— Toutes les femmes s'intéressent à la couture !

— Pas à celle de 1900 ou d'avant la Première Guerre. Qu'est-ce que tu veux que ça leur fasse, c'est comme si on leur parlait de la Préhistoire... ! Et puis les femmes n'ont plus d'argent.

— A quelle époque avez-vous ouvert votre maison ?

— En 1912, rue de Rivoli, quand ta mère est venue travailler avec moi. Jusque-là, j'étais chez Doucet, et Doucet m'avait dit : "Créez une jeune maison dans la vieille maison Doucet, et faites ce que vous voulez !" Je l'ai pris au mot et j'ai fait des robes à ma façon. Seulement, quand elles passaient, les vieilles vendeuses détournaient la tête et disaient à leurs clientes : "Je vous demande pardon, Madame, mais celle-là, nous n'en parlerons pas !" Je faisais la révolution à moi toute seule !

« Regarde cette photo d'une robe que j'ai faite pour Lantelme, en 1908 ; j'étais encore chez Doucet et elle jouait *Le Costaud des Épinettes*. Elle était petite, guère plus grande que moi, mais très belle. Un peu grosse, mais magnifique, et elle aimait ce que je faisais. Quand elle entendait les vendeuses de Doucet dire : "Cette robe-là, on n'en parlera pas" — ce qui, entre nous, me vexait —, Lantelme n'hésitait pas à dire : "C'est idiot !"

« Tu sais, malgré l'opposition des vendeuses, il y avait quand même des femmes qui aimaient mes robes et qui en demandaient. On faisait des affaires, chez Doucet, avec ma mode. Mais je continuais à choquer. Une fois, j'ai créé une robe pour Lantelme dans un satin noir tissé de traits blancs, quelque chose de très rare. J'ai donc fait une première jupe jusqu'à la cheville, dans ce tissu-là, puis une petite chemisette blanche dans une jolie matière, un peu plus épaisse que de la mousseline de soie. La chemise se terminait par un volant qui dépassait sur la jupe, et, par-dessus, j'ai mis une autre chemise, toute noire celle-là. La chemise blanche avait aussi un grand col qui dépassait de la chemise noire, ainsi que le volant.

« Ç'a a été un tollé chez Doucet, toutes les vendeuses se sont récriées : "Mais enfin, cette femme a l'air d'avoir sa chemise qui dépasse ! Monsieur Doucet, vous n'allez pas montrer ça chez vous !" Alors j'ai fait venir une femme en qui j'avais confiance et je lui ai dit : "Dites-moi sincèrement ce que vous pensez de cette robe : est-ce que vous la porteriez ?" La cliente m'a répondu : "Non, Madeleine, je ne la porterais pas."

« J'étais très ébranlée, et puis, d'un seul coup, des femmes l'ont demandée et la robe est partie toute seule ! Cette robe-là n'avait pas besoin d'être patronnée. Aussi, quand monsieur Doucet, poussé par ses vendeuses, m'a dit : "Il faut l'enlever de la collection", j'ai répondu : "Je veux bien l'enlever, mais je m'enlèverai avec. Je veux bien avoir tous les embêtements qu'il faut avec les clientes, mais pas avec le personnel de la maison où je travaille !" C'est comme ça que j'ai mis mon pied dehors.

« C'est Lantelme qui, la première, m'en avait donné l'idée. Elle m'avait dit : "Il faut partir de chez Doucet et travailler chez vous." J'ai pensé qu'elle avait raison. Elle avait ajouté : "Je vais vous faire connaître Edwards." C'était le propriétaire du *Matin*, elle était mariée avec lui.

« Les chiffres que je vais te donner vont te paraître ridicules, mais il me fallait huit cent mille francs. Remarque, c'était huit cent mille francs-or. A ce moment-là, cela représentait tout de même quelque chose. Edwards m'a dit : "Trouvez quatre cent mille francs, et je vous trouverai les quatre cent mille autres." J'ai dit : "Bon". Au fond, il m'avait dit ça parce qu'il pensait que je ne les trouverais pas !

« Puis lui et Lantelme sont partis pour leur croisière annuelle, et malheureusement elle est morte pendant ces vacances-là. Elle s'est noyée en tombant du bateau. La vérité, c'est qu'Edwards était très jaloux et l'enfermait quand il n'était pas là. Elle a voulu rejoindre ses amis et elle est tombée à l'eau. C'est seulement au matin qu'on a découvert qu'elle n'était plus dans sa chambre.

« Moi, je me suis retrouvée sans un franc, sans appuis, sans rien. Comme j'avais de plus en plus besoin de m'en aller de chez Doucet, je me suis dit : “Il faut que je trouve ces quatre cent mille francs.” Je n'en ai trouvé que trois cent mille, dont cent mille étaient à moi, toutes mes économies. Avec ça, j'ai monté la toute petite affaire du 222 de la rue de Rivoli. J'ai vécu un peu serré à ce moment-là, mais ça n'avait pas d'importance, j'étais une bonne nature, cela m'était égal.

« Au fond, je n'ai jamais eu qu'une chose à satisfaire dans la vie, c'est mon indépendance, et c'est à cause d'elle que je n'ai jamais porté de bijoux.

— Je ne vous en ai jamais vu !

— Cela vient d'une chose qui m'est arrivée pendant que j'étais à Londres. Un jour, j'ai travaillé pour une fille Rothschild qui épousait un duc de Marlborough. C'était une grande, une magnifique femme, et c'est moi qui suis allée l'habiller pour la présentation à la cour d'Angleterre. Soudain, je m'aperçois, pendant l'habillage, qu'il y a là deux types qui ne s'en vont pas et je finis par demander : “Mais qui sont ces hommes ?” On me répond : “Ce sont deux détectives, parce que la duchesse porte sur elle pour quatorze millions de bijoux !”

« Pendant que je travaillais, ils devaient regarder ce que je faisais de mes mains, ces gens-là ! Toujours est-il que je me suis dit : “Si, lorsqu’on porte des bijoux, il faut se faire garder, eh bien moi, je n’en aurai jamais !” Et je n’en ai jamais eu.

« Plus tard, je crois aussi que je me suis trouvée trop riche de nature pour mettre des bijoux. J’ai été jusqu’à avoir cette prétention. Je me disais que je n’en avais pas besoin. Que c’était une chose nettoyée de ma vie ; que des bijoux, je n’en aurais jamais !

— Comment s’est passé votre démarrage, rue de Rivoli ?

— Je me suis donc établie avec trois cent mille francs, et tout de suite des femmes sont venues. Au début, surtout par curiosité ! J’ai même reçu une fois un couturier-homme que j’avais connu en Angleterre et qui m’a dit : “Est-ce que ça vous est égal que je vienne ? Vous savez, ça n’est pas pour acheter, c’est parce que vos robes me font rigoler ! Cela m’amuse de les voir défiler, c’est comme si j’étais au bal des Quat-z-Arts !” Il était plus vieux que moi, il doit être mort, mais je pense qu’il a quand même dû savoir que j’ai réussi !

« J’ai même eu des femmes de rois dans ma première clientèle, mais les deux personnes qui m’ont lancée, c’est Madame Rouvray, devenue comtesse Pastrée, et Madame Illance. Elles aimaient mes robes, elles les mettaient. Et, d’un seul coup, c’est parti !

— Vous avez craint que ça ne marche pas ?

— Je me disais : de deux choses l’une, ou ça marche, ou alors j’irai travailler en Amérique ! Je parlais l’anglais et il y avait un acheteur américain qui aimait beaucoup mes robes et qui voulait me faire un contrat pour que j’aille là-bas. Il était sûr que je réussirais.

— Cela vous aurait plu, de vous retrouver en Amérique ?

— Ça m’aurait été égal d’être n’importe où, pourvu

que je gagne de l'argent. J'avais tellement envie d'avoir mon indépendance ! Je n'aime pas être guidée.

« J'ai quand même eu peur, au début, j'ai cru que personne n'aimerait jamais mes robes. Je m'en faisais pour moi, je les mettais, mais comme j'étais boulotte, je n'étais pas un bon mannequin. Ça ne fait rien, elles me plaisaient et je les mettais pour ma commodité. Je me sentais bien dedans. Et puis, je crois qu'elles me plaisaient un peu quand même...

« Surtout, j'aimais faire des robes ! J'aime travailler. J'aurais dû faire la cuisine que j'aurais fait de la bonne cuisine. Je suis active, courageuse, et j'aime chercher. Je n'aurais peut-être pas fait un bon professeur : là, il n'y a rien à chercher.

— Vous auriez pu écrire des livres !

— Peut-être, mais être écrivain, c'est autre chose. Je n'aurais pas eu assez d'imagination. J'en ai pour les robes, mais pas beaucoup pour la psychologie. Remarque, si j'avais été professeur, je pense que j'aurais enseigné avec amour, j'aurais aimé persuader les gens. Mais j'aurais regretté mes mains...

— Il y a moins de couturiers que de professeurs.

— Tu sais, je ne me suis pas donné beaucoup de peine... Mes robes sortaient de moi comme un boulanger fait sa pâte. C'est après, à la fin de ma carrière, que j'ai eu le plus de mal, parce que j'avais tout fait ! Quand je vois ce qu'on présente maintenant, moi, je n'aurais pas osé...

— Si vous faisiez encore des robes, que feriez-vous ?

— Comme Chanel, je m'en tiendrais à mon système. Moi, ce sont les robes souples qui habillent le corps de tout près... Mais ce qui m'empêcherait peut-être de travailler, ce serait le manque de garniture. La coupe, on peut toujours ; seulement, on n'a plus le temps ni la main-d'œuvre pour garnir, et moi j'aime garnir. Les tissus garnis d'avance, au mètre, tu le sais, ça ne m'intéresse pas... Aujourd'hui, tout va vers le facile. Pourtant, tu vois, les Américains, qui sont les rois de la confection, viennent encore chez nous tâcher de surprendre comment nous faisons, ce vieux secret...

— Que pensez-vous de la mode ?

— Depuis quelque temps, je ne sors plus, je ne suis plus au courant. Mais tout de même...

— Quoi donc ?

— Eh bien, j'ai une petite femme de ménage qui venait aider Solange et qui n'avait pas la taille fine. Elle était un peu boulotte. N'empêche qu'elle s'habillait comme elles s'habillent toutes, serrée à la taille avec son petit jupon qui gonflait en dessous... Je ne peux pas dire que ça lui allait ! Cette mode-là, à la rigueur, quand on est jeune et quand on a de jolies jambes... Mais il n'y en a pas beaucoup qui en ont, et les jolis genoux, c'est encore plus rare ! Quand on a vingt ans, ça peut encore aller. Mais les femmes n'ont pas toujours vingt ans, elles en ont trente, et même quarante ! Ça n'empêche pas qu'elles soient désirables et belles, mais il faut savoir les habiller ! Eh bien, c'est ça qui est difficile, très difficile !

— Marraine, vous arrive-t-il de penser encore à des robes ?

— Oui, mais pas pour moi. D'ailleurs, je n'ai jamais fait de robes pour moi, je ne me plaisais pas.

— Pourquoi dites-vous ça ?

— Je n'avais pas de cou, et j'aime les cous. J'étais trapue et il me faut de grandes femmes. J'aime les femmes très grandes, j'ai toujours eu de grands mannequins. Moi, je n'avais que mes mains. Mais elles m'ont précédée, et elles ont fait des choses magnifiques.

— A partir de toutes ces idées que vous aviez dans la tête ?

— J'aurais pu les avoir dans la tête et ne pas pouvoir les réaliser. Mais j'avais mes mains et elles m'ont toujours obéie, elles m'ont écoutée. Ça, je ne me le retire pas.

Il arrive aussi à ma mère de me dire, exactement sur le même ton : « J'ai fait des robes chez Vionnet, mais des robes d'une beauté, tu ne peux pas t'imaginer ! »

Si l'une comme l'autre demeurent encore éblouies par l'ampleur de leur création — plus de six cents modèles par an, aux grandes heures de la maison Vionnet —, il n'y a que ce qui sortait d'elles et de leurs ateliers qui comptait, non leur propre personne, car elles n'avaient pas le sentiment d'appartenir à ce qu'elles vénéraient par-dessus tout : le monde de l'art et de la culture.

Je me souviens de leur admiration face à certaines de leurs clientes, parce qu'elles étaient des poétesses, des comédiennes ! Ma mère et Vionnet ont toutes deux pieusement conservé les photos qu'ont bien voulu leur dédicacer ces fameuses « artistes » portant leurs robes.

Maman en a une de Cécile Sorel, nonchalamment appuyée, dans une de ses robes, contre une colonne grecque, et qui porte en suscription : « A Marcelle Chapsal, une grande artiste et une charmante femme ! » La comédienne a finement trouvé les mots qui pouvaient le mieux toucher la couturière.

Madeleine Vionnet, à ses débuts chez Doucet, s'est plus spécialement occupée du rayon « artistes », et son cœur avait battu pour ces belles femmes excentriques, désinvoltes, qui, en plus, comme elle, travaillaient.

Elle a eu aussi, bien plus tard, beaucoup d'admiration pour Arletty qui ne s'est jamais habillée que chez elle. « Quel talent, disait-elle, et quelle chute de reins ! » En ce qui concerne les femmes, Vionnet avait le coup d'œil estimatif et parfois la dent dure : « Un déjeuner de chien », l'ai-je entendu dire d'une femme trop maigre à son goût.

Face à un meuble, un objet, une réalisation concrète, elle savait aussi en percevoir la valeur, apprécier la ligne, juger la qualité du travail de l'artisan. De l'effort donné.

Car il ne suffit pas de savoir travailler, d'après Vionnet, il faut savoir aimer. Aimer les autres, aimer les satisfaire, donc aimer ce que l'on fait.

J'entends encore la nuance d'inquiétude dans sa voix quand elle me demandait, à propos de l'une d'entre nous, ma sœur, ma nièce, moi :

— Est-ce qu'elle aime ce qu'elle fait ? Tu aimes ce que tu fais ?

— Oui, Marraine.

— Ah bon, alors ça va.

Aimer, pour Madeleine Vionnet, était le véritable critère de la réussite. De la sienne, en tout cas, et elle le doit sans doute à Papa-la-tendresse.

Ma mère aussi savait aimer. Son travail. Et son métier.

« Attendez ! »

En ouvrant de vieux cartons, je retrouve un modèle de Vionnet, une robe du soir en mousseline blanche d'une coupe infiniment savante, avec son double jeu de bretelles dans le dos. La belle robe morte, lourde et légère, est garnie jusque sous la taille d'un semis de perles si minuscules qu'on se demande quelle fée a eu l'aiguille assez fine... Emportée par le poids de la broderie sur l'impalpable mousseline, la poignée de soie et d'argent s'échappe et coule de ma main.

Quelle effarante consommation de vêtements il se faisait à la maison !

Les tissus étaient ultra-fragiles, de vrais déjeuners de soleil : crêpe de velours de soie, surah, mousselines, satin, shantung, organza, ces matières de luxe ne supportaient pas le lavage, même à la main, et à chaque fois que nous avions porté l'une ou l'autre de nos robes, il fallait les donner à nettoyer.

Je me revois me dépêtrant de mes toilettes compliquées, arrachant les nœuds, faisant sauter les minuscules boutons de même tissu que la robe.

Les mannequins aussi se « dépiautent » avec impatience, aidées par une première qui veille à garder en place ses précieuses épingles. Quand elles passent la collection, c'est presque avec fureur qu'elles s'arrachent d'un modèle, le piétinant pour aller plus vite et l'abandonnant sur la moquette comme un objet sans valeur.

Quelque chose en moi n'appréciait pas cette gabegie, mais, si je ne « rangeais » pas, personne ne me reprochait jamais rien. Les robes sont faites pour être gâchées — « tuer », me dira plus tard Christian Lacroix — non seulement par nous, mais aussi par les clientes : sinon, le commerce s'arrêterait.

Maman avait plus de trente ans quand elle s'est mariée et m'a mise au monde. J'ai bien failli naître parmi les épingles et la toile de coton ! Les neuf mois de ma vie fœtale se sont écoulés avenue Montaigne, où ma mère a travaillé jusqu'à la dernière seconde. Il ne fallut rien de moins que les premières contractions pour l'arracher à ses modèles.

On sait combien les mots entendus affectent la sensibilité de l'enfant à naître. J'ai dû être gavée de : « Est-ce que c'est prêt ? », « Vite, on est en retard... », « Ça ne va pas, il faut tout refaire... ».

En somme, d'injonctions laborieuses.

A peine sur pied, Maman retourne à son studio, au premier étage de l'avenue Montaigne, comme celui de Vionnet, et dont la fenêtre donne sur les grands ateliers du fond de la cour. Mais elle est décidée à me nourrir au sein. Est-ce dû à ses origines campagnardes ? A l'amour, en tout cas ; car elle m'aime, et je l'aime, moi aussi, passionnément.

« Le chauffeur stationnait avenue Montaigne, m'a-t-elle maintes fois raconté, et toutes les trois heures, il me conduisait rapidement à la maison où mon bébé m'attendait ! »

Pendant que Maman m'allaite, je peux imaginer ce qui lui occupe l'esprit et donc imprègne le mien : des robes, et encore des robes ! Dans la plus grande urgence.

Son rôle de nourrice accompli, elle se rajuste, reprend la voiture qui l'attend en bas, et retourne à ses créations.

Si le petit bébé que j'étais avait pu exprimer un désir, je sais ce qu'il aurait été : « Emmène-moi avec toi ! Tu me feras un berceau au milieu des tissus ! »

Déjà, de loin, je goûte, savoure de tous les pores de ma peau ce qui m'arrive de cette ambiance active, perpétuellement souriante, si exquisement parfumée. Tendue, aussi : on est toujours pressé dans la couture !

Sans compter l'angoisse : et si la collection allait se révéler moins réussie que la précédente, les clientes mécontentes, les acheteurs déçus, la presse défavorable ?

Dans la semaine qui suivait la collection, on savait si c'était réussi ou raté : aussitôt, on embauchait ou débauchait. Quant aux créatrices, il leur arrivait de se remettre immédiatement au travail pour faire ce qu'on appelait une « demi-collection ».

Les dernières années avant la guerre, c'était surtout des acheteurs étrangers que dépendait la bonne marche des affaires et, dans toutes les maisons de couture, on connaissait par cœur les horaires d'arrivée et de départ des grands paquebots transatlantiques : il fallait être prêt à temps !

Le mot « maison » est l'un de ceux que j'entends le plus à l'époque, souvent prononcé avec angoisse : « Si cela continue, on va être obligé de fermer la maison... », « La maison reste ouverte tout l'été... », « Marcelle, vite, on t'appelle de la maison ! »

La *maison*, c'est forcément la maison de couture, et si elle est pour nous le centre de l'univers, elle n'est pas forcément celui de la sécurité.

Maman au travail n'incarne pas non plus le calme. Quand je pense à elle, à l'époque, je la revois le visage inquiet, tripotant un minuscule mouchoir parfumé réduit en boule, qu'elle glissait dans sa manche ou sous le drapé de sa ceinture, d'où il s'échappait et que nous retrouvions à terre, fripé comme un oiseau tombé du nid. « Mon Dieu, disait-elle, mon Dieu, je me demande... » Elle avait toujours quelque chose à se demander — bien sûr, sur sa collection — à quoi nous n'avions pas de réponse.

En fait, elle ne se sentait vraiment bien que face au modèle en cours.

Je la contemplais — tout ce qu'un regard d'enfant peut enregistrer ! — perdue dans son rêve, examinant la superbe fille qui allait et venait devant elle en enchaînant voltes et demi-voltes comme un cheval au manège.

Soudain, Maman murmurait comme pour elle-même : « Cela fait pauvre ! » Et de rajouter un lé supplémentaire du riche et lourd tissu en sabrant elle-même dans l'étoffe à grands coups de ciseaux hâtifs.

Dans son dos, parfois, on s'entreregarde, mais sans rien dire. On ne freine pas un créateur au travail pour d'aussi mesquines raisons qu'un prix de revient.

D'ailleurs, je sais ce que ma mère aurait dit, qu'exprimait déjà toute son attitude : « Si l'on veut atteindre au summum, il faut forcément utiliser sans compter ce qu'il y a de plus beau, les étoffes les plus somptueuses, les fourrures les plus chères, le lynx, la zibeline, les lamés, la broderie... Si on se restreint, si on radine, on n'est plus la première maison du monde ! »

Un soupir : « Je crois que ça commence à aller », dit la créatrice, pour un bref moment satisfaite.

La première tend la main pour s'emparer de l'essayage, le ramener dans les ateliers et vite le finir. Mais le mannequin, elle, n'obéit qu'à son maître :

— Je peux ôter ?

D'un coup de menton, la couturière fait signe que oui. A regret, c'est manifeste, mais elle sent la pression de son entourage...

La jeune femme a déjà empoigné à deux mains le haut du vêtement et l'enlève par-dessus sa tête, ou alors elle commence à dégrafer le modèle pour s'en extirper en soulevant une jambe puis l'autre, cependant que la première accompagne ses mouvements en bougeant ses épingles une à une (elle libère l'un des bords de l'étoffe, mais laisse l'épingle en place)— lorsque le mot redouté arrête net le mouvement : « Attendez ! »

Tout le monde se fige, résigné.

— Venez là, mon petit, il me semble que dans le dos...

Le fait de remuer le tissu lui a donné des plis qui ont inspiré le couturier. Et c'est reparti : la robe lui est apparue comme perfectible !

Cela ne peut lui prendre qu'une seconde pour trouver le dernier mouvement miraculeux, ce changement de sens, ce rien d'ampleur supplémentaire qui, du beau modèle, va faire un chef-d'œuvre.

Tout comme cela peut durer deux heures !

Décidé à revoir un effet, le couturier peut être amené à démonter l'ensemble, morceau par morceau, jetant le devant, puis le dos, puis les manches, en direction de sa première qui les rattrape au vol pour les placer un à un sur son épaule, jusqu'à ce qu'il les lui réclame à nouveau.

C'est au moment où le modèle, à nouveau démonté, ne ressemble plus à rien, le mannequin tenant sa jupe à deux mains pour l'empêcher de glisser à ses pieds, que ma mère se retourne vers la première :

— Vous avez compris, Lucie, vous allez me le refaire exactement comme ça !

— Oui, répond Lucie, à ma grande stupéfaction.

Que peut-elle bien voir dans ce carnage ?

Mais, cette fois, c'est fait, Lucie rassemble les éléments du puzzle pour les soustraire à ce besoin démentiel de tout recommencer — « Si l'on ne m'arrête pas, disait Chanel à la veille d'une collection, je vais en refaire une autre » —, et le couturier susurre alors, d'un air à la fois autoritaire et gourmand :

— Je voudrais revoir ma robe noire, faites-la descendre, Lucie, s'il vous plaît !

Même s'il ne prend jamais de notes, chaque couturier sait exactement quels modèles il a en travail et où chacun en est de son achèvement.

La robe noire arrive sous housse, le mannequin la passe.

— Tiens, c'était mieux hier, dit ma mère.

Vous pensez peut-être que la première va lui dire : « Mais, Madame, c'est vous qui avez demandé qu'on redéfasse tout pour le refaire comme ça... », et jeter son tablier ?

Pas du tout !

Lucie s'approche, pince un coin du tissu pour tenter de redonner l'effet de la veille, à l'affût d'une nouvelle directive venue de la créatrice.

C'est ainsi qu'on travaille en couture (comme dans les autres arts) : par la méthode des essais et des erreurs. On peut appeler ça du gaspillage. Toutefois, la Nature, notre maître, en fait autant et à bien plus grande échelle dans sa propre création.

Pour ce qui est de Madeleine Vionnet, je ne l'ai vue qu'une seule fois à l'œuvre, et c'était sur moi, après la guerre. Elle était à la retraite, Maman aussi, et ces dames avaient entrepris, ce jour-là, de me confectionner elles-mêmes une ample jupe de toile bleue toute en biais, à corselet boutonné. Au moment de l'essayage, elles me firent monter sur une table pour vérifier l'ourlet. Avais-je conscience de la solennité de l'instant : ces deux immenses créatrices travaillant, peut-être pour la première et unique fois, main à main ?

Je me souviens non pas exactement de leurs propos, mais de la musique de leurs deux voix entrelacées :

— Ce serait mieux ainsi...

— Il me semble que c'est là qu'il faut remonter...

— Cela tire !

— Cela pince !

— Maintenant, c'est bien.

— Oui, elle est bien.

Peu de paroles, en somme, mais chargées de l'incroyable puissance du désir. Celui que quelque chose, en ce monde, devienne enfin, grâce à elles, parfait.

Mannequins

Sacha Guitry assiste au défilé d'un très grand couturier. Apparaît le premier mannequin.

— Assez de privations ! soupire-t-il avec volupté.

Comme il a raison : une présentation de modes, c'est la fin des frustrations ! Le monde se découvre à nos yeux éblouis tel qu'il devrait toujours être : les femmes jeunes, belles, heureuses, les lumières douces, l'atmosphère parfumée, les toilettes ruisselantes de broderies et de couleurs enchanteresses, le rythme parfait, la musique exquise... On est comme dans un rêve qui serait aussi la réalité.

Pendant près d'une heure, à chaque minute, l'impossible va triompher : plus de pesanteur, de pauvreté, de chagrin à l'horizon. Tout est beau, luxueux, feutré, tout glisse et s'harmonise sans effort apparent.

Une collection est réussie quand elle donne ce sentiment que le plus grand des luxes n'a rien que de tout à fait normal. Ce qui ne l'est pas, en revanche, c'est la grisaille du monde extérieur !

Quand je sors de chez Saint-Laurent, une fois les lumières éteintes, même la superbe avenue Marceau me paraît terne et je mets un moment à me réadapter.

C'est Charles-Frédéric Worth qui, le premier, a eu

l'idée de présenter ses modèles sur des mannequins vivants.

Jusque là les modèles étaient montrés aux clientes sur de belles poupées habillées comme des dames dans des vêtements à leur mesure et qui faisaient parfois le tour de France.

Autrefois, les belles robes de Paris étaient présentées aux cours étrangères et aux reines sur des « poupines ».

L'exemple de Worth a été suivi et longtemps, chez tous les couturiers, la présentation de la dernière collection avait lieu chaque après-midi à trois heures. A deux heures et demie, chez Vionnet.

En ce temps-là, dans les grandes maisons, la cabine se composait en permanence d'une vingtaine de jeunes femmes, dont dix à douze passaient la collection, les autres étant là pour leur servir de doublures, pour l'essayage ou les besoins du créateur.

Une grande maison de couture n'aurait pas fonctionné sans cet escadron de très jolies filles perpétuellement à disposition, et le couturier ne créait pas sans « ses » mannequins.

« *Mes mannequins,* disait Nina Ricci, *me servent à rendre le monde plus merveilleux.* »

L'une de ses collections ne l'ayant pas satisfait, Yves Saint-Laurent n'hésita pas à déclarer : « *Cette saison-là, je ne devais pas avoir des mannequins qui m'inspiraient !* »

En fait, la plupart des couturiers ont un « mannequin de cœur », une jeune femme dont la silhouette, les coloris, la démarche les enchantent plus particulièrement, et avec laquelle ils forment un couple de travail qui se prolonge sur des années. C'est surtout au moment des collections qu'ils ont constamment besoin d'elle à leurs côtés et sous leurs yeux. Il peut y en avoir plusieurs, mais jamais plus de deux ou trois.

Pour Christian Dior, c'était Victoire, une brunette aux yeux noirs, la taille très mince, et Ala, grande fille brune d'origine mongole.

Jacques Fath ne se passait pas de Bettina, la jeune rousse aux yeux verts, venue droit de sa Normandie, à dix-huit ans, son carton à dessin sous le bras, pour chuter presque immédiatement chez lui où elle prit racine, à leur mutuelle satisfaction. « Jacques Fath a changé de style avec moi », n'hésite pas à dire Bettina.

Chanel, de si longues années en exercice, a eu des favorites successives, dont l'une des dernières fut longtemps la ravissante Marie-Hélène Arnaud, qui du rôle de mannequin passa à celui d'assistante.

Faire partie de la « cabine » de Mademoiselle Chanel, à une certaine époque, était le fin du fin, et les jeunes filles du monde se pressaient pour en décrocher l'honneur. On vit ainsi défiler chez elle Mimi d'Arcangues, Odile de Croy, Nicole Francomme, Paule Rizzo. Une présentation, chez Chanel, c'était le comble du charme. Et la sortie de sa maison aussi !

La dureté des temps, c'est-à-dire la cherté de l'entretien permanent d'un grand nombre de mannequins, fait que les maisons ont dû renoncer à conserver une cabine, et donc à passer leur collection tous les jours, dans un salon qui n'était pas forcément plein.

Désormais, la présentation n'a lieu qu'une seule journée, deux fois l'an, devant la presse spécialisée, enrichie d'un parterre de personnalités et de jolies femmes. Pour accueillir tout ce monde en même temps, fût-ce en deux ou trois séances, il faut un espace plus vaste qu'un salon de couture, et les couturiers louent des lieux divers qu'ils aménagent à leur goût. Souvent, ce sont les salons d'un hôtel parisien, comme l'hôtel Intercontinental — autrefois Continental — mêlé depuis si longtemps à l'histoire de la Haute Couture.

Les jeunes femmes, une vingtaine, sont des professionnelles d'agence, payées extrêmement cher pour une seule journée. Coiffées, maquillées selon les indications du couturier, elles doivent, d'après ses directives, s'accoutumer à ses robes et au style de sa collection après une seule répétition. C'est en cela que consiste leur métier, et si leurs honoraires sont si élevés, c'est que les filles capables d'une telle performance, même recrutées dans tous les coins du monde, restent très rares.

— Un bon mannequin, dit Jacques Griffe, sauve la peau d'une robe.

Sa performance relève de l'inexpliqué. La beauté n'y suffit pas, et n'est même pas indispensable. Chacun a en mémoire l'exemple de femmes plus toutes jeunes, loin des canons classiques, quelquefois un peu grasses, ou alors squelettiques, et qui pourtant emportaient une robe comme personne. Ainsi Tonia, chez Vionnet, Sophie Litvak, chez Fath.

Bien que leur art s'apparente à celui de la comédienne — on dit « jouer » une robe —, l'esprit est différent. Et si certaines grandes actrices, comme Lauren Bacall ou Anouk Aimée, ont pu débuter en posant ou en défilant pour des couturiers, on n'a pas d'exemple d'un grand mannequin s'imposant sur la scène ou à l'écran.

En fait, les mannequins s'entraînent — et cela devient chez elles une seconde nature — à ne rien laisser transparaître qui ne soit d'ordre esthétique. On leur reproche parfois de prendre l'air hautain, indifférent ou méprisant. Un bon mannequin doit s'effacer et se mettre à distance, pour laisser toute la place et la présence à la robe. C'est vers elle, et non vers la femme, que doit aller l'attention du public. (A l'inverse, une comédienne travaille à « crever l'écran », et même à « écraser » son rôle.)

Cette discrétion ne signifie pas uniformité. Un grand mannequin, loin d'être « neutre », agit au contraire pour mettre en évidence ce que chaque robe a d'unique.

Antoinette, que j'ai beaucoup vu défiler, ne faisait jamais la même entrée. Elle savait moduler ses attitudes pour présenter une robe à la circonférence gigantesque, un fourreau collé au corps, une toilette claire ou un tailleur foncé. Variation presque indiscernable, car l'expression un peu figée de son visage demeurait la même, le demi-sourire aussi, comme sa démarche qui fendait l'espace.

En quoi consiste alors la différence ?

Un mannequin perçoit, dès qu'elle la passe, si une robe la soutient, la dévoile, la protège ou l'expose. Cette sensation vient de la structure même du vêtement. N'importe quelle femme sait qu'elle ne se conduit pas de la même façon avec la taille serrée à l'extrême, un décolleté plongeant, une jupe étroite ou en pantalon. (Une tenue différente donne d'ailleurs une autre forme de jouissance, d'où le désir renouvelé de changer de toilette.) Ces intentions secrètes qui émanent d'une robe — mais qui peuvent y rester enfouies —, un grand mannequin les rend perceptibles.

— Nous nous sentions tellement plus belles quand nous mettions une robe de votre mère, me dit aujourd'hui Antoinette. On se sentait bien prises là où il le fallait, et à l'aise, au contraire, aux bons endroits. Il y avait toujours des poches pour mettre les mains, des écharpes pour jouer avec, des cols pour s'enfouir le visage, ou alors des décolletés qui s'arrêtaient juste à temps pour qu'on se sente nues, mais pas indécentes... On pouvait se servir de tout son corps, et les couleurs étaient splendides... J'ai encore une robe du soir rose et gris pâle... celle-là, je la conserve !

La couleur est une partie essentielle du vêtement et dans les maisons où le créateur est particulièrement coloriste, on prend l'habitude d'appeler les modèles par leur couleur. Des noms bien différenciés s'imposent d'eux-mêmes : il y a la robe aigue-marine, le tailleur bruyère, l'ensemble coquille-d'œuf... Qui ne se sent une autre âme en jaune, en rouge ou en noir ? Les mannequins défilent en fonction de la couleur, pas seulement de la forme.

Ainsi, à travers les années, et bien qu'au début leurs noms ne soient pas dans les magazines, le souvenir de quelques grands mannequins de la Haute Couture a surnagé. Chez Vionnet, celui de Roberte, de Kyra, de Sonia, une fine blonde couronnée d'une tresse serrée et qui devint l'épouse du futur couturier Charles Montaigne. Antoinette, plantureuse et cuivrée, dernière chouchoute de la Grande Patronne avant qu'elle n'embauche pour dix ans chez Marcelle Chaumont. Chez Christian Lacroix, c'est la charmante Marie, à la longue chevelure blanche. La belle Amélia chez Yves Saint-Laurent. Pour ces uniques représentantes de leur maison, une nouvelle fonction est née : celle d'« affiche », qu'exerce à la perfection Inès de la Fressange pour Chanel.

Les femmes qui ont précédé ces grandes stars internationales dans un métier alors nouveau ont toutes travaillé à le faire évoluer. Au début, il était presque anonyme, peu lucratif, de courte durée et mal considéré sur le plan social, en dépit — ou à cause même — de son sex-appeal. Dire qu'on sortait avec un mannequin — ou qu'on l'était — déclenchait à la fois le sifflement d'admiration et le ricanement... Mais le grand public a su distinguer et aimer Renée, Simone

Baillancourt, Davina, Fabienne, Praline, Suzy Parker, sa sœur Dorian, Ivy Nicholson... Chaque maison de couture avait les siennes, qui restent inséparables des robes qu'elles ont rendues mémorables, comme un comédien des grands rôles qu'il a créés.

— Venez ici, mon petit, levez le bras, tournez-vous, cela suffit, vous pouvez enlever, passez-moi la robe à pois...

Le mannequin peut apparaître comme un robot submergé d'ordres. Ces belles et obéissantes jeunes femmes n'en ont pas moins un rôle capital : c'est sur elles et en fonction d'elles que le couturier élit certains coloris, privilégie une forme, la réussit ou non. Mais elles sont seules à savoir, avec lui, la part qui leur revient dans la création d'une collection. Le plus souvent, la presse les ignore. Quant aux clientes, si officiellement elles ne voient en elles que des modèles, par en dessous elles les traitent en rivales, feignant de ne pas les remarquer.

Manège inutile : les mannequins s'imposent et la profession prend de plus en plus d'éclat. Je connais plusieurs femmes du monde qui n'hésitent pas à dire : « J'ai commencé comme mannequin ! » L'une, qui était chez Carven, se vante encore de son tour de taille. L'autre parle avec émotion de son travail chez Balmain : « Quel homme adorable ! »

Elles ont raison de revendiquer et d'affirmer leur rôle. Sans ces endurantes jeunes femmes — le métier est physiquement très dur —, il n'y aurait pas de Haute Couture : Worth ne l'a-t-il pas créée en instituant les mannequins ?

Ce sont elles qui donnent la vie aux robes.

Défilé

Tous les après-midi, cinq jours par semaine, les maisons de couture présentaient leur collection. Pour chaque mannequin, quel combat solitaire et sans merci !

L'assistance se compose de clientes, mais aussi de femmes venues là pour s'informer, se tenir au courant. En principe, il faut retenir sa place par téléphone ou en écrivant un mot. Si l'on n'est pas encore connu dans la maison, on tâche de se recommander de quelqu'un pour avoir la certitude d'être reçue. Mais il arrive aussi que des personnes se présentent à l'entrée et sollicitent le privilège d'assister à la collection. Si elles ont bonne allure, il est rare qu'on le leur refuse.

D'autant que, certains jours, parce qu'il fait trop beau ou qu'il est déjà tard dans la saison, le grand salon se retrouve presque vide ! Les vendeuses, prudentes, sentant venir la saison creuse, ont déjà retiré la plus grande partie des petites chaises dorées, car il faut savoir donner le sentiment, dans le commerce, que c'est perpétuellement la surcharge ! C'est pourquoi, même si on ne le leur marque pas, on est reconnaissant aux femmes inconnues, accompagnées ou non par des hommes, qui viennent faire nombre.

Rien n'est plus décourageant pour un mannequin que de faire son numéro dans le désert. Après la réouverture, en 1955, de la maison Chanel, on présente la collection, rue Cambon, en si petit comité que nous, les assistants, sommes moins nombreux que les mannequins ! Ma vendeuse, Madame Suzanne, a tout son temps pour venir s'asseoir près de moi — un peu en retrait, comme il convient — bavarder, m'indiquer les qualités et les défauts de chaque modèle, me donner des nouvelles de « Mademoiselle ». Puis-je compter la voir après la collection ? Elle va « se renseigner », me dit-elle, mais, à l'époque, c'est toujours oui.

Et les mannequins ?

A trois heures de l'après-midi, le premier d'entre eux, revêtu de son habit de lumière, sachant exactement combien de personnes l'attendent — il s'est informé —, pénètre dans l'arène. Son air tranquille et dédaigneux ne laisse pas transparaître la fièvre d'où il sort — et où il retourne dès la robe présentée !

« Pour toute la cabine, il n'y a qu'une habilleuse, se rappelle Bettina, et nous devions nous débrouiller toutes seules pour nous habiller, nous déshabiller, nous repoudrer, sans oublier de changer les boucles d'oreilles, les accessoires, les chapeaux, parfois les chaussures... Il ne faut pas se tromper, et il faut surtout se presser, toujours se presser... »

Une fois en piste, il s'agit au contraire d'affecter la nonchalance : à peine sorties de la surchauffe des coulisses, ces jeunes femmes doivent, face aux clientes, donner le sentiment qu'elles ont tout leur temps !

A l'époque de Vionnet, les filles avancent en tenant à la main, bien visible, un carton qui porte le numéro du modèle. Le silence attentif permet de percevoir quelque chose d'adorable : le bruit particulier que fait un tissu, selon sa race, quand une femme se déplace.

Crissement de la soie, craquement de la faille, frottement du lainage, ronronnement du velours, sans compter le tintinnabulement des broderies. Ce son que fait un tissu en mouvement diffère d'une matière à l'autre, et une personne de la couture vous dira, les yeux fermés, duquel il s'agit !

Plus tard, c'est une seconde vendeuse strictement vêtue, debout devant la portière drapée de tentures séparant le salon de la cabine, qui énonce d'une voix neutre le numéro du modèle. Plus tard encore, les robes portent des noms de plus en plus évocateurs...

Chez Dior, pour la saison hiver 1949/1950 : *Volte face, Vie d'enfer, Camp du drap d'or, Jalousie, Marchand de vin...*

Cette année, chez Christian Lacroix, j'ai retenu *Pick me up, Froufrou, Chichi, Quand même.* D'autres grandes maisons ont repris l'usage du numéro...

Mais la nouveauté, dans la présentation des collections, c'est la musique, ou plutôt le bruit de fond. Déversé à fond la caisse par haut-parleurs, son rythme accompagne la marche des mannequins.

Il y a aussi les médias.

A peine franchi le portique qui conduit de la cabine au salon, les filles se figent, lèvres entrouvertes, œil fixe, une main en l'air, parfois déhanchées ou un pied en avant, figurines immobiles que mitraillent les photographes.

Autrefois les collections avaient lieu à bureaux fermés et tout cliché, même tout croquis rigoureusement interdit. Ce qui obligeait les assistants, comme les journalistes, à un extraordinaire travail de mise en mots pour décrire par le menu ce qu'elles avaient vu !

Forme d'exploit qui était aussi un plaisir et qui se perd, depuis que la photographie et la télévision ont pris le relais.

« Quand j'ai débuté chez Fath en 1947, me dit Bettina, nous n'étions soutenues par rien... C'est dans un lourd silence que nous devions avancer et faire le tour du salon, le sourire aux lèvres. »

Un silence pas toujours sympathique. Quand une robe, pour une raison ou une autre, ne plaît pas, surprend trop ou agace, les clientes trouvent le moyen de le faire savoir ! Un chuchotement, une toux, quelques soupirs, des têtes détournées... C'est dur, vexant même. Après les premières présentations, les mannequins savent d'avance quels modèles, toujours les mêmes, vont essuyer un échec. Alors elles cherchent à s'en débarrasser, mais, généralement, le couturier y tient et exige que le modèle continue à passer. (De temps à autre, s'il est absent, elles s'arrangent pour le « sauter », prétendant, si on les réprimande, l'avoir « oublié » !)

Chez ma mère, quand Antoinette ou Marcelle, ses deux mannequins vedettes, n'aiment pas une robe dans laquelle elles ne récoltent pas une admiration suffisante à leur gré, elles les passent... au triple galop. Un petit tour et puis s'en vont ! Parfois, elles n'avancent pas jusqu'au bout du salon. Elles s'immobilisent à l'entrée, ouvrent et referment rapidement le manteau sur la robe, objet du litige — pif, pof ! — et, pivotant sur leurs talons, elles redisparaissent aussitôt derrière les rideaux. Ma tante, en coulisses, se fâche, mais rien à faire : puisque le modèle n'est pas suffisamment apprécié, ces demoiselles le « refusent ». A moins qu'elles n'aient décidé, l'air froid, hautain et batailleur, de l'imposer...

En revanche, que de sourires, de virevoltes et de tournoiements de jupes pour présenter les robes à succès !

Dans les très grandes cabines, comme chez Vionnet,

où il y a en permanence plus de vingt filles, deux ou trois défilent en même temps dans le salon. Ce qui donne lieu à quelques incidents.

Celle qui porte une « robe-vedette », applaudie, ne veut pas quitter la scène. Alors elle lambine, repart pour un tour supplémentaire, tandis que les mannequins survenus après elle tentent de la bousculer sournoisement, de la déséquilibrer d'un coup de traîne, d'écharpe ou d'étole, pour lui faire comprendre qu'elle doit cesser de monopoliser l'attention et vider les lieux.

Il y a aussi les drames de la jalousie !

« Il faut équilibrer le nombre de modèles que passe chaque mannequin, me dit Jacques Griffe. Au dernier moment, quand une robe me paraissait plus difficile à enlever qu'une autre, j'avais tendance à la confier à Martine, mon mannequin vedette. Du coup, je devais lui retirer une des robes plus faciles, de celles qui suscitent à coup sûr les applaudissements et que j'avais créée et terminée sur elle. Que de larmes ! Martine ne voulait pas en entendre parler, elle me disait qu'elle allait s'en aller, que je ne l'aimais plus, que c'était une trahison ! Il est vrai que, dans son dos, les autres filles triomphaient en se disant qu'elles allaient l'éclipser, et Martine le savait... Il m'en fallait, de la diplomatie, pour lui faire admettre que c'était justement parce qu'elle était mon meilleur mannequin que je ne pouvais compter que sur elle pour passer mes robes difficiles ! »

« C'est un métier *physique*, me confie Bettina. Les grandes robes du soir, chez Fath, juponnées, doublées, corsetées, renforcées, étaient extrêmement lourdes, et on les suspendait au plafond par des poulies. Pendant que quelqu'un défaisait la corde, nous devions nous placer exactement sous la robe et l'enfiler en entrant dedans par en dessous ! Quel poids à soulever d'un seul coup ! »

Sans compter les outrances et les audaces de la mode des années cinquante ! Tout en inventant la guêpière à partir d'un vieux corset déniché aux Puces (chez Carven, cet instrument destiné à souligner de force la « féminité » devient le balconnet), Jacques Fath entrave les jambes avec des jupes étroites au-delà du concevable. Les filles ne marchent plus, mais glissent à pas si menus, sur leurs immenses talons aiguilles, que certaines d'entre elles, pourtant entraînées, se cassent carrément la figure en plein défilé !

C'est rare. En général, un bon « mannequin de cabine » a tout du stratège ; l'œil en apparence dans le vide, elle avise et prévoit les embûches du terrain : une chaise déplacée, une cliente qui avance un pied ou son parapluie, la quantité d'espace nécessaire pour faire tournoyer une fourrure ou la crinoline d'une robe du soir sans éborgner quelqu'un au premier rang. (Les hommes prenant d'ailleurs ces attouchements — par étoffe interposé — beaucoup mieux que les femmes !)

A une présentation chez Pierre Cardin, je me souviens d'avoir vu Richard Nixon assis aux côtés de son épouse, l'œil très intéressé sous le sourcil touffu et caressé au passage par des envols de mousseline...

Et puis il y a l'imprévisible.

« Un jour de collection, se rappelle Jacques Griffe, j'avais confié ma plus grande robe du soir à ma meilleure première, qui était aussi la plus lente. L'heure venue, la robe n'était pas terminée. L'ensemble de la garniture, composée de bouillonnés de Valenciennes, était encore retenue par des épingles... C'était dramatique, car je comptais énormément sur cette robe ! “Tant pis, je la passe quand même”, me dit Martine, tandis que la première s'arrache les cheveux. Martine pénètre alors dans le salon, très assurée, l'air indifférent, dans l'espoir qu'on ne remarquera pas que les galons ne sont pas cousus. Seulement, les épingles se sont mises à scintiller sous les lumières, et tout le monde a bien vu que la robe n'était pas terminée... Eh bien, croyez-moi si vous voulez, les gens ont éclaté en applaudissements... Quel triomphe nous avons remporté avec cette robe pas finie ! »

Happening, seconde de grâce inattendue, tous les gens de la couture en ont gardé en mémoire, qu'ils évoquent entre eux :

— Vous vous rappelez la robe de satin blanc incrustée de dentelle noire que présentait Antoinette ? J'ai cru que les journalistes allaient tomber de leur chaise...

— Et le petit tailleur bleu marine gansé de blanc que présentait Roberte ? On l'a vendu, on n'arrêtait pas de le répéter, les ateliers n'en pouvaient plus...

Ce qu'il y a d'étonnant, c'est que chaque robe mémorable, chaque grande toilette est toujours associée au nom d'un mannequin. Dans la couture, on ne saurait citer l'une sans l'autre.

Marcel Rochas leur rend hommage : « *J'ai connu dans ma carrière bien des mannequins mémorables. Chez Molyneux, avant la guerre, j'en ai rencontré une qui était une parfaite abstraction. Ses jambes étaient sans galbe, son corps parfaitement droit, sans hanches, ni taille, ni seins. Son visage blafard, sous une chevelure platinée, était bordé d'une paire d'yeux alourdis d'un épais maquillage charbonneux sur un triple rang de faux cils. Mais dès qu'elle marchait, le cou légèrement avancé, l'œil mauvais, le geste presque mécanique, elle devenait l'essence même du chic parisien.* » « Le couturier n'est pas seul dans sa quête pour l'élégance. Celle qui collabore le plus étroitement, c'est le mannequin ! », dit-il.

— Nous, les mannequins, avons pour mission de

faire bouger la robe, de l'animer, lui donner la vie, me confirme Bettina. D'une certaine façon, nous participons à sa création.

— Le créateur vous demande votre avis ?

— Pas du tout ! Seulement, quand Jacques Fath commençait sa collection, nous devions toutes nous asseoir autour de lui, à même le tapis, habillées seulement de nos blouses blanches et de nos dessous, mais avec de très jolies chaussures. Ou bien il nous demandait de nous tenir en rang devant lui, afin qu'il nous voie bien. Il saisissait alors l'un des rouleaux des nouvelles étoffes qui l'entouraient, il en déroulait quelques mètres, puis il nous regardait et choisissait l'une d'entre nous, en fonction du tissu. Le mannequin ôtait sa blouse et Jacques Fath se mettait à draper le tissu directement sur son corps. Quand il commençait à voir où il allait, il prenait un crayon, du papier, dessinait son modèle. Puis il reprenait le tissu, le coupait lui-même selon l'effet qu'il voulait obtenir, et se mettait à assembler les morceaux coupés sur le mannequin, avec des épingles. Jacques Fath travaillait souvent sur moi. J'adorais ces moments-là : je voyais naître la robe ! Dans ce cas, un mannequin doit savoir accompagner le créateur, bouger imperceptiblement, sans le gêner, pour l'aider à réaliser son œuvre. Quel bonheur j'éprouvais quand je pouvais me dire qu'une robe était née sur moi parce que j'avais bien bougé !

En l'écoutant, je me dis que Bettina parle d'une robe comme d'un enfant dont le couturier serait le père, et elle la mère.

Tous ceux qui s'y sont consacrés sont ainsi : pour eux, les robes sont des êtres vivants. Douées d'une âme et aussi d'une chair.

Antoinette

Dans le train qui me conduit à Cannes où, chaque année, Antoinette hiberne, des images me reviennent : Antoinette en robe du soir, Antoinette en combinaison de soie, Antoinette pédalant jupe au vent en direction du pont de l'Alma, traversant l'avenue George-V, ses cheveux comme un étendard, pour aller déjeuner chez Francis en compagnie de l'un de ses amoureux. Antoinette inondée d'orchidées les jours de collection.

Oui, Antoinette fut la première de sa profession à être une star, juste avant Bettina.

Quand je l'ai appelée au téléphone, son premier réflexe de belle/jolie coquette, comme disait Madeleine Vionnet, a été de s'alarmer :

— Mais nous ne nous sommes pas revues depuis 1950. Comment allez-vous me trouver ? A mon âge, vous savez, j'ai changé !

Elle a soixante-quinze ans et ne s'en cache pas.

— Moi aussi, Antoinette, j'ai changé, et alors ?

En réalité, ça n'est pas pareil. Antoinette, pour son compte, a fait carrière dans la beauté et quand elle a décidé de prendre sa retraite, en 1951, elle était au sommet de son physique et de son métier, d'ailleurs sollicitée par les plus grands, Jacques Fath, Balenciaga.

Elle leur a préféré un mariage d'amour, suivi de longues années de bonheur, mais, se demande-t-elle au moment de me revoir, qu'est devenue sa beauté ?

Il est à peine huit heures du matin quand je sonne à la porte de sa tranquille résidence, dans les hauts de Cannes, et c'est elle-même qui m'ouvre.

Un coup d'œil me suffit : elle est splendide ! (La menteuse !) Elle a gardé, en plus doux, sa même couleur de cheveux, son visage à peine ridé n'a pas perdu sa structure, sa silhouette non plus n'a pas changé, elle s'est seulement un peu arrondie, ce qui la rend encore plus imposante ; quant à ses jambes, que j'admirais tant, elles sont les mêmes, fines, longues, dévorant l'espace.

— Ça, mes jambes, ça va, me dira-t-elle.

Jamais je ne m'étais aperçue à quel point elle ressemble à Rita Hayworth : yeux écartés, épaisse chevelure mangeant le front, la bouche sensuelle et forte.

Elle est habillée à ravir : légère robe blanche à manches longues, corsage chemisier, jupe plissée, sandales blanches, deux minuscules diamants aux oreilles, sans maquillage, parfumée. Une femme tout en blanc, c'est une femme qui se soigne.

Depuis son veuvage, Antoinette vit seule dans le beau cadre lumineux qu'elle a elle-même aménagé, il y a des années, mais si bien entretenu qu'il paraîtrait neuf si un tel raffinement était encore concevable. Une toile de soie dorée pour les tentures murales, des meubles blonds en citronnier, finement marquetés, ici et là la tache délicieuse de grandes opalines, les unes vert cru, les autres rose tendre ou jaune pâle. Sols carrelés, comme il convient au Midi, les salles de bains tout en faïences de teinte pastel. Aux murs, quelques tableaux représentent des fleurs ou des paysages doux au regard. Au sol, un tapis fait à la main — par la maîtresse de maison — dans les mêmes teintes jaune, rose et vert pâle que le reste de la pièce, forme de longues guirlandes de fleurs. La vaisselle, je le verrai plus tard, est une fine porcelaine de Limoges rehaussée d'or, les verres de Baccarat, les couverts d'argent. En fait, chaque objet requiert l'œil, pourtant il n'y a nul encombrement ici, aucune lourdeur ni richesse excessive, surtout l'espace est préservé, comme il convient à quelqu'un qui se déplace beaucoup — au moindre prétexte, Antoinette est debout — et tout, les vases, les fleurs, les coussins, est exquisement féminin.

Mais rien, pas une photo, ne rappelle son métier ni la couture.

— C'est que je ne voulais plus en entendre parler !

— Mais pourquoi ?

— Cela me fait mal ! Vous comprenez, ce sont les meilleures années de ma vie...

Elle aussi ! Comme nous toutes...

— Racontez !

C'est en 1937 que Marie-Antoinette, dite Antoinette, est devenue mannequin, élue par Madeleine Vionnet parmi vingt concurrentes. « Nous passions l'une après l'autre dans son studio, elle m'a regardée et elle s'est mise à parler en anglais ! » Quand je suis redescendue, on m'a rassurée : « Si elle n'avait pas voulu de vous, elle vous l'aurait dit sans hésiter... et en français. »

Madeleine Vionnet faisait beaucoup de robes sur elle et la réclamait sans cesse.

Après la fermeture de la maison, la jeune femme est aussitôt embauchée par ma mère, dont elle devient le mannequin-vedette. C'est pendant ces dix ans-là qu'Antoinette atteint son plein épanouissement et « éclate ».

Elle aimait passionnément la couture, connaissant tout du métier : avant d'être mannequin, elle avait travaillé dans les ateliers où sa mère l'avait mise comme apprentie à quatorze ans.

— Quand je me suis présentée chez Vionnet pour être mannequin, j'étais déjà première main chez Maggy Rouff, dit-elle fièrement.

Elle avait donc travaillé pour la clientèle et, bonne fille, il lui arrivait, chez Chaumont, de conseiller les femmes venues pour acheter. Comme elle avait la collection — faite sur elle — bien à l'esprit, ses avis étaient précieux et certaines clientes ne voulaient plus s'habiller sans elle, au vif agacement des vendeuses : « Appelez Antoinette, je veux son avis ! »

Jacques Fath aussi la voulait, mais elle préféra rester avec ma mère jusqu'au bout. Quand la maison Chaumont ferma, Balenciaga à son tour lui fit des propositions :

— Je n'ai pas osé plus tôt, lui dit-il, j'avais trop de respect pour le talent de Madame Chaumont, mais, puisqu'elle s'arrête, venez chez moi, j'aimerais beaucoup que vous passiez mes robes.

— Monsieur, savez-vous l'âge que j'ai ? Trente-neuf ans !

— L'âge ne compte pas pour présenter des robes, vous le savez bien, Antoinette, ni même la beauté.

N'empêche que la beauté, elle l'avait, Marie-Antoinette. Et resplendissante. Cela lui venait-il de son père, un si bel homme ? Il était métallurgiste et sa mère manutentionnaire. « Chez nous, il n'y avait qu'une règle : travail, travail ! Chez Maggy Rouff, entre les collections, on nous accordait quelques jours de congé ; eh bien, ma mère m'envoyait les passer dans une usine de phares ! Elle n'aurait pas toléré que je demeure un jour sans rien faire. Le dimanche, je cousais des robes... »

Comment lui vient-il à l'esprit de présenter les modèles au lieu de les confectionner ? Tout le monde lui répète tellement qu'elle est belle, cette grande fille de plus d'un mètre soixante-dix, à l'abondante chevelure acajou, à la peau cuivrée, dont le moindre mouvement attire le regard. « A l'école, déjà, j'étais la plus grande, et on me mettait dans le fond pour qu'on ne me voie pas... » Non, elle n'est pas faite pour rester assise sur une chaise ni pour demeurer dans le fond, mais pour être admirée.

Antoinette n'en tire aucune vanité, et jamais je ne l'ai vue « poser », faire des mines ou des manières. Cette grande fille saine — « On disait de moi que j'étais "un bel animal" », rit-elle de bon cœur —, courageuse, toujours d'attaque, « balaie l'ambiance », selon la formule de Marguerite Carré.

— C'était la guerre, votre mère a décidé d'ouvrir sa maison et nous avons fait la première collection chez elle... Elle essayait ses toiles sur moi, ou alors elle drapait le tissu directement. Tous les soyeux, les laineux étaient à ses pieds, à lui proposer tout ce qu'elle voulait. D'abord parce qu'ils avaient besoin des couturiers — sinon, pour eux, c'était la faillite —, mais aussi parce qu'ils admiraient son talent. Malheureusement, c'était une époque terrible pour la Haute Couture, il n'y avait presque plus de clientèle, pas de publicité : les journaux étaient rares, et la maison ne pouvait non plus se la payer... Tout ce que pouvait votre mère, de temps à autre, c'était offrir une robe à la rédactrice en chef d'un journal de mode. C'est comme ça qu'elle obtenait parfois de faire passer une photo ou un dessin.

« L'appartement de l'avenue George-V n'a été prêt

que la veille de la première collection. Nous l'avons installé nous-mêmes, il a fallu accrocher des centaines de mètres de peau d'ange aux murs ; votre mère avait apporté des tableaux qui lui appartenaient, une table aussi... J'ai mis moi-même les fleurs dans les vases. Ce qu'on était heureuses !

— Mais la guerre, Antoinette ?

— Il faut dire la vérité : nous n'en avons pas souffert ! D'abord nous étions jeunes, ensuite nous avions des poêles à bois, avec du bois que nous fournissait l'un de mes amoureux, et on mangeait ce qu'on pouvait. Les jours de Sainte-Catherine, je faisais moi-même des gâteaux toute la nuit... Vous comprenez : nous avions le sentiment que notre rôle, c'était de tenir — pour nous, pour les fournisseurs, pour les ouvrières, pour les employées, pour la couture —, et nous y sommes arrivées.

— Et les Allemands ?

— Nous ne les avons pas vus, sauf des officiers en uniforme qui venaient parfois à la collection : ils nous accordaient des dérogations et ils voulaient s'assurer que nous fonctionnions. Ils ne disaient pas un mot et on ne savait ce qu'ils pensaient. C'est le temps où votre mère a fait ses plus belles robes, d'une architecture, vous n'avez pas idée !... Pour moi, il y avait Balenciaga et elle. Seulement, Madame Chaumont est tombée au mauvais moment. Pas de clientèle, trop peu de publicité, les taxes sur le personnel et les métiers de luxe qui se sont mises à augmenter et qui sont devenues monumentales. A croire que le gouvernement voulait tuer la Haute Couture ! Ils s'en sont aperçus et ils ont fait machine arrière... Mais, pour votre mère, c'était trop tard.

— Vous vous entendiez bien avec elle ?

— Elle était terriblement silencieuse. Elle ne faisait

jamais un compliment, jamais un reproche non plus. Au fond, je crois qu'il n'y avait que ses robes qui l'intéressaient. Elle ne pensait qu'à ses modèles...

— Et vous ?

— Moi, je pensais à mes amoureux, j'avais une vie merveilleuse, mouvementée, très gaie, et je la devais à la couture... J'empruntais toutes les robes que je voulais. J'étais d'une élégance...

Elle rêve et je sais que nous avons les mêmes images : somptuosité des tissus, des broderies, des couleurs, chapeaux fous, semelles gigantesques, beauté de Paris vide...

A nouveau, elle me regarde :

— Vous êtes la première personne à qui j'en parle ; à vous je peux, vous comprenez. Vous étiez toute jeune, assez timide, mais vos yeux parlaient pour vous : ils dévoraient les robes ! J'insistais pour que votre mère vous en fasse, et elle disait : “Mais elle a la collection !” Je pensais que vous aviez envie d'en avoir à vous...

— Pas vraiment, Antoinette. J'aimais tellement changer, je portais vos robes avec des épingles doubles, vous étiez plus grande que moi ! Vous vous rappelez, la robe de toile blanche avec la ceinture rouge ?

— Et celle en vert turquoise, tout le buste était en macramé ivoire !

— Et la robe aux petits chevaux ?

— Et votre robe de mariée ? Je m'en souviens, vous savez. Ce que vous étiez beaux, tous les deux, quand vous veniez à la maison de couture. Nous en avions le souffle coupé !

A dire vrai, je ne m'en rendais pas compte : nous pensions à « autre chose », cet homme et moi, et j'avais commencé à m'éloigner de la couture et de l'apparence. A ce que je croyais...

— Vous n'allez plus aux collections, Antoinette ?

— Si, chez Dior, où j'ai conservé des amis. Vous viendrez avec moi ? C'est très beau, ce qu'ils font, mais ils me disent qu'ils n'ont plus de clientèle française, rien que des Arabes, des Libanaises ou des Américaines. De temps en temps, je m'achète un solde... L'autre jour, une robe brodée par Lesage à un prix très bas, mais où la mettre ?

— Vous ne sortez plus ?

— Du temps que j'étais dans la Haute Couture, c'est pour la rue qu'on aimait s'habiller ! Quand j'étais dans les ateliers de Maggy Rouff, rue Balzac, il nous arrivait de quitter très tard le soir, en période de collection. Je prenais le métro aux Champs-Élysées pour aller jusqu'à la Bastille où j'habitais. J'étais mignonne, à dix-huit ans ; eh bien, personne ne m'aurait attaquée, ni même adressé la parole ! On n'y pensait pas : la rue, pour une femme, c'était la sécurité totale.

« Plus tard, quand je sortais de chez votre mère, pendant la guerre, et après, superbement habillée, on me laissait le passage et on m'ouvrait les portes ! Jamais un homme ne serait passé devant une femme. Mais c'étaient surtout les regards : admiratifs, gais, respectueux... On avait plaisir à être belle et élégante, parce qu'on sentait qu'on faisait plaisir aux autres. Aux inconnus...

— Et maintenant ?

— J'avais des bijoux, une rivière en diamants, des clips, je les ai tous vendus... Pour quoi faire, pour qui ? Les gens n'aiment plus le luxe ni la beauté... On ne peut même pas dire qu'ils le jalousent ; ils n'en veulent plus, c'est tout.

— Pourtant, vous restez élégante ?

— C'est pour moi !

Antoinette s'est raffinée au creuset de la Haute Couture et elle continue à vivre dedans sans même s'en apercevoir, comme elle respire.

Dans sa limousine noire qu'elle conduit avec justesse et détermination, elle m'emmène faire un tour dans Cannes et ses environs. Nous traversons Juan-les-Pins, vide à cette époque, poussons jusqu'à Antibes, longeons les remparts. Je lui dis que j'ai rendu visite ici, autrefois, à Prévert ; elle m'apprend que, presque au même endroit, a habité le grand acteur André Luguet... C'est là, m'a raconté Françoise Dolto, qu'un jour, son fils Carlos est tombé de bicyclette et s'est fait très mal... Nos souvenirs nous accompagnent. Sur la Croisette, elle me raconte qu'elle est venue pendant la guerre, à Cannes et à Nice, présenter la collection avec ma mère.

— Il nous fallait plein de papiers pour entrer en zone libre : que c'était bon, que c'était doux de revoir la mer...

— C'est là que vous avez pris l'envie d'habiter le Midi ?

— C'était un rêve. Jamais je ne pensais que je pourrais le réaliser...

Elle en a réalisé, des rêves, Antoinette. Tous, à vrai dire : la beauté, l'argent, l'amour ; mais elle a su ne rien gâcher, c'est-à-dire ne rien mépriser. Ce qu'elle a, elle le respecte.

— C'est que j'ai été à bonne école. Je sais comme c'est dur de travailler, difficile de gagner de l'argent, et ce que vaut ce qu'on a acquis.

Tout en roulant, elle me montre l'architecture, l'ancienne et la nouvelle, les coins préservés, ceux qu'on a laissé saccager. J'admire sa sûreté de goût, la précision de ses jugements. Je le lui dis.

— Moi ? s'étonne-t-elle. Je dis ce que je pense et

je suis sincère, c'est tout. Et puis, c'est votre mère qui m'a appris...

Je veux bien, mais appris quoi ?

Le goût change, les critères du beau aussi. Quant à la Mode, comme dit Cocteau, elle meurt jeune... Toutefois, une chose demeure et c'est peut-être cela que Vionnet, puis ma mère, ces femmes d'une si simple et authentique origine, nous ont appris, à Antoinette comme à moi : être à tout instant en accord avec soi-même, ne suivre que son sentiment, envers et contre tous. (Pas facile !)

Depuis toujours, depuis qu'elle est née, Antoinette est déterminée à rendre la vie plus belle. Déjà son père, métallurgiste — comme le père de ma mère, tailleur de granit —, savait ce que c'est que raffiner la matière. « Tout ce qu'on vous donne vous est rendu », disait Madeleine Vionnet.

Antoinette a donné tout ce qu'elle avait, elle a payé de sa personne pour embellir le coin du monde où elle vivait, d'abord la maison de couture — comment l'imaginer sans elle ? —, mais aussi son quartier, ce beau quartier de l'Alma où elle réside quand elle est à Paris... Et bien d'autres lieux où les hommes qui l'ont connue, aimée, certains plus jeunes qu'elle, sont tombés sous son charme et le restent. (Discrètement, ils m'en parlent encore.)

Il n'y a qu'à la regarder pour se dire que vivre et vieillir peuvent se faire avec grâce.

Au moment où je le pense, elle l'exprime : « Vieillir, c'est possible ; il suffit de s'en apercevoir à temps et se conduire en conséquence. » Dans le constant refus du laisser-aller et de ces palliatifs, alcool, tranquillisants, drogues, qu'utilisent trop souvent les jolies femmes qui, en perdant leur fraîcheur, croient que c'est la fin de leur beauté.

Madeleine Vionnet, la « Grande Patronne ».

Les modèles Vionnet sont sous copyright
mais la coupe en biais est inimitable!

Au travail dans son studio de l'avenue Montaigne,
Madeleine Vionnet commence par étudier le tissu.

A partir des années trente,
Marcelle Chapsal crée la moitié des modèles Vionnet.

J'ai quatre ans, et toutes mes robes
sont faites chez Vionnet.

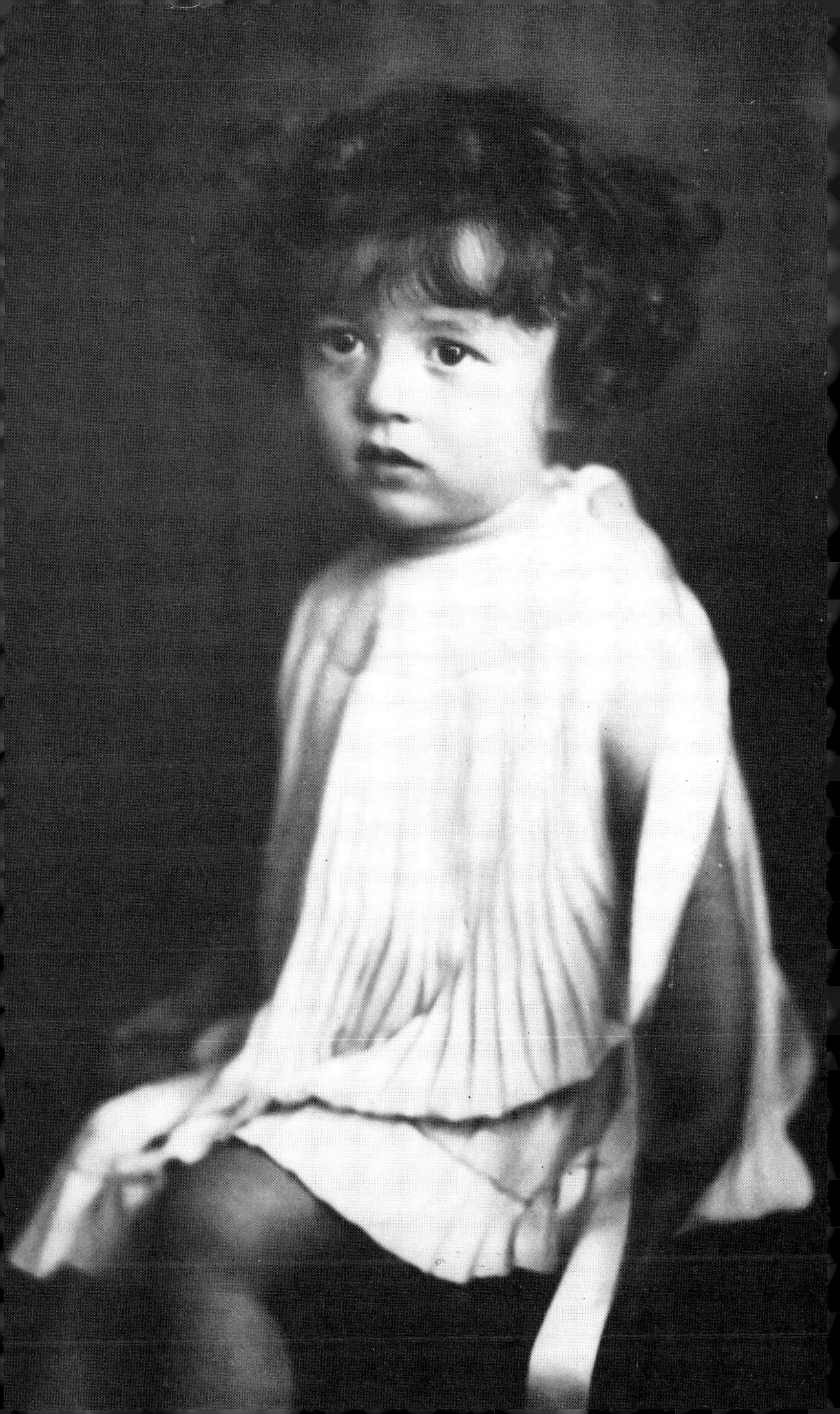

Une robe spéciale de Vionnet
pour ma première Communion.

Ma poupée aussi
est habillée par Vionnet...

En 1947, ma mère me crée
ma robe de mariée dans sa propre maison.

Un défilé chez ma mère, Marcelle Chaumont,
au 19 avenue Georges V.

« En quoi est-ce ? » Les clientes touchent,
Christian Bérard regarde.

Ma mère, Marcelle Chaumont,
face à l'une de ses créations
des années cinquante.

Antoinette,
mannequin vedette de ma mère,
dans une grande robe du soir.

Un modèle
photographié avenue Georges V,
devant la maison Chaumont.

J'ai cinq ans et je trône au milieu des enfants
du personnel, 50 avenue Montaigne.

Les ouvrières ne voient la Patronne
qu'à la Sainte-Catherine. (1930).

La Sainte-Catherine, c'est l'occasion d'une superbe fête dans le grand salon. *(Isabey)*.

Devant la maison Vionnet, parmi d'autres ouvrières, Denise Maillet, Jeanne Mardon, Lucienne Ranvier.

Chez Germaine Lillaz,
Madeleine, Jacqueline, Simone,
en robe de Vionnet satin bleu pâle. *(O'Doyé)*.

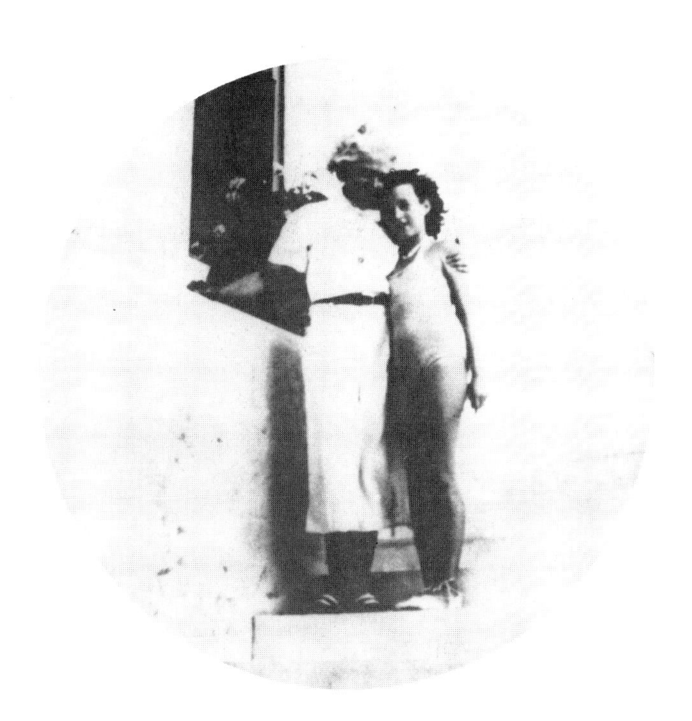

La grande Madeleine
et sa petite Madeleine
sur les marches
de la Maison Blanche,
à Sanary. (1937).

Trente-cinq ans plus tard, les deux mêmes, à Auteuil :
« Je ne veux pas avoir cent ans, ça ne se fait pas! » *(Holmquist)*.

Glaces, galuchat, palissandre et marbre.
Chez nous, square Pétrarque,
c'est le *must* absolu des années trente.

Fin d'une joliesse de surface, oui, de la jeunesse, sûrement — mais pas de la beauté.

Même lorsqu'Antoinette prend ses repas toute seule, il y a une rose sur la table. Et jusqu'à sa tenue d'intérieur, ses mules blanches, tout ce qu'elle se met est un plaisir pour l'œil. Même si ça n'est que pour le sien. C'est cette attention de tous les instants à faire de la vie une fête, qui la maintient et continue de l'épanouir. Vionnet était ainsi, ma mère aussi ; et ma si belle tante Fernande, dans son élégante solitude, continue hautement cette tradition de la femme française.

Brusquement, Antoinette me dit : « Je n'ai pas vraiment fait d'études, et cela me gêne. Vous comprenez, je ne suis pas cultivée ! »

Je m'exclame, mais comment lui faire admettre que la culture, en réalité, c'est elle qui la tisse, la fabrique au jour le jour ? Chanel avait-elle fait ce qu'on nomme « des études » ? Et Madeleine Vionnet ? Et les autres très grandes dames de l'élégance ?

Depuis le début du monde, c'est le travail acharné de ces femmes-là — qui, le plus souvent, n'ont pas laissé de nom —, leur labeur persévérant, inspiré, pour améliorer et embellir le cadre de notre vie au-delà des guerres, des drames, des massacres, qui a fait avancer la civilisation.

Ah, les élégantes de la Révolution, les « merveilleuses » des époques les plus troublées !

Quand je la quitte, au soir, pour reprendre le Train Bleu, Antoinette, qui m'a entretenue sans un instant de relâche ou de lassitude pendant dix heures d'affilée, sans qu'un cheveu de sa coiffure ait bougé — sa discipline de grand mannequin ! —, me met dans les bras une gerbe de roses rouges en murmurant : « Je n'ai rien su vous dire... »

Alors qu'autour d'elle et en elle, tout m'a parlé, tout parle !

Grâce à elle, j'en suis encore plus convaincue : la Haute Couture est une haute école.

Survint la nostalgie...

Dans les folles années d'après la Première Guerre mondiale, j'avais eu la bizarre idée de naître dans une « usine » de pointe, la plus grande alors qui fût, occupée dans la fièvre d'un travail passionné à concevoir et à renouveler l'apparence — on ne disait pas encore le *look* — de la classe au pouvoir.

Clientèle « dure » à satisfaire, composée des restes de l'aristocratie, de la haute bourgeoisie, à quoi s'ajoutaient les artistes en vogue et les puissances d'argent.

Qu'est-ce qui m'avait pris de naître dans cette surchauffe de l'élégance mondiale ? J'en porte, gravés dans ma chair, le regret et la nostalgie. Rien, depuis lors, ne me paraît assez beau ni suffisamment raffiné.

Seul un vêtement de religieuse, me dis-je parfois, aurait pu me faire oublier ces milliers de robes sublimes qui m'ont effleurée, enveloppée, séduite, détournée à jamais de toutes les autres.

Quelques grands couturiers, par la suite, sont devenus mes amis, le nom de Vionnet, prononcé ci et là, ayant joué comme un mot de passe.

En premier, Pierre Cardin. Ce très beau jeune homme de vingt ans travailla, à ses tout débuts, dans les ateliers de ma mère.

— Souvenez-vous, Madeleine, je vous ai fait votre premier tailleur, vous aviez dix-huit ans ! aime-t-il à me rappeler quand nous nous rencontrons.

Oui, je me souviens de lui, de son visage, de sa voix chaude et du ton ému dont ma tante, sensible à sa beauté et à son talent, prononçait son nom.

C'est un souvenir embué. Ma mère avait ouvert sa maison avec les restes de ses ateliers ; pourtant, nous nous sentions en deuil de notre incomparable avant-guerre, de la maison Vionnet. Et j'étais devenue nostalgique.

Puis ma mère eut l'idée de monter le premier rayon de confection issu de la Haute Couture. (Pierre Cardin m'en parle aussi, stupéfié par sa préscience.) La Chambre syndicale lui interdit d'ouvrir à son nom, sous prétexte qu'une créatrice de la Haute Couture se lançant dans la confection risquait de « vulgariser » et faire déchoir toute la profession — qui, en réalité, allait y trouver son salut ! Mais ma mère venait trop tôt et dut céder. Elle intitula sa nouvelle affaire *Juliette Verneuil*, dont une amie, Arlette Moreau, se prétendit la styliste.

Juliette Verneuil s'installa au Bon Marché en 1948. Cette très haute confection comportait deux collections par an, présentées à la presse. Vionnet y était, bien sûr. Colette, qui aimait l'art de ma mère, s'y fit aussi conduire dans sa chaise d'arthritique.

« *Est-il possible de rendre aux femmes de France, sans que croule leur budget fragile, la joie, le bien-être légitime, moral et physique qu'elles goûtent à porter le tissu honorable servi par une savante coupe ?* Juliette Verneuil *l'affirme.* »

Quant à Lucien François, en dix portraits de femmes, il applaudit à cette façon de doubler sa garde-robe pour le même prix : « Juliette Verneuil, *grâce à une formule absolument nouvelle, est un grand couturier... C'est le secret d'une formule très neuve de haute-couture admirablement adaptée aux exigences de notre temps...* Juliette Verneuil *est le premier grand couturier raisonnable !* »

Lucien François, le plus grand critique de mode de son temps, ne s'y est pas trompé, cette haute-confection est en fait de la haute-couture et quand je considère les photos et les dessins des modèles que ma mère a créés pour *Juliette Verneuil*, je me trouve, avec le recul, ébahie par leur achèvement. Est-ce la raison, cette qualité trop haute, pour laquelle ça ne marcha pas ? Ou le fait que ma mère, épuisée par un travail surhumain, quatre collections par an, dans le climat de détérioration qui menaçait alors l'ensemble de la couture, finit par « craquer », comme on dit maintenant ?

Juliette Verneuil ferma. Maman, sans doute mal conseillée dans ses contrats, fut dix ans en procès avec le Bon Marché. Le grand magasin refusait — à tort, jugea le tribunal, puisqu'elle gagna — de payer à la créatrice ce qu'il lui devait.

Instruit par cette expérience qui s'était déroulée sous ses yeux, Pierre Cardin reprit, en 1963, le flambeau du prêt-à-porter, cette fois sous son vrai nom de couturier. Le premier, il sut le développer et le mener au bout du monde, au Japon, en Chine, avec force, brio et sans se faire posséder, comme tant d'autres, par l'argent. C'est lui, le maître en ce domaine, et il sait le rester.

J'ai dans mes armoires quelques superbes atours signés Cardin. Une robe de lainage rose saumon, trouée et découpée comme un Calder. Un manteau de satin noir doublé de lynx, créé exprès pour moi et sur moi par le couturier. Le tailleur fuchsia à brandebourgs noirs. Un manteau blanc, si étroit du haut que je parviens à peine à y glisser mes épaules ; le corps taillé en biais forme ensuite un vaste trapèze.

Je les garde, puisque je n'ai presque rien conservé de Vionnet, mais ne les mets guère. Pour étonner qui ? Ni Cardin, ni moi, en tout cas ; alors, ça n'est pas la peine...

— Vous savez, Madeleine, dans mon hôtel particulier de la rue de l'Élysée, je me suis fait refaire, sous les toits, la petite chambre mansardée où vous m'avez connu à mes débuts. C'est là que je me sens bien.

Lui aussi, l'homme-qui-a-tout-réussi, a la nostalgie d'une gloire perdue, demeurée à l'horizon de son passé. Est-ce d'avoir, entre autres, connu et aimé Cristobal Balenciaga ? Placé par la suite aussi haut que Vionnet, le maître espagnol la fréquentait, l'invitait à ses collections et se prétendait son disciple.

Jacques Fath aussi me séduisit et m'étonna. Lui qui disait : « Le génie ne se pèse pas sur des balances, il est une grâce » eut la générosité de me confier une pleine malle de ses modèles, quand je partis au Brésil, pour que je fasse mieux connaître sa mode en Amérique du Sud. J'étais si timide que je ne sais si j'y parvins, mais je revois ses belles robes, en failles changeantes sur des armatures rigides qui, tels de grands oiseaux aux ailes repliées, me suivaient d'hôtel en hôtel dans la moiteur de l'été brésilien. Leur présence complice soulageait la *saudade*, cette nostalgie qu'engendre l'exil.

Puis il y eut Chanel, et ce fut toute une histoire, Mademoiselle Chanel, dans ma vie, car Vionnet était encore vivante et ces deux dames ne s'aimaient guère. Les antipodes ! Sauf en un point : l'amour forcené qu'elles avaient toutes deux pour leur métier.

C'est, je crois, de trouver porté au même point d'acharnement et de fureur, chez Mademoiselle Chanel, ce que j'avais connu chez ma mère et Vionnet, qui, une fois en face de la créatrice, me fit aussitôt l'admettre et la comprendre.

Reconnaissons toutefois que le départ fut difficile. A cause de mes préjugés...

« La modiste »

Quand on est « née Vionnet », on ne peut que considérer de haut — d'extrêmement haut — la simplification droit fil et répétitive des modèles dont Mademoiselle Chanel a commencé alors d'inonder le monde.

Et jusqu'à la réouverture de sa maison, en 1964, j'étais encline à penser le pire de Chanel et de sa mode. Avec, en plus, une certaine commisération : j'aurais eu tendance à la plaindre, la pauvre, de n'être que ce qu'elle était, d'autant que je n'avais pas idée de la fortune qu'elle avait su se constituer — et conserver, elle, contrairement à bien d'autres grands de la mode.

Mais, chez nous, pour des raisons très longues à démêler, on ne parlait pas d'argent — pourtant capital dans cette industrie — et longtemps je n'ai pas su qui en avait et qui n'en avait pas.

Si on voulait être gentil, on laissait entendre, du côté de chez Vionnet, que cette « pauvre Chanel » n'était certes pas « couture », mais que c'était une bonne spécialiste de la maille, du jersey, du sport chic pour femmes en vacances à Deauville ou à Biarritz.

Mais quand on livrait vraiment le fond de son cœur,

on concluait qu'au fond, Chanel, avec ses jupes à panneaux et ses petites jaquettes invariables — sans parler de ses robes en dentelles plates comme la main, qui donnaient le sentiment qu'on avait pleuré le tissu — faisait *Belle Jardinière*, ce qui, avant le stylisme, signifiait que c'était quelconque ! (Le mot « quelconque » ne veut plus rien dire de nos jours, mais, dans les années trente, en couture, c'était le comble de l'injure.)

Dans l'intimité, Madame Vionnet appelait d'ailleurs sa cadette « la modiste », car Chanel, qui avait débuté juste avant la guerre de 14, au moment précis (ce qui n'arrangeait rien) où Vionnet ouvrait sa propre maison, avait commencé en faisant des chapeaux.

Et si on ne parlait pas devant moi de la vie privée de Chanel, elle amenait de la part de Vionnet, sur laquelle il n'y avait en ce domaine rien à dire, quelques commentaires peu amènes !

Je ne l'ai su que récemment.

Enfant, comme d'ailleurs plus tard, je n'ai jamais entendu ma mère ni Madame Vionnet cancaner sur les mœurs de qui que ce soit.

Chanel, de son côté, appelait Vionnet « la sorcière », à cause du mystère de sa coupe et de son art suprême pour inventer et réussir l'infaisable ! Mais peut-être, avec son humour, avait-elle d'autres qualificatifs moins complimenteurs qui ne sont pas parvenus jusqu'à moi.

Toutefois, je suis au courant de l'unique entrevue entre Mademoiselle Chanel et Madame Vionnet. C'est elle-même qui se donnait les gants de la raconter ! A l'époque, Madeleine Vionnet menait âprement la lutte contre la copie, ce mal dont on ne mesure plus l'ampleur : à peine une nouvelle collection était-elle terminée que certaines personnes peu scrupuleuses trouvaient le moyen de relever le patron des modèles

les plus nouveaux et de les vendre... à d'autres couturiers étrangers mais aussi français. Ces derniers, moins créateurs, qui n'avaient pas de frais de collections, pouvaient fournir des modèles Haute Couture beaucoup moins chers ! Un petit changement ici ou là et le tour était joué !

Madame Vionnet demande alors un rendez-vous à Mademoiselle Chanel, l'une des premières maisons de Paris, pour tenter de s'entendre avec elle sur les mesures à prendre.

— Croyez-vous ça, racontait Vionnet, elle ne m'a même pas fait asseoir ! Elle avait son chapeau sur la tête et j'ai à peine eu le temps d'ouvrir la bouche qu'elle m'a dit : « Madame, ce dont vous vous plaignez ne m'intéresse pas ! Vous pensez si je suis repartie tout de suite !

En fait, copiée, Chanel l'était sans arrêt puisque la qualité de ses modèles tenait au raffinement du matériau et de l'exécution, et non à leur coupe presque invariable. La copie la laissait donc indifférente mais pas la présence chez elle de Madeleine Vionnet, qu'elle eut, ce jour-là, la joie de pouvoir « vider » !

En fait, la couture recèle tous les travers d'une grande famille. Le premier d'entre eux, c'est de conjoindre étroitement la haine et l'amour. Les couturiers sont unis par les intérêts communs à leur profession, mais aussi par ces liens du sang — ou plus exactement ces transfusions — que représente le passage incessant d'un même personnel d'une maison à l'autre.

Tourbillon dont on n'a pas idée !

Rien que l'itinéraire d'une Madame Chatenet, directrice des ateliers chez Vionnet, chez Dior, chez Fath, ou celui de Léonie, directrice des ventes, laissent pantois. C'est comme les états de service d'un grand chef de guerre !

« Mais elle a commencé chez Doucet, puis elle est passée chez Vionnet quand celle-ci a constitué sa maison, ensuite elle est allée chez votre maman, puis chez Fath, et elle a terminé sa carrière chez moi ! » dévide Griffe, me parlant de Léonie.

On imagine le « savoir » ainsi emmagasiné, sans compter le resserrement des liens personnels et affectifs. (Le jour où Jacques Bourdeu, le grand fourreur, fils de Louis Bourdeu, lui-même fourreur de Vionnet, donne incontinent sa démission à Christian Dior, le lendemain, par Madame Chatenet, qui l'a appris dans la journée, il entre chez Jacques Fath ! « Je n'ai pas eu un jour de chômage », me dit-il en riant.)

Sans oublier les relations indéfectibles que crée le traditionnel rite de l'initiation.

Chaque couturier, commençant chez un « vieux maître », le voit donc travailler et vivre dans l'intimité la plus nue près de douze heures par jour — et, avec le sens de l'observation de la jeunesse, il a tôt fait d'apprendre tout de lui, qualités comme défauts, pour ne plus l'oublier.

Chanel, du fait qu'elle est entrée dans la couture par le chapeau, était à part. Et son manque d'initiation, s'il pouvait sur certains points être considéré comme une faiblesse, faisait également sa force et lui conférait sa modernité : ne sachant rien de « ce qui se fait » en couture, puisqu'elle ne l'avait pas appris à bonne source, Mademoiselle Chanel était donc libre de faire « autre chose »...

Ce dont Madeleine Vionnet était consciente, comme elle l'était de tout le reste.

Oui, on se connaît à fond, dans cette petite communauté aristocratique et reclose sur elle-même, ce qui fait qu'il n'y a pas plus juste, plus incisif, plus ravageur que l'avis d'un couturier sur un autre !

Ça ne veut pas dire qu'ils ont raison dans leurs jugements à l'emporte-pièce. Mais, comme dans tous les arts, plus quelqu'un a du caractère, plus il pousse ce qu'il a d'exceptionnel jusqu'à son point le plus vif, et plus il devient facile à caricaturer.

Aussi les confrères, qui suivent sa progression d'un œil jaloux, ne s'en privent-ils pas. D'autant qu'ils sont continuellement renseignés sur son évolution par le personnel en transhumance !

Cet actif « deuxième bureau » comprend aussi les clientes, lesquelles ne sont pas toutes des « dames », et qui, se rendant chez un couturier dans les modèles d'un autre, commencent par s'en plaindre : « Regardez-moi ça comment c'est fait, c'est pour ça que je viens chez vous ! Et puis, c'est tellement cher ! Vous pratiquez, je suppose, des prix plus abordables ! »

Pour tenter de se faire encore mieux voir, elles ne vont pas hésiter à colporter à leur vendeuse, qui — elles ne l'ignorent pas — le fera monter plus haut, quelque cancan ou vérité toute fraîche sur « comment ça se passe » chez le concurrent...

Un couturier parlant d'un autre est donc tout à fait à même de ficher la pointe de son aiguille exactement là où ça fait le plus mal !

Worth sur Poiret à ses débuts : « Une robe de Poiret, qu'est-ce que c'est ? Un pou d'arbre... »

Poiret se rattrape plus tard sur Chanel : « Chanel ou la mode pauvre. »

Et Chanel sur tout le monde : « Dior, qu'est-ce qu'il a fait ? Des élucubrations bâties sur du carton... »

« Grès ? Mais elle suspend du jersey à un corset, ça tombe comme ça peut, et elle le donne à coudre ! »

« Si vous voulez avoir l'air d'un vieux fauteuil dans le style espagnol, allez donc chez Balenciaga ! »

Il faut dire que, sur Chanel, tout le monde tire à vue !

Un concurrent : « Qu'est-ce qu'elle a inventé, Chanel, vous pouvez me le dire ? Depuis qu'elle a fait son premier tailleur, c'est toujours le même ! »

Les autres ne sont pas oubliés pour autant : « Cardin ? Un couturier, ça ? Non, un costumier, doublé d'un charlatan... »

Enfin Lacroix, gentiment, tendrement, à propos des Japonais : « J'aime bien les créateurs japonais, mais on dirait qu'ils arrêtent exprès le vêtement en plein mouvement ! Cela reste abstrait ! »

Ceci parmi les plus répétables des aménités de couturiers portées les uns sur les autres.

Vionnet, la grande Vionnet, n'échappe pas à la règle.

En septembre 1953, elle vient de faire la tournée des collections, comme chaque saison tant qu'elle peut encore marcher, et, dans une lettre à ma mère, donne en quelques mots précis (que je cite sans y changer une syllabe) son point de vue sur chacun de ceux à qui elle a fait l'honneur d'aller juger leur travail :

> *« Dior. Beaucoup de chic, tissus toujours très bien choisis et appropriés* — très belle confection —, *pas difficile à répéter par les confectionneurs. Rien de nouveau dans la forme. S'il n'avait raccourci certaines de ses jupes — surtout les robes du soir très brodées — on en parlerait moins !*
>
> *Fath. A étoffé ses dos comme Dior ses devants, la saison dernière. Dans l'ensemble, mieux qu'il y*

a trois saisons, mais moins bien que la saison dernière, et surtout que celle qui lui avait valu d'accéder à l'échelon Dior.

Dessès. A mon avis, très inférieur. A des chapeaux et tailleurs fort intéressants.

Balmain continue ses efforts vers le Bien. Trop de richesses, de broderies dans les robes du soir... Toutefois, égal à lui-même dans les manteaux et tailleurs. On peut porter de chez lui pour la journée et l'après-midi...

Griffe. Robes du soir travaillées genre Madame Petit [une des ex-premières de ma mère, une sublime technicienne du flou]. *Ce sont ses amours. Robes d'après-midi et tailleurs gentils. Pas beaucoup de broderies, le moins possible. A du charme et essaie de s'équilibrer.*

Balenciaga et Grès, toujours ex-aequo. Ils font du "modèle", même si ça n'est pas au point, mais cherchent, ont des idées. Et c'est calme, chez eux, reposant.

Verrai Patou tantôt... »

Que pensait-elle des collections de ma mère, dont elle ne ratait aucune ?

C'est donc dans l'état d'esprit d'une personne qui s'estime en position supérieure, animée toutefois par la curiosité, que je me rends d'un pied léger, le 5 février 1955 (le numéro 5 est son chiffre fétiche), à la première présentation, rue Cambon, de la collection de Chanel, retour d'exil.

Il n'y a pas grand monde dans le salon, et notre journal titre quelques jours plus tard : « *Chanel ? Un four...* » C'est dire comme les gens supposés « avertis »

— et ceci dans tous les domaines — ne savent rien de ce que vont être les réactions profondes du grand public.

Ce jour-là, c'est en fait une nouvelle ère qui commence.

Pour moi aussi. Quand m'en suis-je aperçue ? Peut-être le jour même ! Oui, malgré moi, à ma grande honte — fi ! une fille Vionnet avoir envie d'un costume Chanel ! —, je me suis « vue » dans l'un de ces petits ensembles en jersey avec leur blouse de soie, si faciles à mettre quand on est au bureau, et accompagnés de sandales roses dont on ne peut pas abîmer le bout en conduisant puisqu'il est noir.

Et porter son sac par une chaînette de métal doré tressé de cuir, plutôt que suspendu à une affreuse bandoulière, comme au temps de la guerre et à la façon militaire, quel charme !

Est-ce cette saison ou la suivante que je commande mon premier tailleur Chanel ? Je m'en souviens encore, tant je l'ai aimé et porté, sans pour autant l'user jusqu'à la corde — le jersey Chanel est inusable...

Bleu marine, garni d'une tresse de laine blanche, un camélia blanc à la boutonnière, c'était un amour, une réussite, un triomphe, le nouvel uniforme ! Car je n'étais pas la seule à avoir eu le coup de foudre ; nous fûmes bientôt une horde de jeunes journalistes « de choc » à nous habiller chez elle, entre autres parce que Chanel — suprêmement habile, en cela, comme dans tout le reste — nous faisait des prix défiant toute concurrence.

C'est donc en tailleur Chanel que je suis allée interviewer Georges Bataille, Michel Leiris, Antoine Blondin, Jacques Lacan, tant d'autres, comme je le vérifie sur les photos de presse.

Puis le tailleur Chanel a été copié et surcopié —

« Prenez mes idées, ça m'est égal, j'en aurai d'autres ! » —, et, même si je n'en porte plus (car un modèle de Haute Couture, comme chacun sait, est devenu désormais inabordable pour la clientèle ordinaire), petit bonhomme Chanel vit encore. Il n'y a pas de femme député ni de femme ministre ou Premier ministre qui n'en ait au moins un ou sa copie dans sa garde-robe ! Ceci, partout où il existe des femmes « libres » — libres de s'habiller comme elles veulent.

Chanel était, a été, reste un phénomène.

Mon journal finit par en prendre conscience ; la grande qualité de la presse, c'est qu'elle n'hésite pas, lorsqu'elle s'est notoirement trompée sur un sujet ou un autre, à retourner dans l'instant sa veste. On m'a donc envoyée faire un reportage sur « Chanel au travail ».

C'est à cette occasion que nous nous sommes liées, la Grande Mademoiselle et moi, et qu'elle a pris l'habitude de m'inviter régulièrement à déjeuner dans son petit studio au mobilier d'un luxe inouï, quoique tout simple d'apparence, à l'image de sa mode. (Je crois aussi que le fait que j'étais la filleule de son ennemie intime, Madeleine Vionnet, alors toujours en vie, n'y était pas pour rien. C'est dans une robe de Chanel rouge à petit nœud devant — j'avais la même en noir — que je suis photographiée la main dans la main avec Vionnet, un an avant sa mort... Oui, j'ai accompli ce lèse-Vionnet ! Ou cette réconciliation...)

Chanel était une très grande dame elle aussi, ce qui fait qu'au téléphone, elle ne faisait pas demander ses amies par sa secrétaire, au risque de vous laisser poireauter, usage fréquent chez les grands d'aujourd'hui, mais c'était sa voix rocailleuse que j'avais directement au bout du fil : « Quand viens-tu me voir ? »

Je m'en veux encore d'avoir parfois répondu : « Je ne peux pas tout de suite... »

La jeunesse gaspille des trésors sans même s'en apercevoir.

Mademoiselle Chanel au travail

Assise toute droite sur son divan — je ne l'ai jamais vue alanguie —, elle a son long sourire dont la ligne sinueuse est à elle seule une énigme. Après le déjeuner, en ce jour d'août 1960 où elle achève de préparer sa collection, elle m'attend.

A peine ai-je le temps de jeter un coup d'œil sur les paravents de Coromandel, les biches de bronze, le lustre aux pendeloques colorées, ce décor si célèbre où rien n'a changé depuis trente ans, qu'elle me donne, de sa main preste et noueuse, une petite tape sur le genou.

— Allez, on va travailler.

Tandis que nous descendons l'escalier, je détaille sa silhouette de jeune fille — « De dos, m'a-t-elle dit, personne ne peut deviner mon âge ! » — et j'entrevois, reflété dans la succession des glaces murales, ce profil net, inchangé, où son amour de l'équilibre est physiquement inscrit.

Elle porte un costume de lainage beige gansé de bleu marine : « Ce costume, je le mets depuis que j'ai commencé la collection, cela va faire trois mois. Je l'ai quitté deux ou trois fois pour le donner à nettoyer, c'est tout. » Sur cet uniforme, une débauche de bijoux, chaînes, boutons de manchette, plaque de poitrine, qui ressemblent à des décorations, où je suis incapable de distinguer le vrai du faux.

C'est le but.

Elle porte également un chapeau, et ce chapeau est comme une couronne. Au milieu de son peuple de nu-têtes, Mademoiselle Chanel est la seule à rester toujours couverte.

Le grand salon, peuplé de ses trois cents chaises vides — autant de futurs juges —, est désert. Elle le traverse et gagne le coin qu'elle s'est choisi, non loin du podium où bientôt défileront les mannequins.

Debout, elle se passe autour du cou une paire de ciseaux suspendue à un bolduc, chausse des lunettes, puis fait semblant de s'asseoir et d'attendre.

Aussitôt paraît sur l'estrade une jeune femme vêtue d'un tailleur blanc garni d'une ganse de couleur, qui semble achevé. Le mannequin virevolte un peu, montre successivement son dos et ses profils. La première en blouse blanche se tient à distance et attend le verdict de Mademoiselle sur son premier essayage de l'après-midi. En fait, elle le connaît déjà !

— Bon, dit Chanel, qui fait un signe du doigt.

La jeune femme descend du podium pour s'approcher de la créatrice. Chanel, qui s'est levée de sa chaise, a saisi ses ciseaux et « crac », en deux/trois secondes, toutes les coutures du modèle, qui n'étaient que bâties, sont défaites. Elle continue, découd complètement le col, arrache les manches, et, sans regarder, les jette en direction de la première qui les attrape au vol et les « bloque ».

Cette apparence de tailleur est redevenu ce qu'il était : des morceaux de tissu qui s'ignorent !

Alors commence une formidable opération : celle du

remontage. Un à un, Chanel reprend les morceaux du modèle des mains de la première et les remet en place.

A ce qu'elle considère comme étant leur place.

Minutieux travail accompagné d'un lent, d'un interminable monologue articulé d'une voix très basse, à la diction parfaite.

Pourquoi tous les couturiers s'expriment-ils d'une façon aussi superbement intelligible ? Parce qu'ils ont pris l'habitude de donner leurs ordres oralement et qu'il est capital, pour eux, de bien se faire entendre ? Ou parce que ces maîtres en perfection font bien tout ce qu'ils font, que ce soit marcher, sourire, plier leur serviette de table, ou écrire... Je songe à la beauté spontanée des lettres de Vionnet, de ma mère, de Jacques Griffe, et de la toute dernière en date, signée Christian Lacroix.

— Je vous l'avais dit hier, articule-t-elle sans le moins du monde élever le ton, il faut m'ôter ce paquet de tissu, là. Pourquoi voulez-vous garder tout ça ? Coupez-le et qu'on n'en parle plus. Quelle est la femme qui accepterait de le porter ? D'avoir tout ça sur le dos ! Pas moi, en tous les cas... Bien droit, ici. Je vous l'ai déjà fait hier, je vous le refais... C'est tellement facile à monter que c'est amusant... Et laissez votre col, je l'arrangerai, je vous mettrai l'épaule... C'est mieux comme ça, non ? C'est autrement joli que ce machin qui pendouillait. Faites-moi quelques plis ici, mais des plis intelligents...

L'opération dure.

Les yeux du jeune mannequin se cernent. Ceux de la première et du tailleur, venu à son tour montrer ses essayages, ne peuvent pas se cerner davantage. Quelqu'un passe les épingles, puis se fatigue, est remplacé par quelqu'un d'autre.

Chanel n'a pas arrêté, ni jeté un regard ailleurs. Elle

est restée debout, les bras levés au-dessus de sa tête, ou, lorsqu'elle examine un pli de jupe, courbée vers le sol, insensible à certaines supplications muettes, inaltérable, inusable...

Ce tailleur, puis cet autre, qu'elle vient de mettre en pièces sous l'œil résigné, consterné parfois, de ses collaborateurs, elle l'a revu tous les jours, on l'a calculé depuis vingt jours. Cela fait vingt fois qu'elle le jette bas et le recommence. (Il y a un modèle, c'est son record, qu'elle a repris trente-cinq fois.)

Et c'est seulement maintenant que ce tailleur commence à être enfin ce qu'il doit être : une sorte d'habitacle dans lequel le corps de cette jeune femme se trouve comme dans une seconde peau, parfaitement à l'aise.

— Tu vois, me dit-elle, une femme doit pouvoir faire n'importe quel mouvement sans que son vêtement bouge. L'autre jour, j'ai vu une de mes amies paralysée sur sa chaise : "Qu'est-ce que tu as, tu es malade ? — Non, j'ai une robe neuve... !" Inutile de dire qu'elle ne sortait pas de chez moi !

Elle a levé les yeux au ciel : elle déteste tout ce qui bride, déforme, dissimule le corps féminin. Elle me dit qu'elle a fait de l'anatomie et sait où se situent les muscles de l'épaule et de la hanche, et comment ils jouent. Elle veut qu'ils soient libres.

— En même temps, il faut que ça soit joli !

Et de me citer la réflexion d'un journaliste de la mode, qui l'a mise en joie : « C'est laid, mais c'est intéressant. »

Elle s'esclaffe :

— *Laid mais intéressant !* Tu te rends compte ! Dire ça d'une robe !

Dans l'attente de l'essayage suivant, qui tarde, elle fait quelques pas dans le salon, la tête petite, le pied posé à l'angle parfait. C'est elle, parmi ses mannequins, qui fait le plus « Chanel ».

Je prends conscience que cette image, toujours identique, qu'elle impose depuis qu'elle est dans la couture, eh bien, c'est la sienne !

Elle déteste les seins. « Les seins dehors, c'est la barbarie ! Si une femme en a trop, elle n'a qu'à se les faire couper... » Elle-même n'en a pas. Elle déteste aussi les cheveux longs, les rondeurs abusives — au fond, tout ce qui « animalise » la mince et souple figure de femme qu'elle incarne à travers les années.

Mais qui a besoin de soins.

— Je ne comprends pas qu'une femme ose sortir de chez elle sans s'être un peu arrangée. Ne serait-ce que par politesse. Quelle prétention de se montrer comme cela, sans rien, sans s'être coiffée, sans maquillage !... Et puis, on ne sait jamais, on a peut-être rendez-vous avec le Destin, ce jour-là. Tu sais, il vaut mieux être le plus jolie possible, pour le Destin !

Conseil, recette, souvenir ? Je sens qu'elle me donne là quelque chose de précieux qui lui tient à cœur, qu'elle veut partager avec moi.

Me reviennent en mémoire les maximes qu'elle a si souvent composées mais toujours refusé — par une modestie mêlée d'orgueil — de laisser publier : « A chacun son métier, je ne suis pas écrivain ! » « Le plus difficile dans une robe, c'est que le haut aille avec le bas. » « La mode consiste à faire des choses qu'on trouve belles aujourd'hui et qu'on trouvera laides demain. L'art, c'est tout le contraire. »

Certains de ces aphorismes sont pourtant taillés de main de maître : « Copiez-moi ! Les trouvailles sont faites pour être perdues... ! » « Le malheur des femmes est de ne compter que sur leur jeunesse, il faut savoir remplacer la jeunesse par le mystère ! »

Sa propre théorie de la féminité, elle préfère la diffuser par ses collections.

Avec quelque humilité, aussi, elle sait se faire l'outil de sa création : après s'être baissée presque jusqu'à terre pour vérifier un niveau d'ourlet entre les jambes de son mannequin — ce qui me permet d'admirer sa souplesse —, elle se relève, se retourne vers moi :

— Regarde-moi bien ! Voilà ce qu'on appelle une dame qui fait de la couture : une ouvrière ! Je suis une ouvrière. Il y a des gens à qui ce mot déplaît, moi pas...

Et moi donc ! A travers elle, ses gestes, son travail, je les retrouve, mes chéries désormais à la retraite et qui, elles aussi, ont débuté comme ouvrières. Faute de pouvoir lui en parler — parle-t-on d'un autre peintre à un peintre ? d'un autre écrivain à un écrivain ? —, je me mets à l'aimer encore plus, elle, dans son travail et pour son travail. Que je comprends comme je la comprends.

Un nouveau mannequin s'approche. A peine la jeune femme est-elle à sa portée que Chanel pose quatre doigts à plat sur son épaule, puis sur sa hanche, d'un geste extraordinaire. Ses mains ne sont plus des mains, mais des outils de haute précision, exactement déformées et modelées en vue du travail qu'elles ont à faire. Des mains qui, par moments, n'ont plus l'air de lui appartenir, mais qui s'enfoncent dans la matière, s'y enlisent sans crainte de s'y perdre, à la recherche d'on ne sait quel faux pli ou quelle information dont elle saura faire son profit...

Elle se rassied une seconde pour attendre le modèle suivant.

Son chapeau-couronne n'a pas bougé. Il ne bouge jamais. Sur la calotte, j'aperçois les innombrables traces de l'épingle qu'elle y enfonce tous les matins depuis qu'elle le porte, comme une religieuse dans sa coiffe.

Somptueuse apparition d'un manteau blanc doublé de vison noir. Émotion dans le petit groupe d'assistants, pourtant las et blasés. Chanel la perçoit et s'en irrite :

— Voilà, parce que c'est blanc et parce qu'il y a de la fourrure, on est ébloui ! On ne s'occupe pas de l'équilibre ! Alors que c'est ce qu'il y a de plus difficile à faire, dans un machin comme ça ! Venez ici, mon enfant.

Le fait-elle exprès ? En un instant, l'orgueilleuse parure est rendue à l'humilité de la loque !

Et la vieille reine s'acharne, pli à pli, à n'accepter de la matière trop belle que le très petit peu qui convient à l'élégance.

« Il y a trop de broderies », écrit Vionnet à propos des robes de certains de ses confrères, car elle le sait elle aussi, la « sorcière », que le trop est l'ennemi du parfait ! Un petit peu de tissu, de couleur, d'éclat superflus et on entre dans un autre règne, celui du théâtre, du sex-appeal, de tout ce qu'on veut — mais c'en est fini de l'élégance.

Elle s'est envolée avec la mesure.

C'est pourquoi Chanel refuse la fourrure, matière trop riche qu'elle n'utilise qu'en fourrage. Ce qui la fait rire elle-même, comme d'un bon tour qu'elle joue à cette fière personne, laquelle s'imagine qu'elle n'a qu'à se montrer pour tout emporter.

— En hiver, il fait froid, et les femmes ont froid. Alors bon, on peut mettre un petit peu de fourrure pour avoir chaud, parce que c'est utile, mais seulement à l'intérieur. Il ne faut pas qu'on la voie...

Et de rogner sur le vison noir, et d'élargir les rentrés

du manteau blanc pour que la somptueuse doublure ne soit plus qu'un douillet secret entre soi et soi.

Rien de trop, rien de superflu, seulement cette mesure dont parle Vionnet : c'était le secret de « leur » Parisienne à toutes deux. Les grandes dames vont-elles l'emporter avec elles ?

Celle-là, du moins, aura travaillé jusqu'au bout de son temps.

— On me copie, tu sais, mais on ne m'imite pas ! Les panneaux incrustés de mes jupes, ça n'est pas là pour la décoration ! C'est aussi utile qu'un plan d'architecte. C'est la seule façon de retrouver le droit fil sur les quatre faces d'un corps... Les copieurs font bien les quatre panneaux, mais ils oublient le droit fil, alors tu comprends, ça n'est plus juste !

En me parlant « droit fil », songe-t-elle au « biais » de Vionnet la « sorcière » ?

Biais ou droit fil, pour l'instant, je m'en moque, fascinée par un prodigieux spectacle : ses mains !

Tout ce temps, elles n'ont pas cessé d'aplanir, d'ajuster, de chercher un mariage, une alliance entre cette matière qui a une trame, le tissu, et cette autre qui n'en a pas, le corps.

« Ne l'oubliez pas, mon enfant, le corps humain n'a pas de couture », me répète Jacques Griffe.

Chanel ne l'oublie pas.

Se présente un tailleur en lainage blanc, traversé de trois brandebourgs bleu marine. Cette fois, même pour un œil inexpert, la manche est mal montée et Chanel est presque en colère :

— Enfin, qu'est-ce que ça veut dire ! Ce modèle-là, je ne le mets dans ma collection que pour faire rire, parce qu'il existe depuis que la maison Chanel est ouverte. Alors, depuis le temps, on devrait savoir le faire, et s'il n'est pas parfait, ça n'a pas de sens.

Il sera parfait.

Ou plutôt presque parfait.

Encore l'un des secrets de Chanel, qu'elle me confie lors d'un entracte : « Tu comprends, une robe, il faut que ça aille partout, *sauf en un point !* C'est à cela qu'une femme reconnaît que sa robe est bien à elle, qu'elle a sa personnalité. Moi, regarde, ce que je fais... »

Elle ouvre sa jaquette et qu'est-ce que je vois ? Mon épingle de nourrice ! Celle qui, toute ma jeunesse, a accompagné mes sorties, pour tenter de mettre à ma taille un modèle loin de l'être !

Elle aussi, la reine des élégances, en fait autant ?

— C'est exprès ! Pour que ça grignote, que ça aille un peu mal. Je mets toujours une épingle quelque part pour que ça déforme un peu...

Et, passant à l'acte sur-le-champ, d'un geste fort et décidé, Chanel ceinture jusqu'à le déformer et le rendre méconnaissable un long manteau tube d'un écossais sombre, bordé d'un peu de fourrure au col, aux manches et à l'ourlet.

Le mannequin fait la moue, prête à pleurer : son beau manteau ressemble à quoi, maintenant ? Elle en était enchantée, la première et l'assistance aussi. On s'entreregarde, consternés.

Chanel perçoit la réprobation générale et s'amuse plus que jamais ! Le discours reprend sur un ton bien audible à tous :

— Un manteau qui a de la fourrure demande une ceinture, sinon cela *fait dame.* Vieux... Il ne faut jamais vieillir les gens, jamais. Maintenant, c'est joli, gentil !

(Comme tous les gens de la couture, elle a horreur des superlatifs.)

Et c'est vrai, le manteau est transformé : la Garbo de 1930 a fait place à une jeune fille d'aujourd'hui !

Chanel avait raison. Elle a toujours raison. Avec, en plus, le triomphe modeste.

Elle s'allume une cigarette — « Seule période où je fume. La collection finie, je n'y touche plus... » —, attend avec impatience le modèle suivant, avide de continuer.

Voici encore un petit tailleur en tweed vert auquel il n'y a rien à reprocher, mais rien ! Le mannequin le sait, le tailleur le sait, Mademoiselle le sait aussi.

La jupe, le dos, les manches, tout est parfaitement d'aplomb — cet aplomb du parfait droit fil, qu'elle aime.

Tout le monde se détend.

Erreur.

Mademoiselle Chanel s'agite sur sa chaise, ce qui est mauvais signe.

Soudain, grondeuse :

— Il ne s'agit pas seulement de naviguer dans le bon goût. Une collection, cela doit produire un choc. Là, il faut que j'invente quelque chose... Venez, mon petit...

Et c'est la bagarre !

La jupe vole en tranches, la jaquette s'effeuille comme un artichaut. Un panneau du dos est saisi, pris en main par la créatrice qui le plisse et l'incruste... dans une des coutures du devant !

Au bout de trois quarts d'heure, Chanel se rassied d'un air assez gai et renvoie d'un geste sa création à l'atelier.

— Tout le temps, j'apprends des choses sur ma collection. Si on ne me retient pas, je vais en refaire une autre...

Que faire pour la retenir, et qui le pourrait ? Il n'y a pas un morceau de tissu qu'elle n'ait choisi, un bout de ruban dont elle n'ait décidé la largeur, le coloris, ni une garniture et le détail même d'une garniture qu'elle n'ait revus...

De temps à autre, elle soupire dans ma direction :

— J'aurais aimé faire un métier où l'on n'a besoin de personne, où l'on est seule, libre...

Là, je crois qu'elle ment : elle a besoin de sa cour. Elle aime travailler devant un public et l'éblouir. Elle jouit de se donner en spectacle — à elle-même, aux autres, à moi...

Ravie lorsqu'elle peut prendre de vitesse, d'audace et d'invention son escouade de techniciens éberlués.

Quand c'est fait, elle s'en va.

Elle non plus, comme Vionnet, Saint Laurent, Balenciaga, tant d'autres, ne reçoit pas la clientèle. On ne la rencontre pas dans ses salons. Jamais elle ne fait l'essayage d'une cliente. Ou alors c'est un privilège, qu'elle consent plutôt aux actrices.

Chanel, comme Vionnet, a un faible pour les comédiennes de talent. Delphine Seyrig, Jeanne Moreau, Anouk Aimée ont vu son œil d'oiseau noir se poser sur elles. Regard long, précis.

Si elle préfère les femmes qui « travaillent » aux femmes du monde, c'est qu'elle aussi a connu l'époque où un couturier n'était qu'un fournisseur. L'est toujours quelque peu, pour certains.

— Quand j'ai débuté, on ne recevait pas les couturiers. C'est moi qui les ai fait recevoir. Doucet est un homme qu'on ne saluait pas et qui, cependant, a laissé des collections d'art admirables...

Comme les comédiens qui, longtemps, n'ont pas eu droit au cimetière ? Pourra-t-on les venger ?

D'abord, les mettre à leur vraie place. Et, si possible, de leur vivant.

— Tu reviens demain ?

Je hoche la tête. Autant de temps qu'il faudra.

Chanel collection

Les jours passent, les nuits aussi, et nous sommes au matin de la collection.

Une tension silencieuse s'est emparée de toute la maison ; pas de Chanel. Quand j'arrive, je la trouve comme d'habitude, juste levée un peu plus tôt et le chapeau peut-être imperceptiblement de travers.

Elle ne me dit pas bonjour — cela viendra plus tard —, mais poursuit le travail en cours ; autant dire qu'elle tente de résoudre un « drame ».

Un vrai.

Alors que chacun des mannequins passe onze modèles, l'une n'en a plus que deux ! Les autres ont été revus et redéfaits par Mademoiselle dès son arrivée rue Cambon. Ils ne seront pas prêts pour trois heures de l'après-midi : c'est techniquement impossible. Pauline, qui est restée deux mois debout à essayer sans trêve, se trouve au bord de l'hystérie, déchirée par le désespoir et la fureur. Pour bien le manifester, elle a ôté sa blouse de travail, enfilé un tailleur qui lui appartient, et elle se tient devant Mademoiselle afin de lui expliquer à quel point sa situation est intolérable ! Injuste.

Chanel, qui sait fort bien jusqu'où elle peut aller

avec son entourage — ce qui va encore, ce qui ne passe plus —, veut lui donner le temps de s'apaiser et se tourne vers moi :

— A partir de sept heures du soir, je ne peux plus rien dire, parce qu'ils ne tolèrent plus rien ! Ils éclateraient. Et comme il y a encore du travail à faire le lendemain, il ne faut pas que je les désespère, il faut que je leur laisse encore quelque chose pour continuer...

Sous-entendu : hier soir, les costumes de Pauline n'étaient pas au point, mais je n'ai pas pu ni voulu en faire état avant ce matin...

Elle ajoute : « Je mourrais de honte si on les avait passés comme ça ! » En fait, elle le sait bien, personne n'y aurait rien vu, sauf elle.

Mais, assise sur les marches de son escalier, comme elle le fait pour chaque collection, elle se serait rongé les sangs.

Son exigence est totale, ce que toute le monde respecte : lorsqu'une des filles est malade, même si Chanel sait qu'elle mutile ainsi sa collection, elle refuse que ses modèles passent sur une autre. Elle les a faits sur ce corps-là, en fonction de ses points faibles et de ses points forts et pour l'embellir, non sur un autre.

Pauline écoute. Soudain, elle pousse un hurlement :

— Mais c'est à moi, ça, Mademoiselle !

Tout en parlant, Chanel, ciseaux en mains, a commencé à défaire le col et l'épaule de son tailleur dont l'aplomb ne lui plaisait pas. Comme elle l'a fait toute la journée pendant des semaines et des semaines, et comme elle pourrait continuer à le faire indéfiniment, tant qu'il y a des corps, et des vêtements sur ces corps qui tombent mal et lui font mal...

En même temps, cette folle de couture ne sait pas manier l'aiguille, elle me le redit :

— Je ne sais pas coudre un bouton !

Elle ne sait qu'une chose : voir.

En cela est le don inné du couturier. (Le regard de Vionnet, le regard de ma mère sur moi, j'en tremble encore...)

« Voir » est une expression qu'on entend tout le temps dans les maisons de couture et les ateliers.

« Lucile, vous avez *vu* ? » « Tu as bien *vu*, mon petit ? » « Remontrez-moi le tailleur au col châle, je veux le *revoir*... » « Il faudra *voir* vos coutures... » « Je n'ai pas *vu* la robe à volants, aujourd'hui ! » « Ça, je l'ai *vu*, vous pouvez l'emporter... »

Seulement voilà, tout le monde ne *voit* pas !

— Il faut que ça soit droit ici, s'exaspère Chanel face au fameux tailleur gansé qu'elle ne met dans sa collection, a-t-elle dit, que pour faire rire. Je vous l'ai dit cent fois, je vous le redirai sans me lasser... Vous avez bien *vu*, cette fois ?

— Oui, Mademoiselle.

Ils disent oui, mais ça n'est pas vrai. Sinon, ces fantastiques techniciens seraient à sa place de créatrice, et non à la leur, d'exécutants.

Admirables de labeur et de patience, ils mettent leurs mains exactement où elle a mis les siennes, mais cela ne suffit pas.

Ce matin, je sens la première aux traits creusés, désespérée et comme ivre d'avoir à recommencer pour la enième fois ce qu'elle a déjà refait la veille, alors que ça lui paraît être exactement la même chose.

Seulement, ça ne l'est pas.

Chaque fois que le modèle est repris à l'essayage puis à l'atelier, il y a progrès — ou rechute —, en tout cas une modification. Comme la première n'a pas vraiment *vu*, le changement procède souvent du hasard.

C'est cela qui rend folle Chanel : l'aveuglement général autour d'elle !

Moi non plus, assise dans son dos, suivant au plus près ses mouvements, je ne vois pas vraiment ce qui provoque sa fureur. Ça me paraît bien, très bien comme ça. Puis, brusquement, sans que j'aie compris ce qu'elle a fait, ça me paraît mieux !

C'est le moment où Chanel s'asseoit et dit à sa première, qui ébauche un pâle sourire sous la caresse : « Ma chère, cette fois, je crois que nous sommes bien ! »

Il était temps.

Même si Chanel met son personnel à bout, son pouvoir n'est jamais contesté, pas plus que celui d'aucun grand couturier. Car ce pouvoir n'est pas dû à la hiérarchie ou à l'argent, mais au fait qu'en effet, ils *voient*.

Non que les autres soient complètement dans le « brouillard » ; leur acuité de vision est au contraire exceptionnelle. Mais ce qu'ils voient, eux, ou plutôt devinent, tant c'est parfois imperceptible, c'est le détail : une bosse à l'arrondi, un point de travers au col, une doublure qui tire... Ils ne voient pas l'ensemble.

Surtout, ils ne voient pas le modèle qui n'est pas, n'existe pas encore, pourrait être... En somme, ils ne voient pas l'invisible, l'irréel, le surréel, privilège naturel des seuls voyants.

Quand Jeanne Mardon, avec son bon sens d'ouvrière, me dit : « Sans nous, pas de robes ! Que feraient-ils avec leurs petits croquis, leurs bouts de toile de coton mal épinglés, si nous n'étions pas là pour réaliser leurs idées ? », je peux lui répondre :

« Oui, chère Jeanne, mais sans leur regard et leur vision, pas de modèles, pas de Haute Couture ! »

On en serait encore à répéter indéfiniment les mêmes patrons... Et quand une couturière à domicile cherche avec sa cliente — ça m'est arrivé comme à tout le monde — à « améliorer » un modèle tiré d'un magazine, chacun sait bien qu'avec les meilleures intentions du monde, elles ne peuvent que tout gâcher !

Si faire des modèles ne demandait que des mains, toutes les couturières seraient grands couturiers.

Il faut aussi l'œil. Et l'esprit derrière l'œil.

— J'en ai assez, me dit soudain Chanel, de travailler pour qu'on ne me comprenne pas. C'est ma dernière collection !

Que Dieu ne l'entende pas.

Merci, Marguerite !

Quand je sonne à la porte de son petit appartement, dans une rue discrète de Neuilly, j'ai le cœur battant : à quoi peut bien ressembler celle que Christian Dior appelait sa « Dame Couture » ?

Sans le concours de Marguerite Carré, a-t-il maintes fois déclaré, il n'aurait jamais accepté d'ouvrir la maison Christian Dior.

Une petite dame aux cheveux blancs — elle fut une rousse flamboyante, au teint laiteux — m'ouvre précautionneusement la porte, puis se jette dans mes bras.

A peine nous sommes-nous embrassées qu'elle se recule pour mieux me considérer.

— Que se passe-t-il, me dit-elle, c'est la première fois que je vous vois et j'ai l'impression de vous connaître depuis toujours !

— Mais, Marguerite, c'est la couture...

Car moi aussi, dès l'instant où elle m'a regardée de son regard scrutateur, avide d'émerveillement, auquel toutefois aucun défaut ni aucune qualité n'échappe, je me suis retrouvée en terrain familier.

Sa tenue aussi, cette robe noire coupée par Marcel Bohan — l'actuel créateur de la maison Dior —, juste éclairée au cou par un beau et discret rang de perles fines, me rappelle l'uniforme de luxe des servantes de la Mode.

Sa voix, surtout, est de la couture : une voix nette et affectueuse, faite non pour commander, mais pour demander... et aussitôt tout obtenir !

De préférence l'impossible.

Nous nous asseyons, Marguerite Carré et moi, près de la petite table basse où un amas de photos la représentent avec son cher Christian Dior. Au travail, bien sûr. Car ils n'ont pas eu d'autre vie.

Et nous nous mettons à parler.

C'est-à-dire que Marguerite Carré commence une phrase et que je la termine... Ou alors elle cherche un nom, et je le trouve !

— Mais oui, c'est bien ça, Madame Chatenet ! Vous avez connu Madame Chatenet ?

— Bien sûr, Marguerite, j'étais petite, mais je me souviens très bien d'elle. Elle a été directrice des ateliers chez Vionnet.

— Puis chez nous, chez Dior. Quelle efficacité !

J'aime la façon dont elle dit « nous ».

— D'où êtes-vous, Marguerite ?

— Moi, mais de chez Worth !

Elle me répond ça si vivement qu'une personne non avertie pourrait penser que Worth est son lieu d'origine, et c'est vrai qu'elle est « née » là, entre les mannequins de bois, les tables à couper et les épingles.

— Après, je suis allée chez Patou. C'est là que Monsieur Dior est venu me chercher. J'ai hésité — j'étais si bien chez Patou — et puis j'ai fait le saut. En fait, j'en avais envie ! Et j'ai eu raison. Dior, quel grand souvenir !

— La maison Dior a obtenu la gloire du jour au lendemain. Dès votre première collection, le 12 février 1947, avec le *new look* ! Ça a dû être extraordinaire ?

— Quelle maison, la maison Dior !
— La première de son époque !
— C'est vrai, seulement...
— Seulement quoi ?
— Écoutez : si Dior était magnifique, vous ne pouvez pas savoir ce qu'a été Patou ! Et tout ça n'est rien à côté de Worth, juste après la guerre de 14 ! L'explosion de luxe, de beauté... impossible de le soupçonner !
— Dites-moi...
— Personne ne peut imaginer la somptuosité et le raffinement d'une maison de couture comme celle de Worth, avant et après la Première Guerre... Elle était située rue de la Paix, et les clientes arrivaient en voitures à cheval, la plupart vêtues de zibeline, avec un petit bouquet de violettes niché au col, juste là ! Dans leurs robes en dentelle d'argent rehaussée de corail, portées avec leurs diamants, elles étaient d'une élégance indescriptible !

Marguerite a les gestes exquis des gens de la couture qui ne peuvent parler d'un vêtement ou d'une attitude sans les dessiner dans les airs. En fait, qui les racontent avec leurs mains.

Et on s'envole à leur suite, en plein rêve.

— Chez Patou, en 1920, il y avait un bar pour que les femmes puissent attendre tranquillement leurs essayages en recevant des amis. Eh bien, c'était d'un raffinement ! Le plus extrême que j'aie jamais vu. La concentration de jolies femmes y était inconcevable. Nulle part ensuite je n'ai vu autant de femmes aussi belles ! Vous comprenez, c'étaient des femmes, venues du monde entier, qui ne vivaient que pour s'habiller. Le bar était ouvert aux hommes. Que de jolies scènes de séduction... !
— Les Parisiennes devaient être les mieux ?

— Je vais vous étonner : les plus belles et les plus élégantes étaient de loin les Italiennes, en particulier les Vénitiennes, les Dalmatiennes. Quelques Chiliennes aussi. Rien n'égale le sens de l'élégance de ces femmes-là.

— On dit pourtant que les femmes de Paris sont au sommet du goût et du chic ?

— Les élégantes de Paris, en ce temps-là, venaient du Faubourg Saint-Germain, et il y avait en elles quelque chose d'un peu...

— ... guindé ?

— Exactement. Elles manquaient de liberté d'allure, de souplesse et de fantaisie, en somme de vrai « chic ». Tandis que les Italiennes...

Marguerite Carré a le regard au loin, je la sens partie dans un romanesque qui la ramène à son adolescence.

— J'avais quinze ans et je travaillais chez Worth comme petite main, la journée entière, vous imaginez bien. Mais je ne pensais qu'à une chose : m'arracher en douce à ma tâche et courir à la fenêtre soulever un instant le rideau de l'atelier pour voir les clientes descendre de voiture, rue de la Paix. Quelle beauté ! Et l'allure du couturier, Monsieur Jean-Philippe Worth, avec sa belle barbe noire ! Il les recevait comme si elles étaient toutes des reines. D'ailleurs, ces femmes étaient des reines.

Par sa force de rêve et sa conviction, Marguerite me ramène à mon propre engloutissement, celui dans lequel j'ai vécu, enfant, au cœur de ce monde qui peut paraître le comble de l'inutile et de la frivolité.

Nous en vivions.

Marguerite aussi en vit encore.

— Racontez-moi Dior, Marguerite. Vous avez été

sa plus proche collaboratrice, vous l'avez vu vivre, travailler, triompher, mourir...

— Tout le monde me dit : “Ah ! vous étiez chez Dior ?” C'est beaucoup plus que ça : j'ai *ouvert* Dior avec lui, en 1946 ! Il était encore chez Lucien Lelong, où il a débuté, et moi j'étais toujours chez Patou, lequel était mort. Dior n'avait pas encore donné sa pleine mesure et il avait envie de monter sa propre maison. Georges Geffroy lui a dit : “Tu ne peux le faire qu'avec Marguerite Carré !” Il nous a donc réunis à un petit dîner, et j'ai sauté le pas.

Elle se penche vers moi :

— Quitter Patou, où j'avais travaillé dix-huit ans, ça n'était pas rien ! Lelong m'avait déjà offert de venir travailler chez lui, j'avais refusé, et il m'a dit : “Vous le ferez un jour ou l'autre !” Et voilà, je l'ai fait pour Dior en me disant : “Si tu ne le fais pas cette fois-ci, c'est que tu n'as pas d'estomac !”

Dans ce monde artisanal refermé sur lui-même, il a existé et il existe d'étonnants personnages, comme Marguerite Carré, ignorés du grand public, mais que le milieu connaît et parfois révère : chevilles ouvrières sans lesquelles le « créateur », celui dont le patronyme est devenu une marque, n'existerait pas.

— Il faut dire que Christian Dior m'a conquise ! J'avais beaucoup aimé Jean Patou, qui était un individu enthousiaste, frondeur, provocant en tout. Dior était complètement différent. Mais tous deux avaient la même envergure. Il en faut pour diriger une grande maison de couture.

Marguerite Carré la rend à nouveau vivante, cette création du grand couturier :

— Dior avait des coups de crayon splendides ! Bien sûr, en 1946, ça n'était pas encore ceux de 1955, et c'était à moi de tirer parti des croquis qu'il me confiait... Moi, ce que j'aime, c'est sculpter, couper le tissu. Dior me disait : "Marguerite, vous avez une âme de sculpteur !" Christian m'a été tout de suite extrêmement reconnaissant de mon travail. Il me disait : "Ma chérie, si je ne vous avais pas eue, je n'aurais pas fait la maison que j'ai faite, ça n'aurait pas été une telle réussite !" A quoi je répondais : "Monsieur, si ça n'avait pas été moi, vous auriez trouvé quelqu'un d'autre..." Il me répondait : "Ça n'aurait pas été pareil !" C'est vrai qu'il y avait entre nous une telle compréhension...

« Au début d'une collection, Dior partait travailler à la campagne et il m'écrivait : "J'ai fait quatre cents dessins. Pourvu qu'ils vous plaisent !" Vous voyez la gentillesse ! Il rentrait, il me montrait ses dessins et je m'enthousiasmais pour certains d'entre eux : "Monsieur, vous tenez là quelque chose de merveilleux !" Il était content : "Vous croyez, Marguerite ? Bon, je vais le terminer et je vous le donnerai demain." Je protestais : "Non, Monsieur, celui-là, vous me le donnez tout de suite !" J'ai toujours préféré les esquisses, c'est plus évocateur... Alors il finissait par céder, j'emportais les dessins que j'avais choisis et j'allais les distribuer aux premières d'atelier pour qu'elles montent les toiles selon mes directives.

« Je possédais l'énorme technique que j'avais acquise depuis mes seize ans, date de mon entrée chez Worth, puis chez Patou. Je pouvais expliquer aux premières comment monter les toiles que je supervisais. Et une fois qu'une toile avait rendu le maximum de l'expression du croquis, je me décidais à la montrer à Dior. Il arrivait que le résultat dépasse ce qu'il avait espéré. Alors il se levait avec un tel enthousiasme, une telle joie, qu'il me prenait dans ses bras : "Oh ! ma chérie, ma chérie, que je suis content !"

« Pour choisir le tissu, nous prenions la décision ensemble : “Alors, ma chérie, vous le voyez en quoi ?” me disait Dior. Nous avions déjà autour de nous tout ce qui nous était nécessaire, mais cela ne suffisait jamais... Il fallait que la manutentionnaire nous apporte encore dix à quinze pièces de tissu parmi lesquelles nous pouvions choisir... Dior adorait les tissus, leur matière, qui l’inspiraient. Peut-être avait-il une préférence pour le *Starella* de Staron, un taffetas légèrement granité qui n’avait pas le plat et la tristesse ordinaire du taffetas. Il était tout saupoudré de petits grains...

Pour Vionnet, c’était le *Rosalba*, une sorte de crêpe de soie qu’elle se faisait fabriquer spécialement. Griffe préférait la mousseline, Grès son jersey de soie, Chanel, les épais lainages tissés pour elle en Écosse... Chaque couturier a un penchant plus ou moins marqué pour la matière qui lui permet le mieux de réaliser sa ligne. C’est aussi celle qu’il manie avec le plus de plaisir. Georges Bachelard, philosophe, classe les individus en fonction du matériau qu’ils préfèrent travailler : les uns vont d’emblée vers le métal, d’autres vers le bois, ou le papier, la pierre, le cuir... Ce choix spontané révèle leur caractère, en même temps qu’il leur permet de donner la pleine mesure de leur talent.

— C’est monsieur Dior qui a eu l’idée du tissu “panthère” que Bianchini, à sa demande, a parfaitement réussi. Tout le monde, même moi, avait son imperméable en faille panthère. Quel succès !

Quelle angoisse, aussi...

— La plupart du temps, Monsieur Dior travaillait sur Ala ou sur Victoire. Mais, jusqu’au dernier instant, on ne savait pas si le modèle ferait partie du défilé ou s’il serait rejeté.

Il pouvait ne pas être prêt à temps !

— Je me souviens d'une grande robe brodée par Rébé. A quatre heures du matin — nous étions la veille de la collection —, la robe n'était pas revenue ! Je décide de prendre un taxi et je fais un saut chez Rébé. Qu'est-ce que je vois : ma robe si bien en morceaux que je la reconnaissais à peine ! Elle était en pièces détachées sur les métiers des brodeuses ! J'en ai eu des frissons. Mais elle a tout de même été prête...

Course contre le temps ! Jeu aussi... Car il y a une jouissance à se dire qu'étant donné les délais, on n'y parviendra pas ! Toute la maison s'y met, une exaltation s'empare alors de chacun, qui donne son meilleur, et, une fois de plus, le miracle se produit.

Mais à quel prix ! Des gens épuisés, usés avant l'âge...

En réalité, la plupart du temps, aller jusqu'à la limite de soi-même fortifie. Tous ceux qui ont fait la guerre, que ce soit contre eux-mêmes ou contre les autres, le savent : c'est au moment où on n'en peut plus qu'on s'aperçoit qu'il est encore possible de plonger plus profond dans l'inépuisable réservoir des forces humaines, lesquelles sont avant tout spirituelles, et qu'à sa propre surprise on parvient à se dépasser.

Madeleine Vionnet me l'avait répété : « C'est en se dépassant qu'on s'atteint. » Et aussi : « Il faut donner tout ce qu'on a, et cela vous revient ! Tu verras... »

C'est sur ces maximes morales et disciplinaires que continue de fonctionner la Haute Couture.

— Marguerite, n'êtes-vous pas lassée d'avoir tant travaillé ?

— Moi ? Mais je n'ai jamais eu le sentiment de travailler ! Cela se passait dans une telle fièvre, un tel enthousiasme... Il m'est arrivé de me rendre toute seule chez Dior — j'avais les clés — le 14 Juillet ! Et aussi le 1er Janvier ! J'allais dans les ateliers voir les toiles ébauchées sur les mannequins. Comme ça, le lendemain, en arrivant, je pouvais dire aux premières : “Vous n’êtes pas dans le bon sens, il faut repartir comme ça !” Le dimanche aussi, c’était plus fort que moi, j’étais là à me dire : “Mais qu’est-ce que tu fais à te dandiner, à te prélasser chez toi, avec tout ce travail qui t’attend ! Au lieu d’aller voir ce qui se prépare... Je ne soufflais mot mais, tout à coup, mon mari me disait : “Allez, vas-y !”

— Vous ne viviez tout de même pas de l’air du temps ?

— Grâce au Ciel, Monsieur Dior aimait manger ! Ça m’arrangeait beaucoup qu’il aime manger... On nous dressait une table volante et nous mangions là, dans le studio de l’avenue Montaigne. Pour la première collection, la maison était encore en travaux et nous l’avons préparée sous les combles ! Dior était assis sur les rouleaux de tissus qui croulaient sous lui...

Ils aiment tous vivre à ras de terre, comme si c’était là, au sol, qu’ils reprenaient le mieux leurs forces. Je revois ma mère à quatre pattes sur la toile de coton, cherchant sa forme, son sens...

— Et les robes, Marguerite, vous souvenez-vous des robes ?

Son visage s’éclaire.

— Toutes ! J’ai en tête un modèle qui a eu un succès fou. Nous l’avions baptisé *La femme des Halles*... Cette robe prenait trente mètres de lainage en cent quarante. Un lainage léger, mais quand même ! Avec son corsage minuscule, la petite taille bien serrée sur cette large jupe tombant jusqu’aux chevilles, c’était divin, je peux vous le dire, ça balayait l’ambiance...

— Qui a inventé ce qu’on a appelé le “pli Dior” ?

— Mais moi, bien sûr, inconsciemment ! Cette saison-là, il fallait que la jupe soit très étroite. J’ai dit à ma première : “Il n’y a qu’une chose à faire pour que ça ne soit pas épais : tu laisses ta couture ouverte et tu ne redoubles pas ton tissu. Il faut que ça puisse jouer en marchant... Pour que ça fasse fini, tu prolonges le fond du pli par une bande de crêpe de Chine que tu caleras à la taille.” J’ai dit ça comme nous faisions à tout moment, sans y accorder tellement d’importance... Je ne me suis pas du tout rendu compte que j’inventais quelque chose ! Ce pli Dior, par la suite, quelle révolution !

— Pourquoi Dior a-t-il dominé son époque ?

— Je n’ose pas vous dire : il y avait moi !... Mais j’étais en relation avec ce qu’il y avait de mieux parmi la clientèle de chez Patou, et beaucoup m’ont suivie. Une femme m’a dit en me voyant : “Ah ! vous êtes là, Marguerite. Alors, ça ne peut qu’être bien ! C’est une garantie de succès !”

« En fait, si Monsieur Dior a réussi, c’est, je crois, parce qu’il est plus moderne. A chaque époque, il y a ainsi quelqu’un qui est plus moderne que les autres et qui modifie la mode. Une nouvelle mode change la ligne et le comportement d’une femme. Même sa façon de marcher est différente... Je voyais arriver les femmes : dès qu’elles avaient enfilé une robe Dior, elles étaient transformées...

— Vos robes, dit-on, étaient aussi finies à l’intérieur qu’à l’extérieur...

— Les profanes attachent beaucoup trop d’importance à cela ! Il est normal qu’une robe qui coûte des prix extravagants soit impeccable à l’intérieur, mais ce qui compte, c’est la ligne et l’allure ! Or, trop bien coudre, coudre trop serré, abîme un modèle. Une robe n’est jamais aussi belle que lorsqu’elle est bâtie et qu’elle a ses fils ! Monsieur Dior me disait toujours : “Ah, si nous pouvions montrer les robes avec les fils !”

Moi-même, quand une robe était finie, je disais à la première : “C’est dommage d’enlever les fils !” Elle me répondait : “Il le faut bien, Madame Marguerite !” Oui, il fallait les enlever... Et puis il n’y avait plus qu’à recommencer.

« Je me souviens d’une remarque de Jean Patou. J’étais avec lui dans la micheline qui allait à Deauville, nous allions essayer sa robe de mariée à la personne qui allait épouser l’Aga Khan et devenir la Bégum. Une femme ravissante d’ailleurs, avec ses cheveux roux, son teint clair, qui s’appelait Caron — Paris l’appelait « la Chocolatière », en pensant à ses débuts ! Eh bien, Patou m’a dit soudain : “Tu vois, notre métier est horrible : il faut sans cesse recommencer !”

— Ça ne vous manque pas d’avoir arrêté ?

— Je rêve encore de robes que je ne finis jamais. Dans mon rêve, je commence une robe et ça ne se précise pas. Quand je les faisais, je n’en rêvais pas... Après la mort subite de Christian Dior — ce choc abominable —, j’ai continué un moment avec Yves Saint Laurent. Il était délicieux, je l’adorais, je crois qu’il m’adorait aussi, puis il a créé sa propre maison, et moi je suis restée chez Dior — je l’avais fondée, cette maison-là ! — avec Marc Bohan, mais je suis tombée malade. C’est comme ça que j’ai quitté la couture.

« Et puis, un matin, voilà que je me dis : “Mon Dieu ! mais c’est le jour où ils vont commencer la collection, et ils vont la faire sans moi !” Alors là, j’ai fait une véritable dépression...

Marguerite Carré soupire, ses yeux s’embuent.

— La mort de Dior ! Il était trois heures du matin quand on me l’a annoncée. Le mois d’avant, j’avais accepté d’aller passer quelques jours chez lui, dans sa propriété qui s’appelait *La Colle noire*. Il m’avait dit :

"Ma chérie, cela fait plusieurs années que je vous invite et vous ne venez jamais ! Si ça n'est pas cette année, je ne vous inviterai plus." C'était en août, et je suis allée à *La Colle noire*. J'ai passé huit jours merveilleux dans cette propriété divine, dominant Grasse qu'on voyait au loin, la nuit, tout éclairée. Dior était un homme tellement accueillant, délicat, subtil, c'était féerique de vivre avec lui ! Je rentre à Paris en septembre, Dior part en voyage, une cure, et à trois heures du matin, on me téléphone en me disant : "Marguerite, Marguerite, Dior est mort !" J'ai failli m'évanouir, je suis tombée dans un état épouvantable — début de phlébite — et mon médecin m'a interdit de faire le voyage pour aller l'enterrer à Gallian, dans le caveau de famille. Je n'ai pu aller qu'à l'église, à la messe. Je ne tenais plus debout... Qui aurait pu se douter, lui qui était si vivant, si proche, toujours affectueux !

Elle me montre un télégramme mêlé aux photos et à d'autres petits mots :

— *"Marguerite chérie, votre collection semble plaire beaucoup !* ["Ma" collection ! Vous voyez l'homme...] *Je suis heureux pour vous et pour la maison. Je vous félicite et vous remercie pour l'aide inestimable que vous m'apportez. Je vous embrasse bien tendrement. Soyez gentille de dire à Ida, Jeanne, Roger et Odette que leur travail a été très apprécié ici. Encore mille affections. Votre vieux patron qui vous aime tendrement."* Est-ce que ça n'est pas exquis ?

— Christian Dior était plus âgé que vous ?

— A peine. Il n'avait qu'un an et demi de plus que moi... Mais je me sentais sa sœur aînée...

En couture, ils savent tous, à un an près, l'âge qu'ont les uns et les autres. C'est comme dans les familles : « Tu sais bien, Yves Saint-Laurent avait dix-neuf ans quand il est entré chez Dior, c'était en 1955, il doit donc avoir aujourd'hui... »

A quoi ça leur sert ? A se situer eux-mêmes et à ne pas se perdre de vue.

Depuis que je les fréquente à nouveau, je contribue d'ailleurs à cette incessante remise à l'heure des pendules. Je téléphone à Antoinette, que je n'avais pas revue depuis la fermeture de la maison Chaumont et son mariage. Entrée chez Vionnet comme mannequin en 1937 —« deux ans et demi avant la guerre », me précise-t-elle —, Antoinette Delort a été pendant dix ans avec ma mère. « J'ai ouvert et fermé la maison ! » dit-elle. A peine l'ai-je au bout du fil qu'elle me demande : « Qui vous a donné mon numéro de téléphone ? — Jacques Bourdeu. — Mon Dieu, mais où en est-il, que devient-il ? Toujours directeur des Fourrures Georges-V ? » J'explique, renseigne. Là-dessus, Antoinette me raconte ce qu'elle sait des uns et des autres, en particulier des deux jeunes femmes, Sonia, femme de Charles Montaigne, lequel vient de mourir, et Marcelle, toutes deux également mises à pied par la liquidation de la maison Vionnet et entrées elles aussi chez Chaumont.

Ce qu'il y a de curieux, dans cette perpétuelle mise à jour du *Carnet* de la Couture par le bouche-à-oreille, c'est qu'elle se fait sans critique ni commentaire déplaisant. « Elle vient d'entrer chez Lacroix », « Il a quitté Lanvin ? », « Madame Grès a pris sa retraite... » C'est comme un réseau qui s'auto-informe pour demeurer cohérent avec lui-même. Même au niveau des ouvrières : j'ai donné l'adresse de Palmyre Bouvard à Denise Maillet, qui partait dans sa région, et elle va, m'a-t-elle dit, tâcher de la contacter. J'ai prévenu Palmyre qui, sans la connaître, me répond : « Pourvu qu'elle m'appelle ! »

La couture fonctionne bien comme un seul corps. Et quand quelqu'un disparaît, c'est une vraie mutilation. Un personnage essentiel ne cessera de manquer et d'être évoqué.

— Dior ! Il était si touchant ! Une intelligence, un tact, une bonté, une autorité... Le soir, quand il quittait son studio, n'en pouvant plus, rajustant ses bretelles — oui, il portait des bretelles, il était légèrement bedonnant —, eh bien, à le voir enlever sa blouse blanche et partir en traînant un peu les pieds, nous le regardions toutes avec attendrissement ! C'était vraiment de l'amour entre nous !

— Oui, Marguerite, mais étiez-vous payée comme il convient ?

— Je dois dire que je n'ai même pas une fourrure de prix ! Mais la question n'est pas là. J'ai eu la chance inouïe de passer ma vie avec des gens extraordinaires, dans la beauté, le luxe, le raffinement suprême... Et de travailler dans un tel enthousiasme ! Christian Dior m'a écrit des États-Unis, où il était allé montrer la collection et où il s'ennuyait un peu : "La vie à Paris est un miracle !" C'était vrai pour nous, gens privilégiés de la couture, et nous le savions toutes.

Pas un gramme d'amertume : ce qui est donné est rendu, Vionnet a raison.

Le vieux maître et l'élégance

Il est assis contre la serre, sur l'une des belles et massives chaises de jardin conçues par Madeleine Vionnet pour son propre usage, dans cette maison de Cély-en-Bière, près de Milly-la-Forêt, que j'ai connue tout enfant et que Marraine Vionnet lui a cédée lorsqu'elle est devenue trop âgée pour quitter Paris et se rendre à la campagne.

Décidée à ne plus bouger du square Antoine-Arnaud, elle voulait que ce fût lui, Jacques Griffe, son élève, devenu son ami, qui en ait la propriété et la garde. Certaine — elle avait raison — qu'il la conserverait le plus longtemps possible telle qu'elle l'avait faite, telle qu'elle reste.

Griffe me regarde de ses admirables yeux d'un bleu délavé qui voient loin, bien plus loin qu'ici et aujourd'hui.

Qui revoient ses amours, ses beaux salons de la rue Royale, à l'heure de la présentation des modèles, avec ses amies les mannequins balayant du pan d'une jupe de mousseline — "Ah ! la mousseline, c'est ce que je préfère à tout !" — l'attention d'autres femmes figées par le désir.

Je lui ai posé la question-piège : « Jacques, qu'est-ce que l'élégance ? »

Nous nous connaissons depuis plusieurs années, maintenant, et lui rendre visite dans cette maison, non loin de Fontainebleau, où je n'étais pas retournée depuis mon enfance, m'a procuré, la première fois, une vive émotion. Dès la route, je reconnais la serre, inchangée depuis le temps de Vionnet : vaste et haut bâtiment garni de plantes rares et bien soignées. Il y a aussi cette étrange cheminée de briques, dominant les bâtiments, et qui correspond, paraît-il, à un conduit d'aération. Cette tour s'était fixée dans ma mémoire... Mais ce qui me bouleverse, tandis que Griffe me conduit à travers les étages, puis dans le jardin, c'est que je reconnais des lieux, des meubles dont je pensais avoir tout oublié :

— Mais c'est la chambre de Marraine !

— Bien sûr, avec les lits-armoires qu'elle s'est fait spécialement construire pour être comme elle l'aimait, bien "enfermée".

Travail d'artisan peu banal, aussi, que celui du cabinet de toilette avec ses tablettes d'un verre très épais sur leurs lourds supports de métal style arts-déco. On retrouve l'esprit d'alors dans l'emploi si généreux du matériau. Soudain, je m'immobilise face aux dessins à demi gommés d'un papier peint 1930, beige et orangé. J'ai dû coucher dans cette chambre-là, il y a longtemps, car ces fantômes de formes me parlent !

Le potager aussi — j'aime les potagers, l'âme s'y repose —, les arbres et leur disposition me font des signes. Voici les cerisiers, le châtaignier, les cèdres : comme ils ont grandi ! « C'est Madame Vionnet qui les a plantés, elle aimait tant son jardin ! » Je me dis que ses arbres ont pris racine mieux que ses robes.

C'est ma première pensée, et je me trompe : si nous sommes là, Jacques Griffe et moi, si proches, ce n'est pas pour les arbres de Vionnet, mais pour ses robes.

— Eh bien — déclare soudain le couturier avec ce rien d'accent qui lui reste de sa naissance dans l'Aude et qui lui confère non pas un air de province, mais du poids, celui du terroir —, je pense que l'élégance, c'est la sobriété.

Il rit franchement, amusé de lui-même.

— Vous savez, pendant les collections, je dormais quatre heures par nuit. Le reste du temps, je revoyais mes modèles défiler un à un dans ma tête. Et qu'est-ce que je pensais ? “Il faut enlever, enlever, enlever...” Le lendemain, j'arrivais à la maison de couture, je convoquais mes premières, mes chefs d'atelier, je me faisais présenter tous les modèles et je disais : “Il faut enlever là, et là, et là, et là !” On ôtait dans les manches, on ôtait dans les jupes, on ôtait partout.

— Enfin, Jacques, comment pouvez-vous concilier sobriété et somptuosité ? La Haute Couture, c'est d'abord la somptuosité. Ce que vous me dites là est paradoxal...

— C'est vrai, concède le couturier. Mais qu'est-ce qu'on cherche quand on fait une robe ? Un effet. Eh bien, cet effet, il faut le faire avec le moins de moyens possible.

Je pense à Michel-Ange, à Van Gogh, à Nicolas de Staël... Le plus d'effet possible avec le moins de moyens possible, c'est bien ainsi qu'ils ont travaillé.

Lui rêve, il rêve encore, il rêve toujours. Il a fermé sa maison trop tôt, harcelé par ceux qui n'ont que l'argent en tête : commanditaires, banquiers. Il n'a pas vraiment terminé son ouvrage. Il en souffre.

— J'avais encore quelques petites choses à faire, et si je rouvrais une maison... Mais non, il est trop tard, personne ne me donnera de l'argent pour ça... Vous savez ce que m'a dit Madeleine Vionnet avant de mourir ? Elle m'a dit : "Jacques, je vais aller voir le Bon Dieu, je vais ouvrir tous les placards là-haut, je suis sûre que je vais trouver des petites choses, des petits effets, des formes qui n'ont pas encore été faits, et je vous les enverrai du Paradis. Vous allez voir !"

Il a plus de soixante-dix ans et l'air d'un enfant.

— Jacques, racontez-moi encore ces robes si travaillées qu'on n'y comprenait rien sans les mettre à plat, les découdre, les défaire complètement...

— Tout à coup, j'avais un effet dans la tête ! Vite, je tentais de le réaliser à la façon Vionnet, épinglé ou cousu à gros points en toile de coton sur mon mannequin de bois . Puis j'arrivais dans mes ateliers et je disais : "Montez-moi ça !" On me le montait en grandeur réelle, je faisais enfiler la toile par l'un de mes mannequins et je la travaillais. Mais j'avais beau travailler, je n'y arrivais pas tout à fait, cette saison-là... Je n'étais pas vraiment satisfait de mon effet, il n'était pas au point. Il me fallait la saison suivante, où je l'améliorais, puis je l'améliorais encore la saison d'après... C'est seulement au bout de deux, trois, quatre saisons que j'avais enfin réussi, achevé, complètement créé mon effet ! Alors, quand je revoyais mes robes des saisons précédentes, je me disais : "Mais ça n'est qu'un début, je ne suis qu'un débutant !" Je le suis toujours, je ne suis pas arrivé au bout... Avant tout, j'aimais l'harmonie, les robes fluides...

— Parlez-moi de vos clientes.

— J'ai habillé d'anciennes clientes de Vionnet, et aussi de richissimes américaines, Miss Pully, Lady Granard, Madame Rose Kennedy, mère du président. J'ai eu aussi Mammie Eisenhower... Madame Vionnet m'avait dit : "Jacques, vous plaisez aux clientes, il faut aller aux essayages !" J'avais ce don, c'est vrai, de sentir où il y en a trop et où cela manque. Alors j'allais aux essayages et je faisais la conquête de la cliente. Quand les premières, je le sentais, trouvaient que ça durait trop, je leur disais : "Ces femmes viennent chez nous chercher le fin du fin, on ne va pas les épater avec une fleur, un ruban ou une ceinture. Ce qu'elles exigent, chez nous, c'est la perfection de la coupe. C'est cela qu'il faut leur donner, si vous voulez qu'elles reviennent."

— Qui étaient les plus élégantes ?

— J'en ai connu peu, car il y en a toujours eu très peu. Certaines femmes s'habillent très bien, mais l'élégance... Cela vient du fond de soi, et c'est aussi de la patience ! Je me souviens, par exemple, de Madame Hitt. Dès que cette femme se déshabillait, c'était déjà un enchantement... Sa lingerie : une merveille ! Et les chaussures, le sac, les bijoux, tout était fait pour aller ensemble. Et le chapeau ! Eh bien, c'était elle qui liait et combinait tout cela... Moi, je me contentais de lui faire la robe ou le manteau...

« Une autre de mes clientes avait un cahier sur lequel elle inscrivait toutes ses tenues et les accessoires, avec un échantillon du tissu de chaque modèle. Sa femme de chambre le lui présentait tous les matins, et elle mettait une croix sur ce qu'elle voulait porter ce jour-là. Des femmes comme ça, il m'arrivait de leur téléphoner pour leur dire : "S'il vous plaît, venez me voir, je n'arrive pas à me tirer d'un modèle ! Vous allez me dire ce qui ne va pas..." Elles venaient, elles passaient mon modèle sur elles, et ça y était, je comprenais tout !

D'après ce qu'elle m'a confié, Madeleine Vionnet, elle, appelait au secours la duchesse de Grammont.

Ma mère, à ma connaissance, n'avait d'autre juge qu'elle-même.

En scrutant les résultats de la vente, en particulier aux acheteurs étrangers, et la réaction de ceux qu'on appelait les « commissionnaires », on savait, deux, trois jours après sa première présentation, si la collection serait ou non une réussite commerciale. Si, du coup, on allait pouvoir partir en vacances détendues, ou si, le sourcil froncé, il allait falloir se remettre immédiatement à la tâche. Car, si la collection ne rendait pas autant qu'il était nécessaire, il arrivait à ma mère de refaire à toute vitesse quelques modèles dans l'esprit qui plaisait le mieux aux acheteurs.

C'était avec eux qu'on faisait le gros du chiffre, ensuite seulement avec les clientes. Mais comment satisfaire ces gens qui n'étaient pas toujours à leur propre compte, mais travaillaient pour des maisons situées à l'étranger, dont beaucoup aux États-Unis ? Certes, il leur fallait du nouveau, de l'inédit, mais pas trop ! Ou plutôt, leur œil ne se faisait pas du premier coup, il fallait donc leur offrir un panachage du « nouveau » de l'année passée — devenu du « vieux » pour ma mère — et du vrai nouveau de cette saison-là, afin qu'ils s'y habituent et... l'achètent la saison d'après !

Quelquefois, une forme prenait tout de suite et faisait un malheur dans l'instant même ! Allez savoir : c'est dur, l'art soudé au commerce...

Palmyre Bouvard m'appelle d'Aix par téléphone. Nous parlons longuement du temps qui a précédé ma naissance et dont, sans elle, dernier témoin, je ne saurais plus rien.

« Je suis entrée chez Vionnet en 1921, la maison

était encore 222, rue de Rivoli. Votre mère était une femme si belle, un peu rousse, qui adorait les robes vertes. (Il m'en reste une, un parallélépipède vert vif avec de minuscules roses Vionnet sur les côtés !) Madame Marcelle, comme nous l'appelions, n'arrêtait pas de travailler et d'inventer, nous étions éblouies. Vous savez, les ouvrières de la couture ont le respect et l'amour de leurs créateurs. Votre mère était un génie... »

Cela me fait du bien et du mal, cette confirmation de ce que je sais tout au fond de moi. Ce secret un peu douloureux, presque envolé.

— A quoi ça sert, l'élégance, Jacques ? Regardez comme nous nous habillons désormais, comme nous sommes habillés, vous et moi : pantalons, jeans, chandails la plupart du temps... Qu'est-ce que ça change, d'étudier ce qu'on se met ? D'y travailler toute la journée en y mettant du temps, de l'art, de l'invention ?

L'homme aux yeux de rêve réfléchit, mains jointes posées entre ses genoux, puis il sourit aux anges. Madeleine Vionnet a dû lui envoyer la réponse d'un placard du Paradis.

— Ça sert à ne pas être comme les autres, à se singulariser. Sinon, qu'est-ce qu'on est ? Tous en uniforme ! Qu'est-ce qu'on vit ? Le collectivisme ! L'élégance sur soi, dans la forme, dans la couleur, c'est pousser jusqu'au bout l'art d'être soi-même...

— Vous ne croyez pas que c'est un art perdu et qui intéresse de moins en moins de gens ? Je parle de la Haute Couture, pas des fringues !

— Moi, ça m'intéresse. Je ne vais plus aux collections, mais je regarde un peu la Mode à la télévision. Je tiens à rester moderne. C'est important.

— Les couturiers actuels le sont-ils ?

— Ils sont moins révolutionnaires que nous ne l'avons été, mais ils font encore des choses magnifiques. Et c'est ça qui compte, à notre époque : conserver un petit coin de munificence, pour que les gens n'oublient pas que cela existe ! Qu'on en est capable...

— Qui avez-vous aimé, après Vionnet ?

— Je ne veux pas être méchant...

— Vous, méchant ? Impossible.

— Jacques Fath, par exemple. C'était un magicien, tout ce qu'il touchait était magique ! Mais c'était avant tout un garnisseur, vous voyez ce que je veux dire ? Il avait le génie de la garniture... Pour la coupe, c'était moins bien.

— Et Balenciaga ?

— Voilà quelqu'un, Balenciaga ! Tout n'était pas réussi, mais c'était un très grand coupeur ! Un ami de Vionnet, d'ailleurs, l'un des rares couturiers, avec Molyneux, qu'elle fréquentait.

— Les autres ?

— Il y a eu des petites choses chez Balmain, chez Lanvin aussi...

— Et Chanel, que pensez-vous de Chanel ?

— Chanel a eu un coup de génie : elle a féminisé le costume masculin. Elle a pris le costume masculin — tout, les vestes, les chemises, les parements, même les uniformes, avec leurs galons, leurs boutons dorés, même les chapeaux, elle a tout prix aux hommes, jusqu'aux ceintures ! — et elle l'a féminisé. C'est tout. Mais c'est génial ! Elle a compris l'avenir du féminisme avant les autres, elle a inventé l'unisexe avant les autres ! Et elle l'a fait avec une force, une détermination... Chanel, c'est un précurseur, une voyante !

— La plus grande ?

— Mais non, la plus grande, pour moi, c'était Vionnet. Et votre Maman, bien sûr, qui était sa première modéliste. Vionnet, c'était l'harmonie totale. Vous regardez le modèle et il n'y a aucune couture ! En tout cas, on ne les voyait pas. Comment était-ce fait ? Mystère...

— J'ai encore des manteaux de Maman, je ne sais pas comment on les enfile, où est le devant, l'arrière, le haut, le bas ! Il y en a un que j'appelle "le manteau aux trois emmanchures" : c'est dire comme il est tourné, on s'y enroule une fois et demie !

— Si Vionnet a inventé ça, c'est parce qu'elle aimait le corps des femmes. C'est pas comme d'autres, regardez-moi ça !

Jacques me montre la photo d'un modèle d'un grand couturier des années cinquante où la couture du buste est située à la place où devraient se trouver les seins. Que sont devenus les seins, comment vont vivre les seins là-dessous ?

— Chez Vionnet, c'est le corps d'abord, le mystère du corps. Comment est-ce fait, comment est-ce que ça "tient" ensemble ? On ne sait pas, mais ce qu'on sait, c'est qu'il n'y a pas de coutures dans le corps humain. Eh bien, les robes de Vionnet étaient comme le corps, sans coutures. Comment ça tenait ? On ne savait pas... En plus, il y avait l'harmonie des couleurs. Peu de couturiers ont tout : l'harmonie de la forme et le sens des couleurs... Mais je suis méchant...

— Mais non, je suis là pour que vous me disiez ce que vous êtes l'un des derniers à savoir. Et Madame Grès ?

— Madame Grès aussi avait un génie : celui du drapé. Un génie emprunté à l'antique, mais c'était extrêmement bien fait...

— Et vous-même ?

— Moi, j'étais l'élève de Vionnet. Ce que j'aimais, c'est quand j'étais arrivé à tout enlever et que ça tenait quand même ! Je me souviens d'un fourreau noir...

— Dites...

Il arrive, oui, qu'on puisse raconter une robe.

— ...Je l'avais fait au dernier moment, juste pour le mettre sous un manteau, en vue d'une présentation-concours dans un théâtre. C'est Martine, mon mannequin-vedette, qui passait le modèle. Quand elle a ôté son manteau et qu'on a découvert le fourreau noir, les applaudissements ont éclaté. Nous avons remporté le premier prix. Ce fourreau, quel succès ! Il a été copié, recopié, simplifié... Mais ça n'était plus ça ! Il faut que ça ait l'air simple, justement parce que c'est compliqué... Le bas de la robe était retroussé, ramené et remis en place, tout était d'un seul morceau, sans coutures... Vionnet avait raison : il n'y a pas de coutures dans le corps humain, pas plus que dans un fruit.

Une robe comme ça n'est qu'un instant, mais il demeure mémorable.

— Pourquoi avez-vous choisi la couture ?

— J'ai su tout de suite, à dix ans, que je serais couturier. Ma mère était couturière à Carcassonne — "robeuse", disait-elle ! —, elle recopiait les modèles de Paris pour les dames de province... J'ai commencé comme ouvrier-tailleur à Toulouse, et quand j'ai vu sur une femme ma première robe de Vionnet, je l'ai suppliée : "Prêtez-la-moi, je veux voir comment c'est fait !" Je l'ai gardée une nuit et je me suis retenu pour ne pas la défaire entièrement et la mettre à plat !

« Plus tard, j'ai travaillé, travaillé sur mon mannequin pour faire comme Vionnet, inverser, contrarier les sens, le biais, le travers et le droit fil... Mes premières me disaient : "Monsieur, ce que vous demandez là est impossible !" Je leur répondais : "Mais si, vous pouvez le faire, je le sais, et vous allez le faire !" Elles le faisaient et revenaient s'excuser.

Je ne suis pas méchant...

— Vous êtes l'homme le plus exquis que je connaisse !

— ... mais rien, vous m'entendez, rien n'aurait pu me faire céder ! J'allais jusqu'au bout, j'usais tout le monde, je triomphais de tout...

Air nostalgique :

— ... sauf de mes commanditaires !

— Jacques, est-ce que la Haute Couture va continuer ?

— Tant qu'il y aura des gens pour qui c'est important d'être différent, oui.

— Mais est-ce qu'il y a encore des choses à inventer ?

— Bien sûr, plein de choses à inventer !

Son regard se perd dans les arbres de l'automne et je sens qu'il est en train, là, devant moi, pour lui seul, d'inventer une nouvelle façon, émouvante, miraculeuse, d'habiller les femmes.

Je le laisse, prends mon appareil et vais photographier la maison, le jardin. L'un de ces clichés fera la couverture de *La Maison de Jade*...

Nous vivons entourés de signes.

L'Homme aux fourrures

— Lorsque mon père allait travailler chez Vionnet, avenue Montaigne, il m'emmenait parfois avec lui. J'avais quatorze ans, nous attendions un moment — à cette époque, le fourreur faisait antichambre ! —, puis on nous introduisait dans le studio de Madame Vionnet. Ah la la, quel souvenir !...

Les tempes grisonnantes, le cheveu fourni et lisse, extrêmement svelte, avec ce geste vif du commerçant de haut luxe qui, toute sa vie, a pris, montré, repris, écarté puis présenté à nouveau à sa cliente les objets les plus chers du monde, l'œil à tout, comme il l'a eu toute sa vie, pour distinguer de très loin une femme au sommet de l'élégance d'une autre à peine moins bien, et une fourrure *top* de celle de la qualité juste inférieure, Jacques Bourdeu rêve.

Son père, Louis Bourdeu, était le grand fourreur de Madeleine Vionnet. J'entendais prononcer son nom tous les jours à la maison. Plus tard, son fils a débuté chez Christian Dior, continué chez Jacques Fath, ouvert sa propre maison, avenue Pierre-Ier-de-Serbie, avant de participer à la création des Fourrures George-V, l'un des plus grand magasin de fourrures du monde.

Aujourd'hui, je vais le voir chez lui et, pour la première fois depuis que je le connais, Jacques Bourdeu n'est pas entouré d'un amoncellement de peaux et de manteaux de toutes catégories et de toutes espèces ! Il m'en paraît comme dépossédé, et je m'aperçois que j'ai eu le même sentiment, quand j'allais rendre visite à Marraine Vionnet, après sa retraite, et qu'il n'y avait plus les liasses d'échantillons ou les rouleaux de tissus autour d'elle. Ni les modèles...

Maman également, sa maison fermée, avec ses mains qui continuaient à bouger toutes seules, avait ce regard qu'a aujourd'hui Bourdeu : un regard tourné vers l'intérieur, vers ce qu'il a vu, qui n'existe plus, n'existera plus jamais.

— Je pourrais écrire un roman avec tout ce que j'ai observé sur les rapports entre les hommes et les femmes, autour de l'argent, de la fourrure ! me dit-il. La vie était somptueuse, alors, comme les réceptions ! Les fêtes que donnait Jacques Fath dans son château de Corbeville, quelle splendeur ! Quatre cents invités, et Fath avait dessiné une robe spéciale pour chacune des femmes présentes ! J'ai vu des choses merveilleuses dans ma vie, mais aucune ne peut s'y comparer. La beauté et le luxe de ces fêtes nocturnes autour de la piscine étaient indescriptibles. Le déferlement des fourrures, de l'hermine blanche... Fath n'était pas seulement un couturier, c'était aussi un antiquaire, un amateur d'art de premier ordre, un magicien du grand et du beau. Tout de blanc vêtu jusqu'au bout de ses chaussures, son beau sourire aux lèvres, il avait toutes les femmes autour de lui... Geneviève, la sienne, était la plus belle. Ah ! la beauté de Geneviève Fath...

Il me regarde.

— Vous savez, j'aime les femmes...

— Ça n'est pas toujours le cas, chez ceux qui s'occupent de les habiller !

— Je sais, mais la fourrure n'est pas comme la couture... Mon père aussi aimait les femmes, et dans le studio de Madame Vionnet, quand nous entrions, elles étaient toutes à peu près nues ! Quelles belles filles : très jeunes, à peine plus âgées que moi... On passait dans la cabine à la suite de Madame Vionnet, et là, quel spectacle !... C'est comme ça que j'ai pris le goût...

— Des femmes ?

— Celui-là, je l'avais déjà ! Je parle du goût de la fourrure... Mon père aurait voulu que je fasse une grande école, mais moi j'ai préféré travailler comme lui. J'aimais les peaux. Et la création.

— Cela se passait comment, chez Vionnet ?

— C'était un métier tout à fait différent. Chez Vionnet, on avait cent personnes uniquement pour la fourrure. Il y avait les ateliers de confection, et aussi des ateliers pour la création des modèles : les uns pour votre Maman, les autres pour Madeleine Vionnet. On leur présentait des toiles, des projets de manteaux avec garniture de fourrure, ou entièrement en fourrure. Parfois, c'étaient elles qui en avaient donné l'idée ; ce pouvait être aussi une idée de mon père ou de la première de l'atelier. Et on discutait !

« Vous comprenez, la fourrure, ça n'est pas comme le tissu : il y a ce qu'on peut réaliser, ce qu'on peut obtenir, et ce qui risque d'être trop lourd, pas montable... Mon père était là pour l'expliquer aux créatrices, leur donner son avis. Et puis il avait apporté des peaux qu'il leur présentait pour qu'elles jugent, choisissent...

Des peaux, il en traînait souvent dans le studio de Maman, et même à la maison... Toutes ces petites bêtes accrochées ensemble par la tête, avec le nez, parfois, mais sans les yeux. Je ne vais pas le dire à Jacques, ça ne se dit pas à un fourreur, ces choses-là, mais je les caressais, leur parlais, attristée de n'avoir que leur poil sans vie à toucher.

En même temps, cette douceur sous les doigts, c'est quelque chose qui ne s'oublie jamais et fait de vous un amateur... On peut s'attacher à une fourrure comme à une chose vivante. Autrement, en tout cas, qu'à un bijou. Vieil atavisme datant du temps de « *nos ancêtres vêtus de peaux de bêtes* » ?

— Quand le modèle était approuvé, continue Bourdeu, on le faisait réaliser par des ateliers qui n'étaient pas les mêmes que les ateliers de création. Et on présentait le résultat à Madame Vionnet ou à votre Maman, pour qu'elles voient si cela leur convenait ou si elles désiraient des rectifications.

Je conserve encore l'image de certaines très grandes robes du soir, immenses corolles de tulle ou d'organza blanc aux milliers de petits volants bordés à la main d'un imperceptible filet bleu vif. Je revois aussi les célèbres jupes incrustées de motifs découpés en lamé or et argent et portées sur de vastes jupons de crin ! Mais j'ai oublié les manteaux de fourrure !

Sans doute n'est-ce pas ce qui fait rêver les petites filles : leur masse, souvent sombre, doit leur faire un peu peur...

Toutefois, dans notre petite enfance, ma sœur et moi possédions chacune un manteau, une toque et un minuscule manchon d'une fourrure d'un blanc de neige, sans doute du lapin angora fourni par Louis Bourdeu. Avec nos guêtres de cuir blanc qu'il fallait boutonner à l'aide d'un crochet au manche d'ivoire, nos gants blancs, nos chaussures blanches et nos cheveux bouclés à l'anglaise, nous étions à faire pousser des cris, ce qui ne manquait pas !

Mais si je ne m'en souviens pas, je connais l'esprit des manteaux faits par Bourdeu pour Vionnet, car j'en ai les photos sous les yeux. Ils descendent jusqu'aux chevilles, en forme de houppelande, avec, ornement supplémentaire, un ou deux volants de fourrure dans le bas... C'est *too much*, comme on dit maintenant, c'est-à-dire carrément splendide !

— Oui, ils étaient très beaux, me confirme Jacques. Seulement, ils pesaient des tonnes. On a heureusement fait des progrès depuis !

Mes notions se renversent : j'étais convaincue que tout ce qui concerne le vêtement était plus beau, plus somptueux, plus luxueux dans les années Vionnet !

— Quel genre de progrès ? Des progrès en quoi ?

— Dans l'apprêt !

Jacques me regarde en riant : mon ignorance l'amuse et, gentiment, il me fait un petit cours.

— Il y a le poil et il y a le cuir. Avant la guerre, il n'y avait que des peaux d'animaux sauvages, au poil très beau, très luisant, mais les bêtes devaient être trappées, on ne les tirait pas au fusil pour ne pas les abîmer, ce qui fait qu'elles étaient rares et chères. De plus, on ne savait pas bien préparer le cuir sous le poil. A l'époque, il était dur comme du carton, parce qu'on le laissait sécher, comme font encore les paysans pour leurs peaux de lapin ou de mouton. Cela donnait des fourrures qui pesaient très lourd et dont on ne pouvait pas faire tout ce qu'on voulait...

Je me rappelle en effet certains manteaux d'astrakan noir ou gris appartenant à ma mère ou à mes tantes : on aurait dit des guérites !

— Et maintenant ?

— Le cuir est travaillé industriellement, on l'étire

avec des machines et il devient souple comme une peau de gant... C'est un progrès considérable, qui permet une bien plus grande multiplication de formes et de modèles qu'au temps de Vionnet. En plus, maintenant, la plupart des fourrures sont d'élevage : ainsi toute la gamme des visons, toute celle des renards, des marmottes, des loutres... Il n'y a que le castor et les bêtes mouchetées comme la panthère qui ne s'élèvent pas.

« D'ailleurs, depuis la convention de 1979, on ne peut plus les utiliser en fourrure. Quand on en a encore, les manteaux sont devenus invendables, car les femmes ne peuvent plus les mettre. Si elles sortent dans la rue, même avec un vieux manteau datant de leur mère, elles reçoivent des œufs, des tomates pourries, de la part des écologistes. Je l'ai vu faire : cela s'est terminé au commissariat ! Pour la panthère, chez nous, c'est fini...

— Les fourrures d'élevage viennent d'où ?

— Surtout du Nord, de Scandinavie, de Russie, de Chine aussi où les élevages, en particulier ceux de visons, sont fantastiques. Ils ont des pedigrees et jusqu'à trente-cinq sortes de visons. Leurs biologistes sont de véritables savants qui procèdent en laboratoire à des croisements pour obtenir des couleurs nouvelles. On reçoit des zibelines blondes comme les blés, des visons presque bleus...

— Je les croyais teints...

— Il y en a, et de tous les tons ! Mais une fourrure teinte, c'est comme une femme qui se fait une couleur. Cela peut être amusant, le cheveu vert ou rose, mais l'ensemble est uniforme et manque de reflet. Quoi qu'on fasse, ça sent l'artifice. Moi, j'aime le poil dans son naturel...

— C'est à la couleur que vous jugez de la qualité d'une fourrure ?

— Au toucher ! Les yeux fermés, je peux vous dire de quelle bête il s'agit et ce que vaut une peau... La douceur, le soyeux du poil, surtout la finesse du cuir, tout me renseigne... Je la retourne comme une chaussette, tâte, examine le grain, centimètre par centimètre, pour voir s'il n'y a pas un défaut dans l'apprêt...

Il a clos les yeux et ses longues mains bougent comme s'il maniait des peaux imaginaires où il s'enfonce.

— Une cicatrice se détecte à un défaut d'apprêt. Je regarde alors du côté du poil. Si ça a traversé, j'utiliserai cette peau-là pour les dessous de bras, le col, bien que...

— Oui ?

— Écoutez, quand on fait des manteaux de haut luxe, du très haut de gamme, on ne va pas lésiner, mégoter et tenter d'utiliser une peau qui n'est pas parfaite... Un manteau de fourrure vraiment beau, cela va chercher dans les cent cinquante, les deux cents millions de centimes pour une zibeline ! Pour un lynx, jusqu'à trois cents millions...

Il a rouvert les yeux, me regarde pour voir si je suis éberluée. Je m'étonne, en effet :

— Qui peut se payer ça ?

— Vous seriez surprise... Il y a encore des gens qui ont beaucoup d'argent. Je ne dis pas en France... Je parle plutôt de l'étranger, par exemple toutes les nomenklaturas... Eh bien oui, dans tous les pays de l'Est, il y a une poignée de personnes qui ont tout l'argent qu'elles veulent ! Nous sommes des naïfs, en Occident... Je ne citerai personne — secret professionnel ! —, mais vous pouvez croire que j'en ai vu !

Même des gens bien de chez nous, d'ailleurs, mais qui se douterait ?...

— Ils ont pourtant des fourrures magnifiques, à l'Est, vous venez de le dire, et malgré ça, ils viennent chez vous ?

— Ils recherchent sans doute l'anonymat, mais aussi et surtout les modèles ! C'est là que j'ai pu m'apercevoir de choses très intéressantes : il y a des hommes qui sont prêts à dépenser une fortune pour acheter une fourrure très belle à la femme qui est avec eux... D'autres, pas du tout : ils dépenseront un argent considérable, parfois au-dessus de leurs moyens, pour se payer une Porsche, et ils mégotent pour offrir une fourrure à leur compagne...

— Comment se comportent les femmes face aux fourrures ?

— Certaines n'y connaissent rien. On les met dans la plus belle zibeline du monde et elles se regardent dans la glace avec les bras qui pendent ! Rien ! Pas une réaction ! Pas un éclat dans l'œil ! Elles ne comprennent pas la fourrure.

— Ça s'apprend ?

— Oui et non. D'après mon expérience, il y a les femmes-bijoux et les femmes-fourrures, et puis, c'est très rare, il y a une troisième catégorie : les femmes qui sont les deux... Celles-là savent tout de suite !

— D'où le tirent-elles ?

— Je n'en sais rien... Parfois, cela se transmet de mère en fille, parfois c'est inné. J'en ai vu arriver, vingt ans à peine, elles enfilent un vison, un lynx — il n'y a rien de plus beau qu'un lynx sauvage, c'est doux, soyeux, blanc, de longs poils un peu mouchetés avec des reflets d'argent... —, eh bien, ces femmes qui comprennent ces fourrures-là n'ont nul besoin de se regarder, ce sont les autres qui les regardent !

Grâce à Jacques Bourdeu, je retrouve un souvenir j'ai vu un jour une très jeune femme blonde entrer chez Saint-Laurent, accompagnée d'une amie, très belle elle aussi. Mais la première avait quelque chose *en plus*, et toutes les personnes présentes s'arrêtèrent soit d'acheter, soit de vendre, pour la contempler. Comme elle était très jeune, encore timide, elle agitait ses cheveux pour se protéger le visage, ne comprenant pas bien pourquoi tous les regards de ces professionnelles de l'élégance, clientes aussi bien que vendeuses, étaient fixés sur elle. Son amie, que personne ne regardait, le comprenait encore moins !

— Geneviève Fath était comme ça, poursuit Bourdeu, on ne voyait qu'elle ! Pareil pour Sophie Litvak : elle n'était pas belle, Sophie, elle n'était même pas bien faite, mais quand elle entrait quelque part, les autres femmes n'existaient plus. Elle avait commencé en défilant chez Fath, elle avait une manière d'ôter ses gants — de longs gants jusqu'au coude — avec un de ces *pep* ! Pareil pour Antoinette...

Antoinette Delort, demeurée notre amie à tous deux, est cette femme qui a débuté chez Madeleine Vionnet dont elle était le mannequin d'élection.

— Cette superbe rousse n'avait qu'à se montrer, et c'était la révolution ! Pas seulement dans les salons de la maison de couture, mais dans un restaurant, dans la rue, partout...

— Pourquoi est-ce ainsi pour certaines femmes ?

— Je le constate, mais je n'ai pas d'explications... C'est comme le mystère de la création : Madame Vionnet savait créer des modèles, votre mère aussi, elles l'ont su dès leur naissance. Par la suite, elles ont étudié les techniques, en particulier celles de la fourrure, qui ne s'invente pas, mais personne ne leur a appris le beau...

Je me souviens de Maman épuisant ses assistants, épuisant tout le monde, elle-même inaltérée, inaltérable, insensible aux critiques comme aux conseils de son personnel qui voulait « en finir » alors qu'elle-même ne faisait, de son point de vue, que commencer...

Mes éternelles « commenceuses ».

Celles que rien n'arrivait à satisfaire sur cette terre...

Vers la fin de sa longue vie, Madeleine Vionnet était devenue de plus en plus croyante, elle se fâchait même contre le Bon Dieu avec son bel humour : « Il m'a oubliée, c'en est vexant ! »

Et Maman qui pour rien au monde n'aurait manqué sa messe hebdomadaire, s'endormait, le soir, son minuscule chapelet béni à Lourdes entre les doitgs.

Mes chercheuses d'absolu...

Si modestes en leur quête, contrairement à ceux qui s'octroient d'eux-mêmes la qualité d'« artistes »...

— Et les couturiers, comment étaient-ils ?

— Dior était un grand monsieur, mais très renfermé, très silencieux. Il parlait à peine, et ça n'est pas tout à fait mon tempérament... J'ai eu la chance, après lui, d'entrer aussitôt chez Jacques Fath, et là, quel bonheur ! J'étais son fourreur, mais je suis aussi devenu son ami. Quand j'arrivais, j'avais le privilège d'entrer directement dans son studio sans me faire annoncer. A la fin, je donnais même mon avis sur les modèles. Fath était adorable, il me disait que j'aurais pu être couturier, que j'avais le coup d'œil !

Je l'ai eu sur moi, l'étonnant coup d'œil de Jacques Bourdeu, quand il était encore dans sa maison de l'avenue Pierre-Ier-de-Serbie. Sur son invitation, j'allais parfois enfiler les manteaux qu'il venait de créer — dont je ne voulais pas savoir le prix, puisque je ne les achèterais de toutes façons pas. C'était seulement pour faire un effet !

Mais faire un effet, n'est-ce pas le principe même de la Haute Couture ?

Jacques, placé derrière moi, me considère dans la glace et fait la moue : « Ça n'est pas pour vous, cela fait lourd, pas jeune... Vous pouvez vous permettre quelque chose de plus *alluré...* »

Il m'arrache la zibeline blanche trop stricte, le lynx aux épaules exagérément carrées pour les miennes, le vison à la jupe arrondie comme une cape, les jette à terre... Va chercher « autre chose ».

Oui, je suis bien revenue au royaume de la couture où le sol est une aire de jeu, de travail, et où la valeur réelle des objets n'est guère prise en compte.

Ce dont il s'agit d'abord, sans souci du temps ni de la vente, c'est de chercher ce qui convient le mieux à une silhouette, un visage, un coloris de peau et de cheveux. « J'ai composé des harmonies, disait Vionnet, c'est tout. »

Jacques, à l'essayage, ne voit plus la femme qui est devant lui, mais celle qu'il va faire surgir, et cela relève de la création. Il revient avec un vison gris et noir, traité « mosaïque ».

— Ça, c'est pour vous !

— Jacques, racontez-moi encore la fourrure !

— Lorsque certaines clientes, chez Jacques Fath, donnaient leurs fourrures en garde pour l'été, elles avaient près de cent tickets ! Oui, elles possédaient une centaine de fourrures... On ne peut plus imaginer ce luxe-là... Nous faisions cinquante manteaux de zibeline par an. La fourrure était traitée d'une façon beaucoup plus décontractée qu'aujourd'hui : une perpétuelle imagination. Un renard faisant manche sur une épaule et s'enroulant sur l'autre... Des capes de velours aux pans retroussés, toutes doublées de vison... Et les garnitures en fourrure : un festival ! Cela ruisselait d'invention ! D'ailleurs, rien que la toile de nos modèles, on la vendait un million de l'époque aux acheteurs étrangers...

« Il y en avait de toutes les formes, de toutes les sortes, de toutes les couleurs... Le long manteau de renard blanc pour sortir le soir, le petit manteau en lainage et castor — votre mère en a beaucoup fait —, les trois-quarts de loutre, les boléros de vison, les capes d'hermine...

« Dès la première question, je me rends compte de ce qu'une femme désire et jusqu'où elle est prête à aller... Vous comprenez, c'est une très grosse erreur que de présenter ses plus beaux manteaux à des femmes qui n'ont pas envie du haut de gamme ou qui ne peuvent pas se les payer. Après, elles sont dégoûtées du reste.

« Pourtant, on fait des choses remarquables en fourrure, dans le prêt-à-porter. C'est un rayon que j'ai développé et pour lequel je me suis donné beaucoup de mal. J'ai eu des manteaux de lapin avec col en oppossum aux environs de deux mille huit cents francs, très convenables. La fourrure se démocratise, le vison sera bientôt à la portée de tout le monde, et c'est très bien !

« Mais le haut de gamme ! J'ai toujours eu un plaisir sensuel à sortir mes plus beaux manteaux et à les vendre à des femmes qui sont des connaisseuses. Qui éprouvent une vraie joie à leur faire donner tout ce qu'ils peuvent donner... Il m'est même arrivé de les complimenter : "Madame, je vous le dis du fond du cœur : je suis content de voir mon manteau partir avec vous !"

L'une des plus grandes vendeuses de Jacques Bourdeu, Madame Andrée, m'a aussi raconté ses rapports « en fourrure » avec les clientes : « Vous savez, c'est bizarre, ce ne sont pas les femmes les plus riches, ni celles qui achètent les plus beaux manteaux, qui sont les plus... embêtantes ! Elles prennent un manteau bien, mais moyen, et elles sont là à chipoter parce qu'il y a *un* poil, je dis bien un poil ou deux qui ne sont pas de la même couleur d'un côté et de l'autre du col ! C'est normal que ce ne soit pas uniforme, qu'il y ait parfois une infime différence : la fourrure, ça n'est pas une matière industrielle, c'est vivant au départ ! C'est ce qui fait sa beauté... Or, ces femmes-là, on dirait qu'elles prennent un malin plaisir à rechercher un défaut qu'on ne verrait pas à la loupe ! J'imagine que c'est pour se donner une contenance. En fait, elles n'y connaissent rien en fourrure : cela se voit, cela se sent ! Il nous arrive de leur retirer un manteau sur lequel elles chipotent, pour leur en apporter un autre moins bien, mais qu'elles trouvent mieux du seul fait que c'est un autre ! »

— Le vrai grand luxe, on ne le reverra jamais, m'a dit Bourdeu. Parce qu'il y faut un cadre qu'on n'a plus. Et aussi l'envie de s'amuser avec... Vous comprenez, de nos jours, les gens ont d'autres joujoux, toute cette quincaillerie électronique... Ça n'est pas qu'elle me déplaise : moi aussi, j'aime bien la télévision, le téléphone dans ma voiture, tous les gadgets qui changent et facilitent la vie.

L'un des présidents de la Chambre syndicale, René Gorin, l'a souligné au début des années cinquante : “La couture n'est pas sans être dangereusement concurrencée par l'automobile, les résidences secondaires, les arts ménagers, le salon nautique...”

Cet homme avait raison : le véritable ennemi de la Haute Couture, ça n'est pas tant son coût que la multiplication des objets de consommation et d'amélioration de la vie quotidienne ! Tout le temps qu'on passe à s'en servir (ou à les entretenir !) cesse d'être disponible pour "soigner" sa toilette et en faire une œuvre d'art.

— J'ai connu une époque où la joie et la fierté d'un homme, ce n'était pas sa voiture, mais de sortir avec une femme qui soit la plus élégante et la mieux habillée possible. On ne parle pas assez des hommes quand il s'agit de Haute Couture ou de fourrure. Ce sont eux qui paient, la plupart du temps, mais le plus important, c'est qu'ils viennent. Quand ils sont là et qu'ils jugent, je peux vous dire qu'ils ont le coup d'œil !

Tous les grands fourreurs sont des hommes, de même que la plupart des hommes sont attirés par la fourrure. Vieil atavisme de générations de chasseurs ? Les femmes, en tout cas, en jouent : ce sont les plus féminines d'entre elles, me confirme Jacques Bourdeu, qui utilisent avec le plus d'intelligence la peau de la bête, pour piéger leur chasseur...

Et la mode, jusqu'à quel point les hommes sont-ils sensibles à la mode ? J'en parle à mon père. Il a intimement côtoyé la maison Vionnet, du temps de son mariage avec ma mère. C'est d'ailleurs à un gala de la Mode, au Bal des Petits Lits Blancs, à l'Opéra, qu'il l'a rencontré et cela ne m'étonnerait pas qu'il soit tombé amoureux... de sa toilette.

Lui-même fut l'un des hommes les plus sobrement élégants de Paris. Droit comme un « I », en dépit de sa blessure de guerre, guêtres, petite moustache, cheveux gominés (je revois le filet matinal chargé de les fixer...), ongles manucurés, feutre mou, pelisse et costumes stricts, quand il n'était pas dans son uniforme chamarré de secrétaire d'Ambassade ou sa robe de haut magistrat, il fonçait avec maîtrise au volant de ses torpedos ultra-rapides.

Pas un endroit « select », du monde qu'il ne connût — même les clandestins — de Buenos-Aires à Madrid, de Stockholm à Berlin, en passant par Athènes, Rome, Constantinople, où il avoue avoir vécu quelques « nuits blanches » en compagnie de Paul Morand. (L'écrivain, quand nous avons correspondu, me l'a confirmé)

Mais la mode, la couture, qu'en pense-t-il ?

Il hésite un moment; « Je laissais ça à ta mère, la mode est une affaire de femmes... »

— Tout de même Papa, la maison Vionnet c'était quelque chose, tu n'y allais pas ?

— Si, quand le directeur commercial, Monsieur Trouyet, m'invitait aux collections.

Je n'en saurai pas plus long. Une épouse qui crée la mode c'est probablement différent d'une épouse qui la porte. Mais je sens qu'il a adoré cet univers du raffinement poussé à son point mystique.

Rien qu'à cette photo où Maman, coiffure à la garçonne, pose, debout, dans cette courte robe de Vionnet style 1920, en satin ivoire incrusté sur tout le corps, par Lesage, de larges festons de baguettes brillantes, que j'ai toujours. Mon père, dans son uniforme des ambassades, est assis près d'elle.

Tout deux rêvent, sans sourire.

La Mode a de quoi faire peur.

Le brodeur

Que seraient les robes sans leurs broderies ? Sans ce déferlement, ce ruissellement, ce revêtement — en somme cet habillage ? Car les robes, comme les corps, ont besoin d'être « habillées » — à moins qu'on ne décide exprès de les laisser nues —, et ce soin revient à celui qu'on nomme, d'un terme concis qui ne rend pas assez compte de son importance : le brodeur.

Madeleine Vionnet le savait, et, à son chevet, à côté de celle de Papa-la-tendresse, elle conservait la photo d'un charmant vieux monsieur à barbiche : « C'est Monsieur Michonet, mon brodeur ! m'a-t-elle dit. Un ami. »

Il était mort, en cette année 1973, Monsieur Michonet — quel est donc son prénom ? —, mais pas le souvenir de ce qu'elle et lui avaient fait ensemble.

A commencer par une révolution dans le très vieil artisanat de la broderie, parallèle au changement qu'apporta Madeleine Vionnet dans la mode : la broderie ne serait plus quelque chose qu'on « rajoute » après coup, d'autant plus épais, lourd et riche que la femme — comme du temps des reines, ou lorsqu'il s'agit des uniformes — est d'un rang plus élevé ou l'occasion plus somptueuse.

Grâce à Vionnet et à Michonet, à partir de la Première Guerre, la broderie devient une part constitutive de la robe. Son « âme », et même parfois sa raison d'être.

C'est de la broderie même, d'un nœud, d'un bouquet, d'un panneau, que va naître toute la robe. Quand elle n'est pas que broderie, comme ces mousselines « ombragées » dont les morceaux diversement colorés et découpés en festons ne se maintiennent ensemble que grâce au « filet » tendu par le brodeur. Ça n'est plus le vêtement qui vient en premier, support sur lequel on brode des motifs, c'est la broderie qui est initiale et autour de laquelle le couturier compose sa robe.

Madeleine Vionnet et Monsieur Michonet, au coude à coude, se révèlent des révolutionnaires de génie.

Mais l'aventure aurait pu s'arrêter, l'âge venant, s'il ne s'était miraculeusement trouvé une relève qui, prenant la chose en mouvement et lui apportant la sève de la jeunesse, l'a menée plus loin, jusqu'à nos jours et, on l'espère, bien au-delà : la famille Lesage.

Tous les jours, à la maison, j'entends parler sur un ton d'affection d'une personne dont le nom, que je ne vois jamais écrit — la tradition de la couture est orale —, sonne à mes oreilles comme *Iaulesage.*

Iaulesage va venir, est venue, va repasser avec ses échantillons.

Mais quel genre d'échantillons ?

En fait, il s'agit de broderies, mais on ne dit pas « le brodeur », à l'époque, pas plus que « le fourreur » : on appelle cérémonieusement les gens par leur nom.

De plus, en couture, on ne prend pas la peine d'initier ni les ouvrières ni les enfants ; à eux de se débrouiller avec ce qu'ils « chipent » au passage avec leurs yeux et leurs oreilles : des « chutes », comme on dit chutes de tissu.

C'est maintenant que je reconstitue toute l'histoire, en découvrant dans mes papiers des photos d'une femme et de ses enfants affectueusement dédicacées à ma mère. Mais il a fallu que j'attende 1988 et l'exposition du musée Galliéra pour comprendre que la « *Yo* » des photos était Yo Lesage, épouse d'Albert Lesage, le brodeur, lequel avait repris, après la Première Guerre, l'atelier de Monsieur Michonet. Et que cette jolie femme ne faisait qu'une avec la *Iaulesage* de mon enfance.

L'un des enfants photographiés est même l'actuel François Lesage, le grand brodeur de Saint-Laurent, Lacroix, Jean-Louis Scherrer, Hubert de Givenchy, Christian Dior, entre autres, comme son père le fut de Schiaparelli, Lanvin, Vionnet.

Reprenant dans les années vingt le métier là où Monsieur Michonet l'avait laissé — en pleine évolution —, Albert Lesage et sa femme Yo vont le hisser vers des sommets, d'abord en s'inspirant de l'Art moderne. Les « cartons » dessinés par Yo Lesage sont des chefs-d'œuvre graphiques à la pointe de l'art-déco. Madeleine Vionnet et ma mère, auxquelles ils étaient soumis, n'avaient plus qu'à choisir.

De plus, il y a les fameux échantillons !

J'en ai conservé trois cartons pleins avec un petit bout d'étiquette : *Albert Lesage et Cie, 13 rue Grange-Batelière, Paris 13e*. Chaque carré ou rectangle de tissu rebrodé a de dix à quinze centimètres et est à soi seul une sorte de bijou.

Tous les supports sont utilisés, des plus impalpables, comme l'organza, le tulle, la mousseline, l'organdi, jusqu'au cuir, au métal, sur quoi Yo et Albert Lesage réussissent à fixer et incruster des éléments si peu conventionnels que je ne parviens pas toujours à les identifier. Perles et micro-perles, mais aussi plumes, fils d'or, cailloux, liège, nacre, assemblés en motifs toujours plus originaux.

De même que François Lesage à qui j'en parle, j'ai une préférence pour l'époque Vionnet. La robe, voulue comme une seconde peau, est alors tellement collée au corps qu'elle ne tolère qu'un friselis de matière rapportée, réseau si miraculeusement ténu qu'il semble faire partie de sa trame. Ça n'est qu'en retournant la robe qu'on découvre le quadrillage serré des fils qui maintiennent les corps étrangers, ce *vermicelle* de soie disposé en quinconce, nouvelle façon de fixer les micro-perles pour ne pas tirer sur le biais.

Car l'utilisation du biais a changé les procédés du brodeur en les obligeant à devenir — si c'est possible — encore plus savants.

A la demande de Madeleine Vionnet, les Lesage vont d'ailleurs s'atteler à la résolution de n'importe quel problème — ça n'est jamais eux qui disent : « Madame, c'est impossible ! » — et réussissent du même coup leurs plus rares chefs-d'œuvre : des sortes de toiles d'araignées, j'en ai une, sur lesquelles frissonnent un semis de perles transparentes...

L'étonnant est que ce travail de sorcière-fée ait traversé le temps. Une robe brodée par Lesage — plus de deux cents heures de travail par modèle — se révèle bien plus solide qu'une robe nue.

C'est que les parcelles de métal, de bois, de nacre, de verre, de jais, de galatithe, et toutes les gemmes qui la constellent, lui constituent un squelette qui maintient sa chair en place, et, tel un traitement d'embaumeur, la soustrait à la corruption.

Sauf vandalisme, ce que le brodeur brode demeure insensible au temps, comme si, en soulignant de millions de paillettes, strass, perles, canetilles, lames, tubes, pampilles, cuvettes, sequins, miroirs, bigoudis, pluies, bourdons, cordonnets, cabochons, olivettes, soutaches, passementeries, les traits d'une robe, l'artisan en rendait le dessin indélébile.

Madeleine Vionnet avait bien raison de conserver près d'elle la photo de Monsieur Michonet, comme Maman celle des Lesage : ils se sont trouvés leurs meilleurs alliés dans la lutte contre l'oubli. Modestes, ils se voulaient paruriers ; ils se révèlent historiographes et conservateurs.

Aujourd'hui, l'industrie des Lesage entre au musée : mais, musée, cet art l'était déjà en lui-même.

Qui est juge ?

Qui décide de la valeur d'un couturier, qui attribue les premiers prix d'élégance ? Qui a ce « toupet »-là ?

Tout le monde et personne. Un consensus général se traduisant par une sorte de raz de marée, de vent changeant, que, faute de mieux, on appelle la Mode.

« *La mode est une épidémie foudroyante* », dit Cocteau.

« *Tout ce qui n'est pas dans la rue n'est pas à la Mode* », ajoute son amie Chanel, elle-même déjà sûre d'y être.

Il est des modes individuelles : Rosa Luxemburg arborait perpétuellement un feutre blanc orné d'une grande plume de corbeau très noire. C'était, comme on dit aujourd'hui, son *look*.

Certaines deviennent si vite universelles qu'on sait à peine à qui on les doit : le vichy à Brigitte Bardot, les ballerines à Audrey Hepburn, le jean à James Dean...

« *La mode*, dit Peter Knapp, directeur artistique, *c'est la dernière information.* » Baudelaire l'avait formulé un siècle plus tôt : « *L'expression la plus récente de la beauté.* » A quoi Mallarmé, qui, sous le pseudonyme de Marguerite de Monty, fut peut-être le premier rédacteur de mode (pour la *Gazette des Dames*), ajoute : « *La Mode, une expression moderne de la Vérité.* »

Pour ne pas céder à la Mode, il faut être bien sûr de soi, ou bien occupé à autre chose.

Il y a aussi les modes du geste : chez Dior, les jeunes femmes défilent les épaules rentrées, et Marguerite Carré fait rembourrer vers la clavicule les épaules de ses mannequins de bois pour mieux caler ses toiles.

Plus tard, on lance la mode du buste en arrière, avec un pied en avant.

Nul « mot d'ordre » n'est nécessaire, quoi qu'on en pense.

Cela tient à ce qu'aucun de nos sens ne consomme autant ni aussi vite que l'œil. Une silhouette entrevue une fois sur un trottoir, dans un magazine, à la télévision, et c'est enregistré.

Vu.

Cela ne veut pas dire que c'est lancé. Pour une nouveauté qui marche, combien demeurent « mode morte » ? (Les commerçants le savent : que d'invendus parce qu'un coloris n'a pas pris, ni une coupe qui, pourtant, avait séduit les acheteurs !)

La Mode vogue sur un cimetière de « refusés ».

Maggy Rouff aussi l'a noté : « *Il est impossible de deviner à l'avance les robes qui plairont.* »

Ni celles qui ne plairont pas.

J'ai tendance à croire que la première porteuse compte. Si une fille sans attrait s'était habillée en petits carreaux vichy roses ou bleus à la place de Bardot, l'aurait-on copiée ?

Je me souviens d'avoir aperçu, en sortant d'un restaurant, un soir d'été, une fille à la silhouette fière et ravissante dans une jupe toute plate en coton bleu clair, avec un chemisier blanc coupé en forme de chemise d'homme. Nous étions plusieurs jeunes femmes à avoir fait un effort, presque un concours d'élégance, ce soir-là. A peine la fille entrevue, une sorte de lourdeur tombe sur moi : sa simplicité nous « enterre » toutes... Pourvu que les hommes à nos côtés ne la remarquent pas ! Le lendemain, je cours les Prisunic à la recherche de vêtements identiques, même si quelque chose, au fond de moi, m'avertit que ce qui faisait tout le chic de cette tenue ultra-simple, c'était l'allure de la jeune femme, sa ligne de hanches. Quelques jours plus tard, mes amies m'imitent. La mode de la jupe plate et de la chemise d'homme a pris, du fait d'une belle inconnue...

Une autre de mes amies, parce qu'elle-même est ravissante, lançe la mode du mouchoir d'homme noué autour du cou. Ce carré de fil blanc, bien net, près de son visage très mat, aux grands yeux noirs, frappe l'œil. Sur les autres, moins typées, moins remarquables, le mouchoir, moins blanc, moins bien repassé, fait pauvre, mais c'est la mode du jour, et se frotter aux ailes d'un papillon laisse quand même aux doigts les traces irisées de sa splendeur.

Jacques Bourdeu me l'a dit : « Ce que les femmes préfèrent à tout, ça n'est pas porter, c'est rêver et désirer ! »

L'élégance, quant à elle, est bien dans le réel. Une lente et longue élaboration qui demande du travail, de la patience et de l'argent.

L'argent, inutile de se le dissimuler, est essentiel. On peut avoir l'« air élégant » avec du goût, du labeur, de l'imagination et très peu d'argent, mais on n'est pas véritablement élégante, car c'est un leurre de croire que la grande élégance peut se confectionner à la maison. Elle demande des professionnels — une armée de femmes et d'hommes au service d'une seule. Le travail de ces dizaines d'experts s'apprécie et se sent, même celui qui est à l'intérieur de la robe, doublure ou lingerie. Maggy Rouff prétend qu'une robe est toujours transparente et qu'on voit une épaulette de soutien-gorge chiffonnée à travers le plus épais des lainages.

La grande couturière a raison, en ce sens qu'une femme sait forcément ce qu'elle porte, même si c'est dissimulé, et son maintien s'en ressent. D'où l'importance quasi obsessionnelle accordée par les femmes qui ambitionnent l'élégance à leurs dessous, à leur maquillage, à leur mise en plis, à leurs accessoires et à cet élément plus qu'invisible — mais qui compte même sur les photos — le parfum !

Ne dit-on pas « un parfum d'élégance » ?

Cela ne s'improvise pas, l'élégance, cela se fabrique. Il y faut le temps et la patience. « Une femme doit d'abord montrer sur elle-même de quoi elle est capable », disait Chanel.

Les robes disent tout. A notre insu, parfois, et sans pudeur. Ma mère le savait d'instinct, et je considère avec émotion, sur les clichés mi-effacés, les robes de ses dix-huit ans. A une époque où l'usage de la photo n'est pas aussi courant qu'aujourd'hui, elle surprend elle-même son propre reflet dans une glace, pose pour une amie, ou sa mère, ou dans le studio d'un photographe professionnel. Chaque fois, sa toilette est différente : un rêve blanc, le plus souvent, qu'elle porte menton haut, buste avancé, pied coquettement tendu. Tenues montantes et un peu corsetées de sa prime jeunesse, souples robes Vionnet ajourées, froncées, avec trou-trous et les grosses roses en forme de choux aux genoux, courtes tuniques allurées et graphiques des années vingt, chapeau cloche, bas blancs... Somptueux drapés des années trente, col et bonnet d'astrakan gris, grands manteaux d'un seul tenant qui ont fait sa gloire de créatrice...

A plus de quatre-vingts ans, je la retrouve en tailleur beige rosé, blouse de soie marron d'Inde, une boule de renard noir sur la tête. A elle toute seule, elle est un défilé de mode de près d'un siècle... Mais ce qui me frappe le plus, c'est qu'on la sent consciente de chacune de ses tenues, qui représentent des heures de préparation, de travail et de mise au point. D'où son ultime effort pour en transmettre l'image...

Toutes les femmes de ma famille ont eu ce beau souci ! Sur les photos du début du siècle, je contemple ma grand-mère paternelle, que je n'ai pas connue, Amélie Chapsal, admirable de chic dans sa robe des grands jours, organdi finement plissé à col haut, bouquet de violettes au col, éventail délicatement serré entre deux doigts de la main gauche, parfaite.

Sur une photo carte postale, un jour de 1er mai, parmi quelques acheteuses de muguet, on remarque tout de suite la jeune sœur de ma mère, Gabrielle Chaumont, éclatante parmi les autres, dans sa simple et flottante tenue de crêpe clair.

Ma tante, Marguerite Blessmann, leur ainée, était, elle aussi, d'une singulière élégance. Gagnant sa vie en peignant à la main la pellicule chez Gaumont — artisanat également de la beauté et du rêve, la couleur se rajoutait image par image — la jeune fille montre, sur les photos cartonnées, sa taille de guêpe, sa bottine fine et un coup de main inimitable pour faire circuler sa jupe à traîne.

Sans parler des photos dignes des magazines de mode de la grande beauté de la famille, ma tante Fernande André-Hesse. « C'est Marcelle Dormoy, me dit-elle, qui m'a fait ma robe de mariée, j'avais dix-huit ans et elle travaillait dans les ateliers de ta mère... »

Certaines photos de Bettina, en particulier dans une robe-manteau de Balenciaga à long pan dans le dos, prise sur les pavés de l'île Saint-Louis, sont elles aussi, comme ces photos du passé dont tant d'entre nous ont de précieux équivalents dans leurs tiroirs, l'exploit d'un jour de grâce et d'un sommet de la forme.

Pas un centimètre, pas un millimètre du vêtement qui ne soit pris en compte par la divine « poseuse ». Et ce soin apporté au moindre détail, à ce que la couture du bas ne tourne pas, que les boutons soient tous présents et boutonnés, les gants impeccables — Worth en prenait une paire neuve tous les jours — témoigne d'une exigence qui est le reflet même de la personne.

La duchesse de Windsor changeait de dessous trois fois par jour, tant elle ne les supportait que fraîchement repassés.

L'amie et cliente de ma mère, Germaine Lillaz, qui habitait la résidence du Bois de Boulogne, n'enfilait pas ses bas de soie elle-même : sa femme de chambre les déroulait le long de sa jambe et lui préparait aussi son sac à main et son contenu, en fonction de sa tenue. Pendant ce temps, la jolie femme détendait et prélassait son esprit. D'où l'éclat, le moelleux incomparable de son sourire — j'en ai joui, enfant — lorsqu'elle entrait dans un restaurant ou au bar de la Cascade, endroit fort huppé devant lequel se pressaient alors les plus belles voitures du monde.

« L'élégance, c'est la transpiration de l'être... », dit drôlement Jacques Bourdeu.

C'est aussi la transpiration des exécutants !

Mais le plus étrange, c'est que les personnes qui s'occupent de l'élégance des autres sont elles-mêmes élégantes. Non pas dans leur tenue — elles n'y prétendent pas — mais dans leur façon d'être, de se présenter, de parler.

Je n'ai pas résolu le problème de savoir si elles le sont de façon innée, ce qui expliquerait le choix de leur métier, ou si le fait de manier à longueur de temps des matières somptueuses et raffinées finit par vous former...

Restent les journalistes de mode ! En majorité, ce sont des femmes, et, de tout temps, entre elles et les créateurs, ce fut la bagarre !

— Si vous les aviez vues ! se souvient Jacques Griffe. Certaines semblaient perpétuellement dormir. Il faut dire qu'elles avaient jusqu'à sept collections à voir par jour ! Mais on aurait dit des crocodiles dans leur marigot, l'œil à peine ouvert... Et habillées, fallait voir !

Il n'a pas besoin de décrire leur tenue, pour ne pas dire leurs oripeaux : les photos de presse sont là.

— Eh bien, parmi elles, il y en avait qui, tout en paraissant somnoler, avaient repéré et retenu dans l'instant tout ce qu'il y avait de nouveau ! Carmel Snow, surtout, était redoutée et redoutable, en bien comme en mal : rien ne lui échappait !

Ces grandes connaisseuses, aussi érudites en modes et maisons de couture que d'autres peuvent l'être en vins ou en culture livresque, avaient-elles — ont-elles — réellement de l'influence ?

« *Les épaules ont disparu. La poitrine a disparu. La taille a disparu. Que nous reste-t-il ?* » Cette formule lapidaire d'une journaliste anglaise, Ann Edwards, envoyée spéciale du *Daily News* aux collections de

Paris, donne en tout cas un exemple des jugements qui, à tort ou à raison, font trembler les couturiers.

Maggy Rouff s'en explique : « *Le couturier peut sembler modeste. Dites-vous bien qu'il ne l'est jamais. Se comparant volontiers au Grand Roi, il sait ce qu'il vaut et croit ce qu'on lui en dit. Il est convaincu de se trouver en marge de la foule et au-dessus d'elle. A cet état d'esprit, il y a une excuse et une explication. L'excuse, c'est que personne ne pourrait supporter les angoisses de ce décevant et passionnant métier, s'il n'était ou faisait semblant d'être sûr de lui. Mais la superbe du couturier n'est souvent qu'une comédie qu'il se joue à lui-même, comme un enfant chante dans le noir pour se donner courage... L'explication, c'est qu'étant donné le petit nombre de ses semblables, leur rareté même le conforte dans l'idée qu'il est un être d'exception !* »

La grande couturière, qui connaît tout des finesses du métier, ajoute : « *Ce manque de modestie l'entraîne à être à la fois ombrageux et d'une incroyable susceptibilité. A la fois impatient du blâme et avide de louanges, il veut à tout prix qu'on parle de lui. Les journaux sont son constant souci, et leurs emplacements, titres, en-têtes et photographies, un cauchemar toujours renouvelé ! La hantise de ne pas occuper la place à laquelle il croit avoir droit et la crainte de la voir prise par un autre tournent à l'obsession !* »

De nos jours, Hubert de Givenchy s'insurge avec le même accent blessé : « *Pour un créateur, la présentation est une épreuve douloureuse. Quand les rédactrices écrivent que mes chapeaux sont des pots de fleurs renversés et que mes femmes ont des épaules de footballeurs, je souffre. C'est une bataille, et elle est plus juste avec les acheteurs. Au moins, ils connaissent le métier...*

Pensez qu'on photographie mes mannequins en robe du soir sur des patins à roulettes ! »

« *C'est un métier passionnel* », conclut Yves Saint-Laurent, vilipendé à temps réguliers comme tous les autres.

Mais Pierre Cardin, lui, se moque des critiques de la presse. Il a découvert, avec son génie de la stratégie économique, l'art de s'en servir :

— De qui parle-t-on gratuitement en première page de tous les journaux, quoi qu'il arrive et régulièrement au moins deux fois par an ? Des couturiers. Le jour où j'ai pris conscience de cette publicité mondiale, que personne ne pourrait se payer, je me suis dit : « Il faut d'abord faire de la Mode ! C'est la seule activité qui vous rende célèbre sur toute la planète, plus encore que la politique. Une fois le nom bien établi on peut alors vendre ce qu'on veut où on veut.

En fait, les véritables arbitres de l'élégance sont les élégantes elles-mêmes. Elles seules savent d'emblée qui est la plus belle ce soir-là. Laquelle a su ou a eu la chance — il y aussi du « coup de pot » dans l'élégance — de réussir la plus parfaite harmonie entre sa toilette, la lumière et l'occasion, en y ajoutant ce petit *plus* qui fait nouveau, différent, mais sans trop, et distingue une femme de toutes les autres.

Madame Simpson n'était pas jolie. Elle était éternellement coiffée pareil, et son anatomie n'autorisait pas les décolletés trop plongeants, ni les formes excentriques. Pourtant, une fois sur le terrain, elle battait en élégance toutes les autres. Était-ce dû à la somptuosité de ses bijoux ? Elle savait les « fondre » dans sa tenue et le pouvait, tant elle en possédait de toutes couleurs et tous formats, pour toutes les occasions. Mais les souveraines ont encore plus de pierreries sans pour autant passer pour des sommets de l'élégance.

Était-ce alors le renouvellement incessant de sa garde-robe ? Celle qui est devenue la duchesse de Windsor a vécu à une époque où, parfois, les femmes attendaient un peu avant d'enfiler leur robe neuve, car le flambant trop neuf n'était pas le plus coté.

Alors ?

Peut-être faut-il se tourner du côté du duc de Windsor, comme me l'a raconté Mireille Grivel, qui fut seconde vendeuse chez Chanel, puis première vendeuse chez Vionnet, et qui se souvient d'être allée essayer la duchesse chez elle :

— Soudain, le duc frappait à la porte et la duchesse lui accordait la permission d'entrer. Il s'asseyait un moment et regardait nos essayages avec un léger sourire. Je voyais bien qu'il comprenait tout, et surtout qu'il appréciait que la duchesse accordât tant d'importance à sa toilette. Cet homme-là aimait la toilette. Il s'y connaissait, il lui arrivait de nous donner son avis.

Y aurait-il eu l'élégance suprême de la duchesse de Windsor sans le regard du duc qui la voulait reine ?

Voilà qui est contraire à l'idée que les femmes s'habillent en pensant surtout aux autres femmes...

Maggy Rouff tranche : « *Les femmes s'habillent pour les hommes, et contre les femmes.* »

A quoi j'ajouterai : « Mais pas sans elles ! »

Les ouvrières

C'est tout doucement qu'elles sont entrées dans ma vie. Elles ont soixante-dix, soixante-quinze, quatre-vingts ans, les grandes ouvrières de la couture !

La plus âgée, Madame Bouvard, vit à Aix. Elle a quatre-vingt-quatre ans. C'est elle qui, la première de toutes, me contacte :

— Il y avait longtemps que j'avais envie de vous écrire. Dès que j'ai vu votre nom dans les journaux, je me suis dit : "Ça doit être la fille de Madame Chapsal." Après, je vous ai toujours suivie, cela me rappelait de si bons souvenirs... Vous, bien sûr, vous ne me connaissiez pas, vous étiez trop petite...

— Mais je me rappelle votre prénom, Palmyre ! Avez-vous le temps de venir me voir ?

— J'arrive...

Elle débarque par le premier train en compagnie d'une amie, Madame Adam, qui elle aussi a travaillé un temps chez Vionnet. Sans me souvenir de les avoir jamais vues, je les « reconnais ». Elles ont cette légèreté de regard et de parole que l'âge ne fait pas perdre, cette grâce pour s'asseoir, être présentes à tout sans appuyer, dire ce qu'il y a à dire en peu de mots. Rire aussi, être gaies.

Il n'y a que les femmes qui ont travaillé dans les ateliers de la Haute Couture pour avoir acquis, à vie, cette jeunesse de l'âme.

Je voudrais qu'elles me racontent comment, pourquoi. Mais Palmyre Bouvard me parle d'abord... de moi.

— Je suis entrée chez Vionnet en 1921, la maison était encore rue de Rivoli, nous n'avons déménagé avenue Montaigne que l'année suivante... J'ai connu toute votre famille, et même votre grand-mère.

— Mais ma grand-mère ne sortait jamais de la maison !

— Justement, je suis allée la voir à Montrouge où elle habitait encore, au début des années vingt, en compagnie de votre mère et de votre tante. Plus tard, votre mère s'est mariée et toute la famille a déménagé pour aller près du Champ-de-Mars... Je me souviens de votre père — quel bel homme ! — et je me rappelle aussi votre naissance...

Ainsi, sans le savoir, nous sommes accompagnés par la mémoire des autres...

— C'était comment, la maison Vionnet ?

— Splendide ! Madame Vionnet nous a fait installer des ateliers neufs, bien aérés, rien que pour nous. On n'avait jamais vu ça dans la couture ! Vous vous rendez compte : de larges baies vitrées, de grandes tables pour travailler, des chaises à la place de tabourets, et on avait même le repassage électrique, une grande nouveauté ! En plus, elle nous a accordé les plus grands avantages sociaux (on sortait de la grande grève des midinettes qui avait eu lieu en 1921, avec toutes les ouvrières de la couture dans la rue) : une augmentation de salaire, la semaine anglaise et quinze jours de congés payés. Sans compter le réfectoire, merveilleux, où les ouvrières mangeaient gratis !

— Ça n'était pas normal ?

— Vous n'imaginez pas comment nous étions traitées dans la couture, et même encore de nos jours...

Il y a peu, chez un couturier installé dans un beau quartier, on travaillait sous les combles, me dit-elle, dans une chaleur infernale en été, en se tordant les pieds sur un carrelage cassé, avec un seul bac pour l'eau. Et pas de réfectoire, bien sûr, il fallait faire réchauffer les gamelles...

Est-ce parce qu'elle était une femme, ou qu'elle avait l'esprit révolutionnaire ? Madeleine Vionnet a eu l'élégance de traiter ses ouvrières avec égards. Soixante ans après, elles s'en souviennent.

« Quand je suis entrée chez Vionnet, me dira Jeanne Mardon, je venais de chez Chanel où l'on travaillait sur des tabourets. Je pénètre dans l'atelier, et qu'est-ce que je vois : des chaises ! Je m'exclame : "Mais c'est le Ritz, ici !" Ça a fait rire tout le monde... »

Ce qui les a le plus touchées, au-delà des avantages matériels, c'est ce que signifiait ce souci de leur bien-être : on reconnaissait enfin la valeur de leur travail.

C'est qu'elles étaient rarement identifiées, les ouvrières de la couture. Sur le tard, j'entendais ma mère et Vionnet, lorsqu'elles étaient ensemble, égrener mélancoliquement des chapelets de prénoms féminins, ceux de leurs premières, de leurs mannequins, de leurs vendeuses, en se donnant mutuellement des nouvelles de celles avec qui elles étaient demeurées en contact. Mais les ouvrières ? Quand on avait besoin de l'une ou de l'autre, on disait seulement : « Appelez l'ouvrière. »

D'une certaine façon, c'est un titre : celle qui réalise l'œuvre.

Un bonheur ne vient jamais seul et, sur ces entrefaites, m'arrive une autre lettre : « Je vous ai vue à la télévision, je pense que vous êtes la fille de Madame Chapsal, pour qui j'ai travaillé chez Vionnet ! » Signé : Denise Maillet.

Quelques jours après, elle est chez moi.

Un peu plus de soixante-dix ans, très élégante dans un manteau « couture » fait par elle-même, elle habite Suresnes.

— Nous sommes un dernier carré d'ouvrières de chez Vionnet qui nous réunissons plusieurs fois par an pour parler du bon vieux temps...

— Si bon que ça ?

— C'était le rire perpétuel dans les ateliers ; la plupart d'entre nous avions à peine vingt ans !

Elle rit encore d'y penser, et cela me fait chaud au cœur.

Puis Denise Maillet me raconte sa joie et sa fierté d'avoir été admise, chez Vionnet, dans les ateliers de ma mère :

— Quand nous disions que nous travaillions chez Vionnet, il fallait voir la tête des gens ! Cela déclenchait l'admiration, à l'époque... Et puis j'ai quitté Vionnet pour suivre ma première, Lucienne, qui allait chez Patou et disait qu'elle ne pouvait se passer de moi...

En l'écoutant, je constate une fois de plus à quel point, en couture comme dans tous les métiers d'art, c'est par cooptation qu'on progresse, grâce à une rencontre avec un aîné. Ma mère fait son bond en avant lorsque Madame Vionnet, encore rue de Rivoli, demande à ses premières de lui faire des toiles. Seule ma mère, qui n'est que seconde, répond à l'appel. Comme elle n'a pas accès au studio de la patronne, c'est sa première qui soumet ses toiles à Madame

Vionnet : « C'est très bien, dit-elle, je prends, faites-m'en d'autres... » La première confesse alors que ce ne sont pas les siennes, mais celles de sa seconde, Marcelle : « Eh bien, qu'elle quitte son atelier, elle sera mon assistante », dit Madeleine Vionnet. Dans l'instant, c'est chose faite.

A dix-neuf ans, Yves Saint-Laurent, sur ses dessins, est élu par Christian Dior comme son principal collaborateur.

C'est aussi Lucienne, une première, qui décide du sort de Denise Maillet.

Cette progression à l'affinité explique l'esprit communautaire des ateliers : chacune et chacun dépend des autres, qui proposent un coup de main en cas d'urgence, mais aussi de la personne plus haut placée que l'on assiste. D'où cette habitude, qui devient vite une seconde nature, de « donner satisfaction », selon la formule de Jacques Griffe.

Lorsqu'au millimètre près subsiste une trace concrète de votre travail, donner satisfaction exige un engagement total : on ne « triche » pas en couture. Autrement, c'est qu'on n'est pas « fait pour ça », et mieux vaut, tant qu'on est jeune, se trouver un métier moins exigeant. Le personnel d'une maison de couture n'est composé que de l'élite. On peut même dire de « volontaires ». Chacune le sait et en tire fierté.

— Savez-vous que c'est moi qui vous faisait vos robes ? me dit soudain Denise Maillet en souriant. J'avais vingt ans et j'étais petite main.

Mes robes ! A peine sortie de mes langes, me voici revêtue, même pour la classe, de modèles à exemplaires uniques, signés Vionnet. Aujourd'hui, je considère avec émerveillement, sur les photos, ces petits bijoux sans manches, taillés dans le biais, aux minuscules boutons faits main. Ou alors, autour d'un empiècement rond, lui aussi dans le biais, toute la robe est plissée soleil.

On nous en livrait tout de suite plusieurs identiques, à ma sœur et à moi, car une tache, sur ces matières fragiles, et c'était fichu ! Un cauchemar pour la Miss, qui pestait en anglais ! Les teintes, toujours très pâles, variaient du blanc au rose et bleu pâles.

Où que nous allions, on s'exclamait. A la distribution des prix, les autres mamans en oubliaient leur progéniture et n'avaient d'yeux que pour nos toilettes. Je me rappelle encore deux robes d'organza entièrement faites de petits volants, du col à l'ourlet, volants eux-mêmes entièrement tuyautés. Je crois que je me sentais tout aussi mal à l'aise que fière d'être ainsi le point de mire des adultes pour mon beau « plumage ». (Heureusement, pour compenser, j'avais le prix d'excellence.) Nous ne les avons mises qu'une fois : ce jour-là.

— Ainsi, c'était vous, Denise... J'avais parfois le sentiment d'avoir rêvé ! Mais en quoi étaient-elles, j'ai le souvenir de tissu plat et lisse...

— Ça, c'était du *rosalba.* Mais il y avait aussi de l'organza, de la broderie anglaise, de la toile pour vos combinaisons-shorts... Il faut que je vous avoue quelque chose : il m'arrivait de relever le patron qu'avait donné votre mère et de le répéter pour ma petite nièce. Après cinquante ans, il y a prescription, n'est-ce pas ?

Elle me sourit d'un air légèrement coupable, et je mesure à quel point l'interdiction de la copie — ce mal endémique — pesait lourd à l'époque.

— Vous savez qu'une première main de l'atelier de Madame Lucienne a été renvoyée parce qu'elle recopiait et vendait des patrons ? On l'a vue se lever et plier ses affaires sans rien dire. Quel silence sur l'atelier !

Denise Maillet sort de son sac et me tend une grande photo :

— Tenez, je vous ai apporté cette photo prise en décembre 1930, on faisait une fête à Noël pour les enfants du personnel. C'est vous, au premier rang !

Une toute petite fille en robe de Vionnet fait la grimace ! Toute l'atmosphère bruissante et parfumée de la grande maison me revient d'un coup pendant que Denise Maillet m'égrène ses souvenirs qui, pour elle aussi, semblent dater d'hier.

— Nous, les arpètes, nous nous dépêchions d'arriver les premières pour nous précipiter sur les placards où l'on rangeait les modèles. On les enfilait et on se faisait un petit défilé personnel avant l'arrivée de nos premières... J'avais quarante-deux centimètres de tour de taille à l'époque ! On nous appelait « *petite fille* » ! "Petite fille, va me chercher ci, petite fille, j'ai besoin de grenadine..." On courait ! J'étais sans arrêt dans les couloirs. C'est comme ça que je connaissais la maison Vionnet par cœur. C'était un univers. Au sous-sol, il y avait les cuisines, l'emballage, la fourrure... En plus du réfectoire, on bénéficiait d'une infirmerie, avec un médecin, un dentiste et aussi une garderie pour les bébés. Le jour où l'on a fait grève, en 1936, quand nos délégués sont arrivés devant Madame Vionnet, ils ne savaient plus quoi dire : on avait déjà tout ce qui était réclamé !

— Et la vie privée, Denise ?

— Quelle vie privée ? Vers les quatre heures, en période de presse, la directrice des ateliers passait partout en claironnant : "Mesdames, ce soir c'est sans heure !" J'avais un fiancé qui travaillait dans une maison d'aviation, au 116 *bis*, avenue des Champs-Élysées ; j'allais lui téléphoner que ça n'était pas la peine de m'attendre. La vie était difficile pour les ouvrières : quand il n'y avait pas de travail, au contraire, on nous libérait en plein milieu de l'après-midi... On était payées à l'heure, un franc dix centimes. Pour vous donner une idée, les employés touchaient cinq cents francs par mois, j'en étais loin. Ça ne fait rien, j'étais si heureuse : je montais sur les tables et je chantais tout le temps. D'ailleurs, Jacques Griffe m'avait surnommée « *Tchi-tchi* », à cause d'un refrain de l'époque. Il était ouvrier-tailleur dans la maison, tout jeune, adorable.

— Vous avez connu Griffe ?

— Et comment !

— Téléphonons-lui.

J'appelle Griffe : « Jacques, quelqu'un qui vous a connu il y a cinquante ans veut vous parler ! »

Tandis qu'ils s'enferment, à deux, dans une bulle de passé, je pense au mien. Maintenant je le sais : je suis fille de la Couture. Je me demandais parfois d'où je tenais ce goût du travail bien fait qui passe avant tout, et même avant soi, quoi qu'il arrive. C'est bien simple : de ces gens-là.

Denise raccroche, les larmes aux yeux :

— Merci. Si j'avais pensé que, grâce à vous, je retrouverais Jacques Griffe !

— Mais c'est vous qui m'apportez des trésors, Denise.

— Vous savez, personne ne peut savoir ce que cela représentait, de travailler chez Vionnet, pour des filles comme nous. Et puis il y avait l'ambiance, l'entraide... Quand l'une d'entre nous arrivait avec une drôle de figure, on était toutes là à lui dire : "Qu'est-ce qui ne va pas, qu'est-ce qu'on peut faire pour toi ?" S'il fallait terminer son ouvrage, on le faisait à sa place... J'ai quitté la couture parce que mon mari me l'a demandé — je le regrette encore — et je suis entrée dans l'administration. Un matin, je vois une collègue toute retournée : "Madame Micheline, que se passe-t-il, est-ce que je peux vous aider ?" Elle me répond : "Je vous ai demandé quelque chose, à vous ?" Je me suis excusée : "Oh ! pardon, c'est que je viens d'un autre milieu..." La couture est vraiment un monde à part !

— Vous gagniez plus dans l'administration ?

— Pensez-vous, deux métiers de misère ! Au moins, dans la couture, c'est beau et chaleureux.

Me reviennent en mémoire les derniers mots de Madeleine Vionnet : « Tu sais, je n'ai pas toujours dormi... Il faut courir après soi nuit et jour, quand on travaille dans la couture, et ça n'est pas toujours drôle... Mais tout ce qu'on a donné vous est rendu ! »

Ce jour-là, je lui serrai la main encore plus fort que d'habitude, sa main douce et fine blottie dans la mienne comme un oiseau, car elle savait que je la comprenais et que je l'aimais pour ce qu'elle avait donné et donnait encore : le meilleur d'elle-même. Et, au regard attentif qu'elle posait sur moi, je pouvais deviner qu'elle faisait un dernier effort, dans le peu de temps qui lui restait, pour achever de me former comme elle avait formé, pendant près d'un siècle, tant d'ouvrières de la couture.

Aucune de nous ne l'a oubliée. Nous sommes restées comme elle nous a faites.

Denise Maillet m'a dit : « Il faut que vous connaissiez Jeanne Mardon, elle vit dans le XVIIe, elle en a des souvenirs, elle aussi ! »

J'appelle Jeanne Mardon et lui demande :

— C'est Madame ou Mademoiselle ?

Une voix à l'accent parisien me répond : « Vous savez, à mon âge, on n'a plus d'*elle* ! »

J'entends « ailes » et je lui dis que ça m'étonnerait bien qu'elle en soit dépourvue, mais je vais venir la voir, puisqu'elle se dit fatiguée.

Tout au bout de la rue de Tocqueville, je débarque dans un petit appartement bien aménagé dont le mobilier Henri III me rappelle celui de la sœur de ma grand-mère, rue de Passy. Ses deux filles, les cousines germaines de Maman, Simone et Colette Bertsch, étaient d'une rare élégance dans leurs toilettes faites à la maison, comme je le constate sur les photos. C'est qu'elles aussi faisaient partie du « milieu », et l'esprit de la couture imprègne tous ceux qui l'ont approché.

Jeanne m'examine de ses grands yeux clairs.

— Pas de Madame ni de Mademoiselle, appelez-moi Jeanne, me dit-elle.

A quoi je lui réponds : « Alors, appelez-moi Madeleine ! » Elle a tout de suite plaisir à utiliser ce prénom, lourd de souvenirs pour elle comme pour moi.

Jeanne a préparé des photos, des documents, son certificat de première main, rédigé sur le beau papier à en-tête de Madeleine Vionnet, signé par la grande Patronne elle-même.

C'est à ses yeux, aux miens aussi, comme un diplôme honorifique. Elle me montre aussi l'extrait jauni du *Petit Parisien* où a paru sa photo avec le bonnet de Catherinette qui lui a valu le premier prix.

— Quelle vie j'ai eue ! On en voit, des choses, quand on est cousette !

Elle entreprend de me raconter son périple avant d'entrer chez Vionnet. Ses parents étaient petits bijoutiers à Suresnes, mais ils n'avaient pas les moyens de l'employer. Jeanne fut placée comme apprentie dans la couture et travailla d'abord dans une maison des Champs-Élysées :

— Je ne faisais que porter les paquets dans tout

Paris. Ma mère me disait le soir : “Si tu n’apprends pas à être couturière, tu pourras toujours être chauffeur de taxi !”

Arrive la Sainte-Catherine : « C’était une fête, mais qui sonnait le glas de la couture. Après la Sainte-Catherine, la plupart des maisons débauchaient, une vraie débâcle... »

Voilà l’adolescente qui se retrouve sur le pavé, et c’est par une cliente de la bijouterie de ses parents qu’elle entre chez Vionnet. Aussitôt, c’est la révélation :

— J’ai tout de suite aimé l’atmosphère, le travail, tout ! En plus, dès mon premier coup de fer, ma première, me dit : “Petite, tu es douée pour le repassage !” Je ne m’en étais jamais doutée ! C’est donc moi qu’on charge du fer dans l’atelier. C’est essentiel, le fer : au fur et à mesure de la confection d’une pièce, il faut aplatir les coutures ; chaque fois qu’on pique, on repasse... Chez Vionnet, il n’y avait pas de coutures de manches, tout était à même, c’était raglan, on mettait un soufflet dessous, un soufflet ici, et si jamais les crans n’étaient pas à leur place, la cliente n’était pas à son aise, elle ne bougeait pas bien, c’était fichu, il n’y avait plus qu’à recommencer ! En fait, ce qu’on faisait, chez Vionnet, ça n’était pas de la couture, c’était de la poésie ! (Saint-Laurent le dit aussi : « Nous faisons un métier poétique ! »)

« Mais les clientes, je ne les voyais jamais. Une fois seulement, je suis descendue au salon... Sinon, vous vous rendez compte du trafic que ça aurait fait : on était huit cent cinquante, et jusqu’en 1936, on travaillait neuf heures par jour. Peu à peu, j’ai appris à monter les toiles, c’est-à-dire à tirer quelque chose des petites modèles épinglés que nous donnaient votre mère ou la première. Une saison, j'en ai monté trente-huit !

Jeanne, un rien mélancolique à mon arrivée, retrouve peu à peu son enjouement et elle me raconte, en mimant les attitudes, ses démêlés avec les femmes qu'elle habillait en privé :

— Vous pensez, avec ce qu'on gagnait de l'heure, je ne m'en tirais pas. Alors, le soir, rentrée à la maison, je me remettais au travail. Je m'étais fait une petite clientèle particulière... Une première main de chez Vionnet, c'était recherché !

Beaucoup d'ouvrières, arrivées à la trentaine et devenues qualifiées, quittent complètement les ateliers pour travailler à domicile, avec tous les aléas que cela peut représenter, mais elles sont chez elles, peuvent se marier, élever leurs enfants.

Restent les clientes. Il y en a de toutes les sortes, mais elles ont en commun d'être d'une exigence implacable. A croire que les femmes oisives n'ont qu'une idée en tête : embêter leur petite couturière en l'obligeant à recommencer indéfiniment le même ouvrage.

— J'en avais une, me dit Jeanne Mardon, une Américaine extrêmement riche, elle habitait le Bristol et se faisait faire des robes par Balenciaga. Elle arrivait chez moi avec ses modèles livrés de la veille et me disait : "Mon petit Jeanne, il y a oune défaut, les ateliers n'y arrivent pas, vous pouvoir m'arranger ça ?" Elle me faisait mettre à plat ses robes de Balenciaga et tout remonter. Une fois, quand même, j'ai résisté. J'avais complètement refait chaque couture de sa robe-tailleur ; elle l'enfile, se regarde dans la glace : "Comment c'est maintenant, mon petit Jeanne ? — Parfait, Madame. — Bon, alors, on recommence..."

Cette fois, j'ai dit non ! Mais elle était gentille, elle payait bien...

Avant-guerre, dans les grandes maisons de couture, si une cliente était satisfaite, il arrivait qu'elle laisse d'énormes pourboires à sa vendeuse et à l'essayeuse. Aussi les ouvrières étaient-elles toutes candidates pour descendre à l'essayage porter ci ou ça, afin de bénéficier de la probende. Un seul pourboire de ces femmes richissimes dépassait ce qu'elles gagnaient en un mois.

Pourtant, Jeanne Mardon, pas plus que Palmyre Bouvard ou Denise Maillet, n'exprime de l'amertume. Elle a participé à une fête de la beauté, du raffinement, du luxe...

— De l'autre côté de l'avenue Montaigne, il y a la rue Jean-Goujon et les fenêtres du fond de l'atelier donnaient sur des bureaux où travaillaient des jeunes gens. A l'heure du déjeuner, on se faisait des signes, mais on ne pouvait pas s'entendre, c'était trop loin. Un jour, il y a eu l'assassinat du Président de la République, nous l'avons su avant eux ! On a voulu les en informer, et l'une de nous s'est fabriqué une écharpe tricolore tandis qu'une autre faisait semblant de la poignarder. Les garçons nous regardaient, ils ne comprenaient pas ! Puis ils sont revenus avec de grands sourires : ils avaient appris la nouvelle de leur côté...

Parfois, à la sortie, ces jeunes gens venaient chercher les ouvrières, mais cela marchait rarement. Elles étaient d'un autre monde... Trop bas, puisqu'elles étaient ouvrières, et trop haut, puisqu'elles appartenaient à la Haute Couture, avec un sens du raffinement que ne partageaient pas les petits employés. Seuls des artisans pouvaient les comprendre, et beaucoup en ont épousé.

Et puis elles étaient si bien vêtues...

— Les gens du quartier, me dit Jeanne, n'arrivaient

pas à croire que nous faisions nos toilettes nous-mêmes, avec des chutes de tissu... Ils pensaient qu'on avait toutes des petits vieux pour nous entretenir !

Et de rire !

De son passage dans les ateliers, suivi par des années de couture à domicile, Jeanne Mardon a gardé le goût de s'émerveiller de ce qui marche et de s'amuser de ce qui capote :

— J'ai vu Madeleine Vionnet de près quand j'ai coiffé la Sainte-Catherine et déguisé tout mon atelier en grenadiers. Et puis, le jour où elle a fêté ses cinquante ans de couture... Elle devait avoir un peu plus de soixante ans, et elle nous a donné un billet de la Loterie nationale à toutes ! Aucune de nous n'a gagné !

Et de rire !

Celles qui font les robes

— Vous souvenez-vous des poupées offertes par la France aux deux petites princesses Elizabeth et Margaret-Rose d'Angleterre, je crois que c'était en 1937, pour l'Exposition universelle ? me demande soudain Denise Maillet.

— Si je me rappelle ! C'est la maison Vionnet qui a confectionné leur trousseau. Il était si joli, si extraordinaire que Marraine Vionnet a voulu que nous ayons les mêmes, ma sœur et moi. Nous avions à peu près le même âge que les princesses, et elle nous a offert deux grandes poupées accompagnées de la réplique exacte du trousseau destiné à Elizabeth et Margaret. Il y avait une robe du soir tout en mousseline rose...

— Eh bien, c'est moi qui l'ai faite !

Je la regarde, sans trouver mes mots. J'avais un peu plus de dix ans et je me rappelle parfaitement ces deux grandes poupées trônant au milieu de leur garde-robe de « princesses » et provoquant, lorsqu'on nous demandait d'aller les chercher, la stupeur admirative de nos visiteurs.

Moi aussi, habituée aux merveilles du *Nain Bleu* que nous offrait Marraine Vionnet — rossignol chantant, train électrique, grande maison de bois avec portes et fenêtres où nous pouvions pénétrer —, j'avais été épatée par ces poupées. En particulier par leurs robes du soir — nous, les enfants, n'en possédions pas bien sûr — coupées en biais, portées sous deux capes de velours de soie bleu nuit.

— Les robes n'étaient-elles pas composées de pétales d'organza incrustés ? dis-je à Denise.

— Oui, et c'est Hermès qui avait fait les chaussures ; les chapeaux venaient de chez Caroline Reboux. Les poupées des petites princesses avaient un cœur mécanique qui battait, pour représenter le cœur de la France... On les a exposées, avant leur départ pour l'Angleterre, et je suis allée les voir. Je me demande ce qu'elles sont devenues.

— Le plus étonnant, c'est que nous sommes là, vous et moi, après tant de temps, à en parler...

Tout s'est détruit, usé, les petits manteaux de ratine bleus à boutons dorés, les bonnets et écharpes vert cru, les maillots de bain tricotés main par les ateliers de Vionnet sur le modèle de ceux que nous portions, ma sœur et moi. N'importe, depuis plus de quarante ans, nous vivions chacune de notre côté, Denise Maillet et moi, avec le même petit bout de chiffon dans le cœur ! Des vêtements de poupée !

Force de la mode, de la couture, de la frivolité...

Quelques jours plus tard, elles reviennent me voir à trois, Jeanne Mardon, Denise Maillet, plus une autre de leurs amies, également une ancienne de chez Vionnet, Lucienne Ranvier.

Cette fois, je leur ai sorti de vieilles photos sur lesquelles elles se reconnaissent, elles ou d'autres :

« Mais c'est Madame Lucile, là ! » « Fais voir... Oui, et là, c'est Reine Couegnas ! »

J'ai aussi tiré de leurs cartons deux ou trois très vieilles robes de Vionnet et quelques modèles de Chaumont. Mes derniers trésors.

J'assiste alors à un grand spectacle : debout toutes trois, elles se mettent à examiner centimètre par centimètre les vieux modèles, extérieur, intérieur, col, corps, manches. Les têtes blanches se penchent d'un même mouvement et, d'un geste expert, les six mains, qui avaient l'habitude d'œuvrer de concert, saisissent ensemble la robe et la font tourner. A nouveau, elles sont rapprochées comme elles l'ont été si longtemps dans l'atelier, et je découvre que c'est un bonheur, pour elles de pouvoir, ensemble, apprécier l'ouvrage. Louer ou critiquer en connaisseuses.

Petits grognements appréciatifs :

— Je reconnais nos petits ourlets, finit par dire Denise Maillet.

— Ah la la, ajoute Jeanne Mardon, tu te rends compte qu'on faisait tout ça à la main ! Et pas un point de travers, qu'est-ce qu'on aurait pris...

Une partie d'elles-mêmes est restée dans les ateliers.

— Il y avait aussi les faux-ourlets, dit Lucienne, le point devait être juste sur le pli du tissu, et invisible.

Cet art, la couture, qui ne supporte pas l'à-peu-près, ne cesse pourtant de recourir à la « tricherie » : faux-ourlet, faux-col, faux boutonnage, fausses manches, fausse fourrure, fausses coutures, fausse ampleur. J'entends encore la voix précise de Maman : « Ici, vous allez me faire une fausse poche ! » Ou alors : « Il faut dissimuler... »

Art du trompe-l'œil, d'autant plus rigoureux que si l'« effet » n'est pas parfait, on ne s'y laisse pas prendre !

Au moment de partir, Denise Maillet me fixe droit dans les yeux :

— Vous ne pouvez pas savoir la joie que vous nous avez donnée...

— J'ai l'impression de revivre depuis que je vous ai retrouvée, ajoute Jeanne, pourtant la moins expansive.

— Pourquoi, Jeanne ?

— On croyait que tout était oublié...

— Oui, dit Lucienne, on n'ose même plus en parler. Seulement entre nous !

Bien sûr, un modèle est d'abord l'imagination du couturier, mais il est aussi le rêve de toutes celles qui l'ont travaillé fil à fil, centimètre et même millimètre après millimètre, et tenu des heures — cent ! — sur leurs genoux.

Chaque point d'ourlet représente l'instant d'une respiration de femme qui, tout en cousant, pensait à ses chagrins, ses soucis, ses désirs, ses amours... Chaque pli a été voulu, conçu, caressé du doigt et de l'œil par une femme amoureuse, et d'abord de son travail.

Sans l'amour que lui porte son ouvrière, la robe ne prend pas corps mais s'affaisse, comme un soufflé qui manque d'air.

Au générique des films, on trouve désormais le nom de tous ceux qui ont participé à l'ouvrage. Pourquoi n'ajoute-t-on pas de même, fût-ce en tout petit, celui de l'ouvrière qui a fait la robe, sous la griffe du couturier ? C'est tellement important, pour un artisan, de signer son travail. Sur certaines des pierres des cathédrales, on trouve, discrètement gravés, les noms de ceux qui les ont taillées. Or, dans la Haute Couture, en sus du couturier, on ne rend hommage qu'à la femme qui porte la robe, en oubliant les « chiffonnières » sans lesquelles elle n'existerait tout simplement pas ! L'élégance, contrairement à d'autres, n'est-elle pas un art collectif ?

— Je suis allée au musée de la Mode, me dit Denise Maillet, ce que ça m'a fait plaisir !

Je les observe, les ouvrières, à ces expositions : elles viennent discrètement, presque secrètement, revoir ce qu'elles ont fait, dont elles ne possèdent rien, et je les reconnais à leur air d'intime satisfaction. Personne, dans leur entourage, ne voulait jusque-là les écouter lorsqu'elles racontaient leurs exploits dans le grand métier. Comme les neveux de Jacques Griffe, on leur disait que c'étaient des histoires...

Maintenant, c'est devenu officiel : elles n'ont pas rêvé. En fait d'« histoires », leur travail est devenu l'Histoire.

Cela vaut la peine, pensent-elles, de payer le ticket d'entrée. Car elles ne sont pas invitées.

L'entraînement

Souvent j'y pense à l'entraînement minutieux et muet de ces petits *marines* au regard doux : les petites mains ! Huit heures par jour à l'atelier, et on continue à la maison... En dépit des heures supplémentaires, du travail en fin de semaine, il faut une décennie pour apprendre à faire son modèle toute seule, à la satisfaction générale. Dix ans d'entraînement pour former une ouvrière de la couture !

— Jeanne, par quoi commence-t-on lorsqu'on est apprentie ?

— Par courir de l'atelier au studio, puis du studio à la cabine, à la manutention, puis de la manutention à l'essayage, puis de l'essayage à la fourrure, puis de la fourrure à...

— Ensuite ?

— On vous apprend à surfiler les coutures. A l'époque, elles étaient toutes faites à la main, on terminait les tissus par un léger picot. Puis les ourlets roulottés, repliés à l'ongle... Il y en a des façons de faire un ourlet ! Cela varie avec le tissu. Dans les trop gros lainages, on ne replie pas le tissu, on le surfile très finement sur lui-même, dans un sens et en retour si le tissu s'effiloche...

— Et après ?

— On passe les fils qui marquent les coutures, ourlets, découpes et longueurs... c'est-à-dire qu'on fait des points croisés qui maintiennent l'étoffe. On apprend aussi à passer un droit fil.

— C'est quoi ?

— Pour être bien sûr du droit fil — ce qui permettra ensuite de trouver son biais —, on passe un léger fil blanc ou de couleur dans le droit fil du tissu en suivant bien un fil de trame... Le modèle terminé, on l'ôte ! Une fois, en tirant mon fil de bâti, le fil de trame est venu avec ! J'étais désespérée, le modèle devait être livré d'urgence, que faire ? Eh bien, j'ai pris une soie de la couleur du tissu et j'ai fait une reprise tellement fine que ma première n'y a rien vu ! La première, dans les ateliers, fait office de sergent-chef. Elle-même ne coud plus, elle distribue le travail...

— Elle coupe ?

— Non, c'est la seconde, la première fait les essayages.

Elle propose parfois des toiles au créateur, qui les retient ou non, surtout elle a sans cesse en tête chacun des modèles en main dont elle suit et accélère la progression.

— Ensuite il y a les coutures. Certaines sont faites à la machine, bien rectilignes ; il faut apprendre. On apprend aussi à confectionner toutes espèces de boutonnières : les unes sont brodées dans les tissus légers, les autres composées d'une bride ou passepoilées dans les soies épaisses et les lainages ; puis on coud les boutons, solide, avec une tige...

Ce qu'elle ne dit pas, tant ça lui paraît évident, c'est qu'à force d'entraînement, l'exécutante pose son point exactement là où elle l'a décidé, à un dixième de millimètre près, avec un instrument, l'aiguille, dont les plus fines, pointe et corps, sont presque invisibles à l'œil nu... Le fil aussi, pour certaines mousselines, est si mince que l'apercevoir demande une capacité de vision exceptionnelle. Une fois en place, il disparaît d'ailleurs dans la trame du tissu, on ne voit plus les points ! L'ouvrière est contente : elle a fait « une couture invisible ». C'est en cela que le métier de la couture se rapproche de celui du chirurgien : ces artisans-là sont bien les seuls, avec les réparateurs d'objets cassés, à se réjouir d'avoir accompli un travail qui ne se voit pas !

Pour arriver à cette perfection, chaque geste demande des milliers de répétitions. C'est ainsi que son exécution s'accélère. Rien que pour enfiler une aiguille sans perdre de temps, choisir le bon fil, faire un nœud, doubler le premier point, il faut avoir indéfiniment fait et refait le même geste.

Tenir les ciseaux et s'en servir sans dommage demande aussi de l'entraînement. L'une des tâches les plus courantes, dans les ateliers, consiste à faire sauter un à un, et sans blesser le tissu, tous les points minutieux qu'on s'est donné tant de mal à mettre en place, pour les refaire exactement semblables, mais quelques millimètres plus loin... Et cela, sans broncher, autant de fois qu'il le faudra. Vingt fois et plus pour un essayage de Mademoiselle Chanel ! (L'essayage représente 45 % du prix de revient.)

— Il faut aussi apprendre à repasser, me dit Jeanne, et chaque tissu demande à être traité différemment, avec ou sans pattemouille, selon sa matière ! Il n'est pas question de faire des cernes ou de jaunir des tissus d'un prix pareil ! Le plus dur à repasser, ce sont les velours, surtout le velours de soie. Certains tissus se repassent à l'envers. Avenue Montaigne, on a eu dès le début des fers électriques. Sinon, quand il fallait en plus surveiller la chauffe, quel travail supplémentaire !

« Et puis il y a la coupe : on ne l'apprend qu'au bout d'un moment. On est plus ou moins douée pour couper, me dit une première d'atelier. Cela se voit très vite. Certaines hésitent, on sent qu'elles ont peur, elles ne s'y feront jamais, elles ont de l'appréhension... D'autres y vont carrément, comme si elles voyaient un chemin tracé d'avance dans le tissu, on dirait qu'elles imaginent déjà les morceaux montés et l'effet qu'ils vont faire. Les grandes coupeuses sont très prisées. Toutefois, en couture, on pense que les hommes sont par nature meilleurs coupeurs, et l'atelier grand tailleur, où la coupe est essentielle, est toujours dirigé par un homme. On pense qu'ils sont plus fermes, plus audacieux.

— C'est vrai, Jeanne ?

— Je dirais que, dans l'ensemble, les femmes sont plus douées pour le flou... Moi, c'est ce que je préférais, le flou, c'est plus artistique, on a l'impression que le tissu vous coule entre les doigts, et il faut se débrouiller avec... Vous savez, le tissu *se prête*, comme on dit. Selon la façon dont on le manie, on peut lui faire *rendre* — l'élargir — ou au contraire le *faire rentrer*...

— Dans quoi ?

— En lui-même ! Cela se fait au repassage, et aussi par une façon de le tenir pendant qu'on le coud. Pour ça, il n'y a que l'expérience. Au début, il vous échappe. Après, il vous obéit.

— Et les garnitures ?

— Chez Madeleine Vionnet, il y avait l'atelier du *chichi*. Un atelier spécial consacré à la confection de ce qu'on rajoutait aux modèles, par exemple les toutes petites roses en tissu, ou alors des ceintures, des flots de rubans, ou des bandes garnies de toutes les façons, qu'on mettait en place au dernier moment. On y épilait aussi le velours à la main, avec une pince, en suivant le patron d'un dessin.

— Et quand les garnitures sont à même, comme les plis, les jours, les nervures ?

— C'est à nous de les faire à l'atelier du flou. Quel travail !

— Vous êtes toutes assises à la même table ? Où rangez-vous vos affaires pour ne pas les égarer ?

— Nous avons chacune un tiroir où nous gardons les fournitures que les arpètes nous apportent de la manutention. A l'époque, on nous donnait tout, sauf une chose...

— Quoi donc ?

— Les aiguilles ! Nous devions nous-mêmes acheter et apporter nos aiguilles... Savez-vous que c'était cher ? Je me souviens que certaines ouvrières marchaient toujours tête baissée.

— Pourquoi ?

— On ne vole pas, dans les ateliers, jamais. Mais si, par hasard, on trouvait une aiguille tombée au sol, le nom de la propriétaire n'étant pas marqué dessus, alors on la gardait... Désormais, les aiguilles sont fournies par la maison, comme les épingles qui, tous les soirs, sont balayées et jetées. Autrefois, on ramassait les épingles après le travail avec un grand aimant et on les mettait dans une boîte pour qu'elles resservent le lendemain. L'acier était rare, surtout pendant la guerre, et une épingle, c'était précieux. Chez Lacroix, on me dit qu'un règlement d'hygiène exige qu'on les balaie et qu'on ne les utilise pas deux fois, pour le cas où quelqu'un se piquerait avec une aiguille contaminée par quelqu'un d'autre.

— La couture progresse-t-elle ?

— Dans les conditions de travail, sûrement. Il faut que les ateliers soient bien aérés, aient une dimension en rapport avec le nombre d'ouvrières, etc. Tout cela est surveillé... Mais le travail est resté exactement le même. Il n'y a pas deux façons de couper ni de faire un ourlet en Haute Couture. La seule chose qui a peut-être changé...

— C'est quoi ?

— Eh bien, le modéliste fait en sorte qu'il y ait un peu moins de travail, sur chaque modèle, que du temps de Vionnet : moins de plis, moins de nervures, moins de morceaux à part et incrustés à la main. Nous comptions plus de cent heures pour un modèle. Je ne sais pas combien ils comptent, aujourd'hui, pour pouvoir s'en tirer, mais je sais qu'ils y font attention. Ça n'était pas notre cas !

Quand on est exécutante en Haute Couture, il y a encore une exigence, il ne faut jamais s'arrêter, pas même un jour ; sinon, c'est comme un pianiste qui cesse de faire des gammes : on perd la main !

C'est la Sainte-Catherine !

L'année de ses vingt-cinq ans, ma mère, travaillant depuis longtemps dans la Haute Couture et non mariée, a-t-elle porté le bonnet réservé aux catherinettes ?

Le 25 novembre, jour de la Sainte-Catherine, la tradition veut en effet que toutes les maisons de couture ferment leurs portes pour fêter les ouvrières et les employées qui, ayant vingt-cinq ans cette année-là, sont encore filles ! Fête grandiose, donnée à bureaux fermés, suivie d'un bal entre femmes qui peut durer jusqu'au matin. Ce jour-là, l'espace entier de la maison, salons comme ateliers, est exceptionnellement ouvert à tous, personnel et direction regroupés dans une abolition de la hiérarchie impensable le reste du temps.

Cette transe n'a lieu qu'une fois l'an.

Est-ce pour consoler les catherinettes de ne pas s'être trouvé un mari qu'on les célèbre avec tant de vigueur ?

N'est-ce pas plutôt pour les féliciter de leur célibat ? Car si une cousette n'est pas mariée à vingt-cinq ans — âge considéré autrefois comme plus avancé qu'aujourd'hui —, elle manifeste par là que c'est fait, elle est entrée en religion, elle a bien la vocation de la couture !

Quant au bonnet, cet échafaudage baroque amoureusement réalisé de main de maître, tout aussi « fou » que doit l'être l'ampleur de la vocation de couturière, c'est un *chef-d'œuvre*, au sens même où on l'entendait dans les anciennes corporations.

— En 1926, j'ai eu vingt-cinq ans et c'est moi qui ai gagné le concours ! me dit avec excitation Jeanne Mardon.

Elle court ouvrir sa commode pour en extraire quelques vieilles coupures de presse jaunies.

— Quel concours ?

— Eh bien, celui des bonnets ! Regardez, là, c'est moi ! Cette année-là, tous les bonnets devaient être fabriqués avec le papier du *Petit Parisien* qui, en 1928, avait organisé le concours. Il m'en a fallu des numéros ! Mais nous habitions Levallois avec mes parents, et tous nos voisins, qui lisaient *Le Petit Parisien*, ont contribué en m'apportant leurs exemplaires... Voyez, mon bonnet représente une grande toile d'araignée, avec l'araignée au milieu ! Quel travail à confectionner : il a fallu tout découper, monter sur laiton, coller !

L'architecture de l'aérien bonnet, structuré comme les antennes des anciens postes de T.S.F., est en effet composée du titre, maintes fois répété, du *Petit Parisien.*

Aux côtés du premier prix, deux autres jeunes femmes de vingt-cinq ans sont elles aussi couronnées de papier journal artistiquement découpé.

— Ça n'est pas tout, ajoute Jeanne Mardon. J'ai participé à la course de la Butte Montmartre. On devait piquer un sprint jusqu'à la place du Tertre. Là, c'est la maison Jenny qui a gagné.

— Vous avez reçu un prix pour votre bonnet ?

— Mon nom était dans tous les journaux. Mais je n'avais rien dit chez Vionnet, et, le 26 novembre au matin, quand j'arrive, j'apprends que Monsieur Trouyet me réclame. Vous l'avez connu, Monsieur Trouyet ?

— Bien sûr, c'était le directeur.

— Je crois qu'il ne m'avait jamais encore adressé la parole. Il me dit : "Alors, comme ça, on gagne le prix des catherinettes ? Et où il est, votre bonnet ? — A la maison, Monsieur. — Allez le chercher !" Je suis retournée à Levallois, j'ai ramené mon bonnet, Monsieur Trouyet m'a demandé de m'en coiffer, puis il m'a fait faire lui-même tout le tour de la maison. Ensuite, il m'a donné une prime : cinq cents francs ! C'était énorme, j'étais bien contente.

Monsieur Trouyet aussi devait être satisfait : à côté du nom de Jeanne, dans tous les journaux, s'étalait celui de la maison Vionnet.

Plus de soixante ans plus tard, le 26 novembre de l'année dernière, on trouve encore dans les publications le rappel de la Sainte-Catherine avec le nom des plus grandes maisons de couture.

— Monsieur Lacroix demande à toute la maison de se déguiser, me dit Janine Ouvrard, sa première. Il tient beaucoup à ce que la tradition soit honorée. En novembre dernier, c'était le tour de ma fille de faire partie des catherinettes. Regardez son bonnet !

Sur les photos, Cécile Ouvrard, seconde main dans l'atelier de sa mère, exhibe une élégante construction ornée de minuscules chaussons de danse posés sur un tutu retourné.

— Les bonnets doivent représenter l'activité de la catherinette dans la maison, ou bien ce qu'elle aime. Ma fille adore la danse. Cette petite-là aussi a fêté Sainte-Catherine, et comme elle tient la boutique, son bonnet était décoré de petits paquets avec des rubans !

Et celui du mannequin, avec des modèles de la collection en réduction !

Tous les autres membres de la maison Lacroix, le créateur y compris, sont également déguisés sur le thème du cinéma. Certaines ouvrières sont en « parapluies de Cherbourg » ; quant à Christian Lacroix, vêtu d'un smoking de fantaisie, le visage noirci sous un canotier, il incarne Al Johnson. Janine Ouvrard, elle, « assure » en star des années trente : chapeau de vamp, œil charbonneux et manteau noir orné de plumes de coq.

Le reste de la maison aussi s'est travesti selon son inspiration, et le carnaval vert et jaune — vert pour l'espérance, jaune pour la foi — défile le long du faubourg Saint-Honoré avant de se rendre à l'Hôtel de Ville où le maire de Paris reçoit chaque année les représentants des ateliers de la Haute Couture, avec les honneurs dus au rang d'une industrie nationale qui est la troisième à l'exportation.

— N'est-ce pas beaucoup de travail supplémentaire ?

— Bien sûr, mais tout le monde est content de réaliser sa propre création. Et c'est la fête.

Unique occasion, dans l'année, où la créativité de chacun peut se donner libre cours.

Jeanne Mardon me montre encore quelques belles photos de Sainte-Catherine prises chez Vionnet :

— Ce qu'on l'attendait, ce jour-là ! En 1930, c'est moi qui ai eu l'idée du déguisement de notre atelier : nous étions toutes en grenadiers ! On passait un film d'époque, aux Champs-Élysées, et j'ai recopié exactement l'uniforme du grenadier de l'affiche.

Le concours a lieu entre tous les ateliers de la maison. Un autre a habillé ses ouvrières en abeilles.

— Il y avait toutes les petites pattes et les ailes

étaient faites en cellophane, me dit Jeanne. Quelle merveille ! Elles ont décroché le premier prix !

Ce jour-là, même la reine des abeilles, Madame Madeleine Vionnet, consent à sortir de son alvéole — c'est-à-dire de son studio — pour trôner quelques heures parmi ses ouvrières. A quoi pense-t-elle alors ?

— En 1930, elles nous a offert un somptueux déjeuner à l'Hôtel Continental. Tenez, j'ai gardé le menu...

Sous une gravure représentant l'*Odalisque* d'Ingres, je lis : « *Déjeuner offert par la Maison Vionnet à l'occasion de la Sainte-Catherine, le 25 novembre 1930. Menu : Médaillons de Langouste à la Parisienne ; Poulet de grain Chez-Soi ; Salade de Laitue ; Bombe Sainte-Catherine ; Gaufrettes ; Fruits ; Graves de Beautiran ; Château St-Clément 1919 ; Champagne frappé ; Café.* »

Derniers festins d'une époque révolue. En 1936, le Front populaire passe à l'attaque et réclame des lois sociales, dont les congés payés. La lutte entre patrons et ouvriers s'instaure.

— Les patrons se sont sentis menacés et ont cessé d'offrir de grandes fêtes à leurs employés, dit Jeanne Mardon.

— Aviez-vous des opinions politiques ?

— Pensez-vous ! On avait bien trop de travail pour ça, dans la couture... Et puis, en tant que femmes, nous étions mal informées, pas syndiquées, c'étaient les hommes de la maison qui nous poussaient. On faisait ce qu'ils nous disaient de faire !

— Tout de même, vous vous êtes mises en grève, ne serait-ce qu'une fois...

Denise Maillet me raconte :

— Nous étions gênées ! Vous comprenez, chez Vionnet, nous avions déjà tous les avantages réclamés. Quand nos délégués sont entrés chez Madame Vionnet, ils ne savaient pas quoi dire, c'est elle qui a pris la parole : "Je sais, vous avez déjà tous ces avantages. Mais vous avez raison de vous mettre en grève ; les autres ne les ont pas et il faut les soutenir..."

Toute l'ambiguïté de la couture est là : métier de femmes, exercé en majorité presque absolue par des femmes, à la limite, on trouverait normal que sa main-d'œuvre ne soit pas payée ! Coudre n'est-il pas naturel au deuxième sexe ? Les ouvrières le disent elles-mêmes, aujourd'hui encore : « La couture, j'adore ça ! »

Quand le travail est un plaisir, ce n'est plus du travail, pourquoi le payer ? En plus, dans les grandes maisons, ces femmes ont la chance d'apprendre une technique dont elles peuvent se servir si elles se retirent — ce que font beaucoup d'entre elles — pour se marier et avoir des enfants. Elles peuvent alors exercer à domicile, ce qui leur permet d'arrondir sans mal (croit-on !) la paie de leur mari...

En somme, travailler dans la Haute Couture serait tout bénéfice pour l'ouvrière !

Même aujourd'hui, après plus d'un demi-siècle de luttes sociales et féministes, il subsiste encore quelque chose de cet état d'esprit retardataire :

— Pour des ouvrières hautement spécialisées comme le sont mes filles, me dit Janine Ouvrard, le salaire n'est pas très élevé. Vous rendez-vous compte qu'il faut dix ans pour faire une première main ? Autant que pour faire un médecin. Eh bien, elles ne gagnent pas autant, loin de là...

Métier de chiffons, métier de femmes, forcément dévalorisé.

Ma mère non plus, bien qu'elle ait fait partie de la direction, n'a pas fait la fortune que méritait un aussi prodigieux travail de création dans une industrie qui a tant rapporté, directement et indirectement, au pays.

Dans un petit texte réclamant aux autorités une meilleure protection pour la couture, écrit par Madeleine Vionnet elle-même et très joliment imprimé, comme tout ce qui vient d'elle, je découvre quelques phrases révélatrices :

« *Le premier désir de la femme qui a répondu à l'appel lointain de Paris est certes de venir s'y habiller et la reconnaissance qu'elle nous garde d'avoir su mettre en valeur sa beauté, de l'avoir rendue enviée, plus désirable encore, cette reconnaissance sera un puissant germe de sympathie qu'elle sèmera chez elle et que nous aurions tort de négliger — combien de pays n'ont appris à aimer la France qu'à travers l'image de Paris rapportée par leurs femmes... Combien d'étrangers n'ont été mis en présence des richesses de nos industries nationales que parce que leurs femmes ne voulaient s'habiller qu'à Paris !* »

Si elle a beaucoup contribué au développement de son pays, Madeleine Vionnet non plus n'est pas devenue richissime. Bien sûr, elle possédait quelques beaux meubles et des objets qui, parce qu'elle avait su les choisir avec son goût d'artiste, ont pris de la valeur en même temps que son nom grandissait. (D'où le succès de la vente Drouot, dix ans après sa mort.) Du fait de la spéculation immobilière, son minuscule hôtel particulier d'Auteuil a lui aussi acquis de la valeur, et ses lointains héritiers ont pu en profiter. Mais c'est le temps qui a été responsable de cet enrichissement, non ses gains propres.

La plupart des couturiers d'avant-guerre — ceux d'aujourd'hui en ont heureusement tiré la leçon — n'étaient pas majoritaires dans leurs sociétés. Certains, comme l'immense Paul Poiret, sont morts dans une déplorable et injuste misère. Jacques Griffe s'en sort tant bien que mal, mais les autres ?

A la maison, si nous ne manquions de rien, comme on dit, j'entendais prononcer le mot « commanditaire » avec la même terreur que celui d'« huissier du roi » dans la chanson du pauvre Jacques :

> « *Lève-toi, Jacques, lève-toi,*
> *voici venir l'huissier du roi !* »

Maman — qui dans quelque temps va faire faillite — en tremble physiquement, lorsqu'elle met son dernier chapeau de Caroline Reboux, enfile son manteau en velours de laine à la coupe savante, prend son sac de daim à fermeture d'écaille, ses longs gants de chamois, asperge de parfum son minuscule mouchoir roulé en boule, et se rend « chez son banquier ». A l'époque, la banque Worms.

Nous aussi nous tremblons en attendant son retour, et lorsqu'elle commence sa première phrase par « mes pauvres enfants », tout mon sang se fige.

Que puis-je, que pouvait-on ?

Nous ne sommes que des femmes, la guerre a eu lieu, je n'ai pas vingt ans et il nous faut vivre d'un métier de haut luxe qu'il s'agit de continuer d'assurer avec... rien.

Quand les circonstances deviennent contraires, le talent ou le génie ne sont plus rien.

C’est « autre chose »

Ma grand-mère n’en revenait pas, elle qui avait élevé seule et sans aide ses cinq enfants, de se retrouver désormais servie.

Alors elle continuait à faire la cuisine quand elle pouvait s’approcher des fourneaux, à tricoter, broder et remonter les mailles dans les bas de soie de ses filles. Il lui arrivait même de coudre en cachette de Maman qui, lorsqu’elle s’en apercevait, levait les bras au ciel : près de mille ouvrières, et sa mère qui cousait ses propres ourlets !

C’est que ma chère Mémée avait besoin de demeurer dans le labeur et d’utiliser ses mains pour ne pas perdre la tête face à la prodigieuse réussite de sa seconde fille.

Toutefois, ni Madame Vionnet ni ma mère n’étaient des personnages médiatiques. Sortant peu, elles auraient trouvé déplacé de se montrer en public et répondaient rarement aux journalistes qui les interrogeaient sur leur travail. Ce qui comptait, c’étaient leurs robes.

« Venez voir ma collection, je vous attends », disait ma mère lorsqu’elle trouvait quelqu’un de sympathique : elle mettait ses robes en avant comme si elle-même n’existait pas. Jamais elle n’aurait accepté qu’on la considérât à l'égal de ceux qu'elle nommait « les artistes ». Madeleine Vionnet, Chanel repoussaient elles aussi l'appellation, j'en suis témoin.

Aujourd'hui, la Haute Couture prend un tout autre essor. L'une des dernières collections de Saint-Laurent a été dédiée à Braque et à ses oiseaux. (Une autre à Van Gogh, en hommage, mais aussi pour indiquer sa visée.) L'un des modèles, en particulier, a arraché des cris d'admiration à l'assistance : un fourreau drapé et orné d'une découpe en forme de cygne rebrodé de perles et lové sur l'épaule du mannequin. Ce faux cygne, amoureux de sa Léda, retient le vêtement d'un bec pailleté. Effet saisissant : du dos de la jeune femme semble surgir l'aile d'un ange. Cet ange qui sans nul doute habite toute femme, aux yeux du doux et génial Saint-Laurent, et qu'il ose enfin, après des années de couture, matérialiser.

Courrèges, autre très grand rêveur, crée des vête ments spatiaux, extraterrestres par leur coupe et leur matière. Chez Jean-Louis Scherrer, le plus orfèvre de nos couturiers, chaque modèle est ciselé comme un bijou très précieux. En fait, tous nos grands couturiers poussent leur art à l'extrême. Il y a du ferrailleur de génie chez Paco Rabanne, qui travaille fil à fil le métal, tisse le plastique, utilise toutes les matières, naturelles ou synthétiques. Pierre Cardin, lui, confirme à chaque collection sa vocation d'architecte qui se joue des lois de la pesanteur.

Grâce à eux, à chaque saison, les limites de l'impossible reculent : on les croit parvenus au bout, eux-mêmes à bout, et ils continuent d'avancer sur l'étroit chemin de l'infaisable et de l'irréel.

Toutefois, a-t-on remarqué que depuis la mort de Chanel et la retraite de Madame Grès, il n'y a plus un seul couturier femme ? La Haute Couture est entièrement passée aux mains des hommes. Les raisons en sont multiples, mais l'une, à mes yeux, est dominante : la quasi-disparition de la clientèle !

Même après la guerre, une grande quantité de femmes pouvaient encore se commander une ou deux robes par an en Haute Couture. La plupart des Françaises ont renoncé et, on l'a calculé, il reste dans le monde moins de clientes pour la Haute Couture que d'ouvrières...

Or, c'était cet « anneau de clientes », tournoyant autour de chaque maison, qui influençait le couturier et l'obligeait à demeurer dans la vie de tous les jours, elle-même en pleine évolution. Il fallait moins de robes de grand soir, par exemple, et plus de tenues de petit dîner. Si nouvelles qu'on pouvait souhaiter les robes, elles devaient, si on voulait les vendre, demeurer *portables*. C'était encore l'époque où, lorsqu'on disait « avenue Montaigne » à un chauffeur de taxi, il répondait : « Comment est la mode, cette année ? »

Aujourd'hui, il n'y a plus de mode, parce qu'il n'y a plus de clientes.

— Les femmes n'ont plus d'argent, disait déjà Vionnet.

Elle entendait par là : plus de fortunes incommensurables.

Délivrés du regard critique de leurs clientes, les couturiers peuvent s'abandonner en toute liberté à leur inspiration. Leurs œuvres, souvent, s'apparentent plus à une sculpture de Giacometti ou à un compressé de César qu'à un vêtement.

Qu'importe, ou plutôt c'est ce qu'on attend : elles sont là pour le rêve et finiront au musée.

Jusque-là, les couturiers femmes, plus réalistes que les hommes, créaient pour d'autres femmes. Le souci de Chanel, elle l'a assez répété, ou de Madeleine

Vionnet, c'était qu'on pût s'asseoir, marcher et se sentir à l'aise dans leurs modèles. Elles n'avaient pas « une image de femme » en tête, mais de vraies femmes à leurs trousses et sur le dos, qui les taraudaient de leurs remarques, de leurs reproches et de leurs besoins. Il fallait les satisfaire.

Vionnet pensait tellement aux femmes qu'elle a voulu dénuder par le biais les courbes de leur corps.

Issey Miyaké, à la limite, n'a guère besoin d'une femme réelle pour présenter ses créations : des mannequins de fils métalliques les mettent encore mieux en valeur !

La chair s'est perdue. Le rêve l'emporte.

La Haute Couture passe au mythe.

Respectés, encensés, les couturiers cessent d'être des fournisseurs pour accéder au rang d'artistes, et leurs modèles s'en ressentent. Ils ne cherchent plus à s'ajuster aux femmes, c'est à elles de se mettre au service de la robe.

D'où leur préférence pour ces mannequins interminables, hiératiques, aux hanches plates, aux seins inexistants, à qui leur peau colorée achève de donner, une fois revêtues des plus somptueuses toilettes, un air d'idoles.

La présentation d'un grand couturier est devenue une exhibition réglée comme un ballet, dans une ambiance solennelle où la musique suscite un sentiment quasi religieux.

La Haute Couture de mon enfance, créée par des femmes qui faisaient des robes luxueuses mais portables comme on fait de la cuisine de ménage, pour satisfaire l'appétit et non pour le stupéfier, s'est perdue dans les sables de l'industrialisation.

A maintes reprises, on l'avait condamnée : « C'est fini pour la Haute Couture ! » Voilà qu'elle resurgit entre les mains de jeunes hommes inspirés qui la font passer au stade supérieur, celui du mythe. C'est-à-dire de l'inabordable.

Quelle personne de l'assistance oserait dire à un mannequin : « Approchez, Mademoiselle, je veux tâter le tissu de votre robe... » Cela relèverait du sacrilège !

Il y a peu, pourtant, chez Dior, chez Lanvin, chez Balmain, il était fréquent que quelques bonnes clientes, sitôt après la première présentation, demandent à revoir ou à essayer certains modèles, encore chauds d'avoir été portés, et les commandent sur-le-champ. Personne ne s'y opposait.

Aujourd'hui, après une présentation, les femmes — moins nombreuses que les journalistes — se glissent timidement vers la sortie après avoir respectueusement salué le couturier et sans oser s'informer des prix.

Il ne s'agit plus de commerce, mais d'un culte : on célèbre une religion, celle de « la femme » — et les femmes s'effacent.

Cette fois, oui, c'est vraiment « autre chose » !

Aujourd'hui chez Lacroix

Tout de suite après avoir vu la collection à l'hôtel Intercontinental, je rends visite à Janine Ouvrard, première chez Christian Lacroix.

Je l'attends un instant dans son studio, une grande pièce claire attenante à l'atelier, au deuxième étage de la maison Lacroix, faubourg Saint-Honoré, tout au fond de la cour.

Décor classique : un mannequin de toile rembourré ; au mur, différentes petites notes prises à la main, des photos, des croquis, des échantillons épinglés... Un peu partout, des liasses de tissus, des rouleaux posés au sol.

Par la porte constamment ouverte, je peux voir les jeunes ouvrières assises autour d'une vaste table, chacune penchée sur son ouvrage, ses ciseaux près d'elle, tout comme autrefois. De temps à autre, l'une ou l'autre se lève pour aller à la manutention ou au repassage et me dévisage avec simplicité. Qu'est-ce que je fais là, dans le saint des saints ?

J'ai envie de leur dire : je me retrempe !

Soudain, Janine Ouvrard apparaît : « Excusez-moi, j'étais avec un représentant, j'ai un souci, la suite d'un tissu n'est pas conforme... »

Sur ce plan-là, rien n'a varié. Et sur les autres ?

— J'ai vu votre dernière collection et j'ai eu le sentiment que les modèles étaient travaillés exactement comme dans le temps. Est-ce que je me trompe ?

Le cheveu brun, de taille moyenne, le dos très droit, Madame Janine m'écoute mais son regard s'égare souvent du côté de la porte, par laquelle on entrevoit ses « filles » penchées sur leur ouvrage.

Même à distance, la première ne cesse de penser à ce que chacune d'entre elles est en train de mener à bien.

Soudain, elle me fixe, me jauge :

— Venez, je vous emmène voir mes robes, ça me sera plus facile pour vous en parler !

Madame Janine dit « mes » robes, ce qui n'a rien pour surprendre : tout le monde, dans une maison de couture, s'exprime au possessif ! Le couturier, d'abord, qui parle de *ses* modèles, *sa* maison, *ses* clientes, *ses* ouvrières, *sa* collection. « Il faut que je fasse *mon* relevé, dira l'ouvrière, pour rectifier *mon* col. » La dernière des apprenties dit *mon* ourlet. La première, face à la cliente, parle de *son* fil de bâti, de *son* soufflet. « Il faut que j'approfondisse un peu *mon* cran, comme ça j'aurai mieux *mon* ampleur pour *mon* côté. »

Seules les vendeuses se permettent un petit pas de côté, quand ça ne va pas (comme un parent dit « ton » fils, quand l'enfant a fait une bêtise) : « Vous avez vu, Madame Henriette, *votre* ourlet, là, il plonge un peu sur la droite... Et *votre* hanche remonte ! » Mais c'est pour mieux se réapproprier les choses au moment de la livraison : « Et *ma* robe en dentelle pour *ma* cliente, je l'attends, je l'aurai quand ? »

En fait, ce ne sont pas les robes, les modèles, les manches, les ourlets qui sont possédés, mais les femmes qui s'en occupent ! Chacune d'entre elles est la proie de son ouvrage tant qu'elle y est à l'œuvre — et le sera encore des années plus tard !

« Tiens, ce petit tailleur en velours de laine, je l'ai recopié je ne sais pas combien de fois ! me dit Denise Maillet, considérant la photo que je lui tends d'un modèle de Vionnet paru dans un magazine de 1926. Il était tout en biais, et il fallait que je fasse bien attention pour que *ma* couture d'épaule ne tire pas sur *mon* col ! »

Les clientes ont beau payer des fortunes ce qui va devenir « leur » robe, « leur » tailleur, « leur » manteau, ces objets façonnés continuent d'appartenir en esprit à celles qui les ont fabriqués de leurs mains...

Janine Ouvrard et moi quittons l'atelier du flou, son domaine, pour descendre au sous-sol et pénétrer dans la pièce sans fenêtre où sont suspendus à des cintres, eux-mêmes accrochés à des tringles, le long des quatre murs et au centre, les cent trente précieux modèles tout neufs de la dernière collection.

Je dis *neufs*, parce qu'une collection qui a été souvent présentée ou photographiée, qui a voyagé, finit par se défraîchir. A tel point qu'en dépit du coût, on doit parfois reproduire un modèle fragile, devenu imprésentable. D'où cette manie qu'ont eue longtemps les couturiers de solder leurs modèles, en fin de collection, à leurs clientes, mais aussi à des soldeurs professionnels, ne serait-ce que pour ne plus voir leur pauvre mine de soldats de la Grande Armée après la retraite de Russie.

Désormais, les créateurs ont appris à voir un peu plus loin : ils font nettoyer leurs modèles les plus marquants (par de grands teinturiers qui, dans leur métier, se révèlent eux aussi des artistes : Pouyane, Huguenet), et ils les conservent.

Sur notre passage, nous croisons des employés de la maison et, pour chacun, Madame Janine a un mot aimable, quoique son ton indique bien qu'ici, dans cette maison, juste après Monsieur Lacroix, elle exerce la toute-puissance.

Sans décrocher les modèles, elle va m'en montrer l'essentiel, et c'est un grand privilège.

Au cours de cet examen — que je passe autant que je le fais passer —, je m'aperçois, ô joie, que je n'ai pas perdu l'œil : je sais juger et reconnaître le travail...

— Regardez-moi la finition de cette robe d'organza... Ce petit picot, qui termine chaque volant, est fait à la machine...

— Pourquoi pas à la main ?

— Monsieur Lacroix le demande exprès à la machine, parce que, vous voyez, ça fait plus raide, et c'est ce qui donne ce volanté naturel...

A côté, une robe noire que j'avais remarquée au défilé, la jupe entièrement couverte de ce qui apparaît comme des fleurs tressées dans une sorte de lacet...

— Avec quoi est-ce fait ?

— Oh ça, c'est une merveille. Il n'y a plus qu'une dame un peu âgée pour le faire, Madame Pouzieux, elle travaille chez elle. Mais regardez-moi ce travail...

Je m'exclame !

Madame Janine me fait alors remarquer une veste de tailleur du soir, dont la même dame a tissé le tissu à la main, un lainage beige faufilé d'une ganse d'or, la jupe formée de longs cordonnets nattés qui s'écartent au moindre pas, découvrant la jambe.

Puis elle tire hors du rang un duvet d'oiseau blanc-rose et bleu pâle.

— Vous avez vu la jupe en plumes ?

— Je l'ai remarquée à la collection !

— C'est du marabout ! Et le corsage est à même, la manche aussi, tout est incrusté. Vous arrivez à voir la couture ?

Je mets le nez sur une dentelle arachnéenne dont les motifs me semblent continus.

— Où ?

Madame Janine est fière de son effet :

— Regardez mieux ! Les morceaux du corsage, le dos, le devant, le col sont bout à bout, de façon à reconstituer les motifs ; les filles me font ça point par point.

On ne distingue pas les coutures, on ne peut que les supposer.

— Et cette robe-là, me dit la première avec une chaleur et un plaisir qui égalent les miens. Je vous signale qu'il n'y a pas de couture sur le côté, une seule à la taille...

— Comme chez Vionnet !

— C'est exact, tout est en biais. Je l'ai coupée à même, au dernier moment. Vous savez comment ça se passe, il y a des robes qu'on fait d'un coup, dans les derniers jours de la collection...

Tous les couturiers connaissent ces moments-là. A force de travailler sans répit, ils se chauffent jusqu'à entrer, avec leurs assistants, dans un état second : les plus belles robes se créent dans cet ultime moment, comme d'elles-mêmes !

— Monsieur Lacroix ne m'avait donné qu'une silhouette, et ma robe a été réalisée en deux heures de temps : j'ai coupé ici, tac, et puis là, et hop, j'ai mis ça comme ça, c'était fait ! Je n'avais pas de patron, on l'a relevé ensuite... Voyez comme tout s'enroule !

— C'est vraiment de la couture !

— Incopiable !

— Rien de trop, rien de pas assez !

— Ça, on ne peut pas dire que ça soit torturé !

Elle baisse un peu la voix, et, pour la première et unique fois, lance une pointe critique. (La plupart du temps, à entendre parler un couturier, ses concurrents n'existent tout simplement pas, sauf quand vient l'heure des « méchancetés ». Alors là, c'est le meurtre à la tronçonneuse !)

— C'est ce que je reproche à certains, chuchote-t-elle. Chez eux, ou c'est torturé, ou il n'y a rien... Il n'y a pas ce joli milieu !

J'ai à peine le temps de me régaler du terme que déjà Madame Janine m'entraîne :

— Venez par là, j'ai quelque chose à vous montrer.

Cette fois, expérience Vionnet ou pas, je me retrouve... dans le flou ! Je n'arrive à distinguer qu'un gros nœud à la taille, à partir duquel surgit toute la robe — corsage, manches, jupe —, le tout saumon pâle... C'est indicible ! Madame Janine perçoit mon ébahissement et, enchantée, s'enfonce dans la technique :

— Vous avez vu comment on a dissimulé la fermeture Éclair, pour cette robe-là ?

Elle m'indique le corsage à bretelles d'une robe du soir de mousseline blanche, de fins plis religieuse continués chacun par une légère pointe en dents de scie qui avance sous le bras pour cacher complètement la fermeture Éclair.

— Chez Vionnet aussi, on haïssait les fermetures Éclair. Rien que des agrafes, des pressions, ou alors des boutons ! Ils étaient faits par l'atelier.

— Elles avaient une machine pour ça. Maintenant, on les fabrique chez le plisseur ; on appelle ça des boutons-boules. Il y a aussi des boutons-hussard, comme ceux-là, qui sont plus gros... Attendez, je vais vous montrer quelque chose de tout bête !

Je m'attends donc à de l'exceptionnel...

— On voulait une jupe en organza pour accompagner ce petit haut en dentelle, mais ça faisait lourd ; alors on décide de faire un pantalon, mais ça fait pauvre ! Puis on a une idée : on incruste ce rectangle de tissu dans la couture arrière du pantalon, regardez, puis on le fait revenir par-devant ; le coin du haut passe dans une sorte de boutonnière, on drape, et voilà : c'est devenu une jupe-pantalon !... On pourrait vendre l'idée dans les grands magasins, tellement c'est facile à faire, bête comme chou !

— Vous oubliez l'équilibre, la mesure ! La longueur calculée du pan...

Elle sourit, car elle le sait bien, Madame Janine, que son prétendu « tout bête » est hautement savant !

— Vous avez vu ce boléro entièrement brodé de fleurs et frangé de soie ? C'est l'œuvre de la maison Lesage. A mettre au musée !

— N'était sa fraîcheur, on croirait qu'il en vient.

Pas un centimètre de sa surface qui ne soit brodé et rebrodé à l'aiguille. (Je n'ose songer à son prix de revient !)

— Et la robe arlequin... Monsieur Christian l'appelle “notre gitane de luxe”.

Madame Janine prend en main tout le bas de la jupe et me le présente comme un gros bouquet coloré du rouge au jaune et au vert. Je ne connais que Christian Lacroix pour oser et réussir un mariage aussi osé de coloris et d'imprimés contraires.

— Il y a là cent mètres d'ourlet, oui, cent mètres ! Elles ont dû s'y mettre à plusieurs. C'est piqué, coupé, rabattu, ourlé...

Je les imagine, ces femmes en couronne autour de l'immense jupe de la robe-fleur, un essaim de jeunes abeilles au travail...

C'est joli en soi, des ouvrières de la couture à l'œuvre, chez elles ou en atelier. Il s'en dégage une grâce spéciale, comme du tableau de Vermeer intitulé *La Dentellière*.

— Vous trouvez encore des ouvrières hautement qualifiées ?

— Les miennes viennent de chez Patou. Quand Monsieur Lacroix l'a quitté pour ouvrir sa maison et qu'il m'a engagée, Patou a fermé et il m'a demandé de les reprendre. Je les ai vues d'abord, il fallait que nous nous entendions réciproquement. Mes ouvrières sont plus des collaboratrices qu'autre chose, c'est moi qui les fais passer premières mains.

— Sur quels critères ?

— La seconde main travaille avec une personne qui la forme, elle commence par de petites pièces, un corsage, une jupe. Quand elle est capable de faire un modèle entier toute seule, c'est là qu'elle devient première main. Nous avons deux apprenties en ce moment, et je sais, que l'une va partir, l'autre va rester. L'une aime ce qu'elle fait, l'autre moins.

— Ça veut dire quoi, en couture, aimer ce qu'on fait ?

— C'est une affaire de sensibilité, de raffinement... Il faut aimer manier les belles matières et aussi avoir le goût de son travail. La première n'est pas toujours derrière votre dos pour compter vos points, vérifier vos finitions. Il y a du travail qu'on ne voit pas, quand le tissu est rabattu... Eh bien, ces points-là, il faut aimer qu'ils soient parfaits, ne fut-ce que pour soi toute seule...

— On dit qu'il faut dix ans pour faire une première main ?

— C'est vrai ! Et on a encore beaucoup de choses à apprendre. Même moi, je découvre encore des astuces ! Je m'applique à faire des robes sans couture, au millimètre...

— Vous venez d'où, Madame Ouvrard ?

— Cela fait quarante ans que je suis dans la couture...

Je regarde le beau visage frais de cette femme brune : à quel âge a-t-elle donc commencé, dix ans, douze ans ? Elle rit de ma surprise.

— J'ai été chez Fath, Lanvin, Chanel... Je suis entrée chez Balmain l'année où Monsieur Balmain est mort. C'est bénéfique de passer d'une maison à l'autre, on apprend toujours quelque chose. Il n'y a pas que du bon dans une maison, il y a aussi le revers ; et l'intelligence, c'est de prendre le meilleur pour s'en servir plus tard.

— Vous pourriez travailler chez vous ?

— Oui, mais j'aime être à l'intérieur d'une maison. Nous formons une famille.

— Monsieur Lacroix connaît personnellement ses ouvrières ?

— Comment donc ! Il est d'une délicatesse, il leur envoie des fleurs au moment des collections, et il fête la Sainte-Catherine avec nous, en se déguisant... C'est cela qui a changé dans la couture, et c'est bénéfique. Il n'y a plus cette hiérarchie sévère. Elle existait encore chez Dior, il n'y avait que Madame Carré qui avait le droit d'ouvrir la bouche. Déjà, chez Fath, Monsieur Fath connaissait toutes ses ouvrières, il montait dans les ateliers, il les tutoyait...

— C'est mieux pour le travail ?

— Je trouve. Je n'ai aucune difficulté à aborder Monsieur Lacroix. S'il y a quelque chose que je ne sens pas, je vais le trouver : “Monsieur, j'ai un problème ! — Je le savais, Janine, il y a quelque chose qui ne va pas dans ce modèle, il est mal parti, reprenons...” On se lie en profondeur, on a les mêmes joies, les mêmes peines. Au moment de la collection, nous sommes tous illuminés, on s'embrasse, on se serre, on se presse. Tout le monde a la gorge serrée !

— Les ouvrières sont présentes ?

— Bien sûr, elles sont avec nous, elles partagent, elles nous aident, elles habillent. Vous savez, une maison, ça se construit, et nous sommes en train de construire la maison Lacroix, ensemble. Au début, nous étions quarante, maintenant nous sommes quatre-vingts ; il y a deux ateliers : l'atelier flou, que je dirige et qui est le plus important (Monsieur Lacroix préfère le flou), et l'atelier tailleur... La couture ronronnait sagement quand Monsieur Lacroix est arrivé, et cela a fait comme une éclaboussure de peinture vive...

— Et les clientes ?

— Ah, les clientes !

Je la sens sur le point de me dire : la Haute Couture, ce serait bien s'il n'y avait pas les clientes ! Mais Madame Janine a trop d'intelligence et d'expérience pour être aussi simpliste, elle sait que les clientes sont nécessaires, parce qu'elles payent, mais aussi parce qu'elles exigent.

— Il n'y a plus que des femmes excessivement riches pour se payer des robes comme les nôtres, entièrement façonnées à la main... Vous voyez cette couture de côté ? Elle est piquée à la machine sur les modèles, mais, pour les clientes, elle est faite à la main... Eh bien, ces femmes très riches sont forcément gâtées, capricieuses, et il faut en passer par là. Mais il y a encore quelques grandes clientes !

— C'est-à-dire ?

— Des femmes qui connaissent le métier. Madame Guy de R..., par exemple. Voilà une femme qui sait exactement, à chaque saison, ce qu'elle peut se mettre et ce qu'elle ne peut pas se mettre. Il faut la voir essayer : elle juge, elle ne se trompe pas. On sent qu'elle a l'habitude. C'était une amie de Mademoiselle Chanel, il faut des années d'usage de la couture pour en arriver là.

— Alors, c'est comme pour une première main, il faut aussi dix ans d'entraînement pour être une bonne cliente ?

— Peut-être... Cette femme-là, forcément, je la respecte. Et je préfère l'habiller qu'habiller une personne qui vient pour la première fois, qui hésite, n'y connaît rien... En plus, à notre époque, les femmes ne sont pas fidèles. Autrefois, quand on était une cliente de Dior ou de Balenciaga, on n'allait pas ailleurs. Maintenant, elles vont partout.

— Ça les amuse ?

— Les femmes se laissent tenter par une couleur, une forme... Bien s'habiller, autrefois, c'était s'en tenir à un style. Maintenant on aime le changement, la variété, se faire remarquer...

— Vous n'en avez pas assez ?

— De quoi ?

— De la couture ?

— Je suis malade à l'idée qu'il me faudra un jour prendre ma retraite... Monsieur Lacroix est très jeune par rapport à moi, mais, vous savez, dans la couture, on se lie en profondeur.

— Il y a peut-être un côté maternel...

— Automatiquement ! Chaque grand couturier a derrière lui, dans l'ombre, quelqu'un qui le materne un peu... Dior, c'était Madame Carré. Tous ont près d'eux une personne en qui ils ont totalement confiance et qui s'occupe de tout à leur demande. Et puis, ils ont besoin de sentir qu'on les aime, parce que ce sont des gens excessivement sensibles et qu'ils ne peuvent pas vivre sans amour. Les grands artistes ne vivent pas sans amour : amour amical, amour maternel, admiration... Ils en ont besoin tous les jours.

Et, tous les jours, Janine Ouvrard est là.

Christian Lacroix

— Heureusement qu'elles meurent, qu'elles se défraîchissent, se détruisent d'elles-mêmes, sinon il faudrait les tuer !

Celui qui lance cet anathème sur un ton de rage et de fureur qui surprend, de la part d'un être au regard si doux, c'est Christian Lacroix.

Le dernier-né de la Haute Couture s'est installé faubourg Saint-Honoré, en 1986. En juillet dernier, par un torride après-midi, je lui rends visite dans son ravissant petit immeuble du fond de la cour. Le couturier l'a entièrement décoré à ses goûts et couleurs, orange et noir, en s'inspirant de Christian Bérard qui fut le maître costumier, le dessinateur et l'ami des grands couturiers d'après-guerre.

A deux semaines de sa collection, Christian Lacroix accepte de s'interrompre pour que nous parlions — activité pourtant contraire à la création de robes. Nous nous installons sous un arbre, au fond du jardin, tandis qu'on nous apporte des rafraîchissements.

Je me souviens de la phrase de Vionnet : « Chez Balenciaga, chez Grès, comme c'est reposant ! »

Chez Lacroix aussi, on se sent dans un havre de

grâce, signe indéniable qu'il appartient bien à la lignée des grands !

Pourtant, le maître des lieux travaille jour et nuit comme un couturier qui en est au dernier tournant avant l'arrivée, la présentation de sa collection.

Mais je ne soupçonnais pas que son ardeur pût aller jusqu'au meurtre de ce qu'il ne cesse de mettre au monde : les robes !

Ainsi, ses créations de la saison dernière, il en parle comme d'une femme qui l'aurait trahi, il les déteste jusque dans leur chair, il voudrait les piétiner, les déchirer, les cisailler... Mais ça ne sera pas nécessaire :

— Les robes meurent d'elles-mêmes... Avez-vous essayé de remettre vos anciennes robes ?

— Bien sûr !

— Et alors ?

— Je les enfile, me considère dans la glace, et puis, vous avez raison, je les ôte, les jette à terre, les piétine... Elles ne vont plus, elles ne ressemblent plus à rien...

— Elles sont fanées, n'est-ce pas, finies, desséchées, mortes, juste bonnes pour le musée... La vie d'une robe est très courte, mais tellement intense !

— A qui ou à quoi pensez-vous quand vous créez une robe ?

— A une femme !

— La vôtre ? L'un de vos mannequins ?

— A une femme imaginaire dont je porte en moi l'image... J'essaie de la rendre vraie, de la faire vivre. Je crois toujours que je vais y arriver, et puis, bien sûr, je n'y parviens jamais tout à fait. C'est pourquoi, la saison d'après, je recommence...

Homme, il voudrait mettre au monde une nouvelle femme, comme une femme met au monde un enfant ! Il la porte en lui quelques semaines, quelques mois, se dépense sans compter pour lui donner un corps, *du corps*, la présente à un public en transes, déclenche l'admiration et l'approbation du monde entier — mais se déçoit lui-même...

Le fantôme s'évapore, le nargue, court devant lui... Il ne lui reste plus qu'à se remettre dès le lendemain au travail !

Mais il n'est pas découragé : cette fois, il va l'attraper, la retenir, l'incarner enfin, sa « femme idéale », l'extérioriser, cette part féminine de son être d'homme, sa complétude, son unique amour !

Car tout couturier mâle, homosexuel ou non, est à la recherche perpétuelle de « sa » femme — en fait, d'une « image » de femme. Comme ce n'est pas une femme réelle, il doit la créer ! Tout le temps qu'il est au travail, il la chérit, l'idolâtre — puis, une fois qu'il la contemple, devenue réalité, quasiment de chair et d'os, il la tue !

Tous le font, mais aucun ne me l'a dit avec autant de netteté que Christian Lacroix, ce génie créateur de femmes, puis leur meurtrier....

— Pourquoi avez-vous choisi d'entrer dans la couture ?

— J'en avais assez d'entendre dire qu'elle était morte...

— Ne l'est-elle pas un peu ? Pour la clientèle, en tout cas ?

— Ce n'est pas mon avis ! Et contrairement à certains couturiers qui la manient avec précaution, comme une très vieille dame à conserver dans une atmosphère feutrée, moi je la bouscule, je la mets dans la rue... Pour moi, la couture, c'est plus qu'une très jeune femme, c'est la femme à venir !

— Comment la voyez-vous ?

— J'ai en moi une image de femme naissante, c'est

vers elle que je tends de collection en collection, mais je ne peux pas la décrire, car elle change, se magnifie...

— Vous avez commencé par la mettre en costume folklorique. Votre première collection était dédiée à l'Arlésienne...

— Si j'aime tellement les costumes folkloriques — et il y en aura toujours dans mes collections —, c'est qu'ils tiennent compte de la subtilité des ethnies. L'avez-vous remarqué ? Si le vêtement traditionnel varie tellement d'une région l'autre, c'est que partout les femmes ont une particularité, une beauté à mettre en valeur, un défaut à dissimuler... Les unes ont de beaux cheveux, ou alors c'est la taille, la poitrine, le teint ; certaines ont les jambes un peu courtes et la jupe va tomber jusqu'aux chevilles — comme le kimono — pour les dissimuler...

— Quelle est la particularité des Arlésiennes ?

— Le port de tête ! Dans mon pays, les femmes marchent droit, et dans la collection que je leur ai dédiée, j'ai valorisé les épaules, le cou, la nuque...

— Qu'avez-vous cherché à dissimuler ?

— A cause du soleil, les Provençales ont un peu trop d'éclat, c'est pourquoi j'ai choisi des couleurs vives. Elles les supportent et cela donne, par contraste, plus de délicatesse au teint.

— Mais tout le monde ne vient pas d'Arles, et vos robes sont en principe destinées à toutes les femmes ?

— Je ne fais que proposer, ce sont les femmes qui disposent, aménagent. Tous les matins, je l'ai dit, je le répète, des millions de stylistes se réveillent, courent vers leur armoire et se mettent au travail : elles choisissent des couleurs, mélangent des matières, équilibrent une forme, puis descendent dans la rue présenter leur œuvre du jour !

Il se détend, souple comme un fauve, habillé d'un

très simple costume, chemise ouverte et manches abrégées pour laisser jouer le poignet.

— Alors, à quoi servez-vous, si vous n'êtes plus, comme les couturiers d'autrefois, un dictateur ?

— Je suis en avant...

Sensible et très ouverte, sa narine frémit : ce météorologue de la forme flaire l'air du temps ! Celui qu'il va faire régner demain sur Paris...

— Monsieur, votre essayage ! vient lui dire sa première, préoccupée et confuse. Tout le monde vous attend.

— Je sais, dit-il avec tranquillité.

Il me sourit, se lève, et, pour s'excuser d'avoir à me laisser — ses robes commandent —, fait un geste du bras.

Tous les couturiers ont, comme Christian Lacroix, de la grâce. Leur écriture aussi est belle. A tout propos ils tracent des calligrammes sur un invisible tableau noir, l'espace.

Vionnet, la plus grande

Quand cet homme qui se veut hors temps, hors race, pénètre dans le restaurant où nous sommes trois à l'attendre, je remarque d'abord son sourire, sa stature, puis l'impeccabilité de son habillement.

Tout de noir vêtu, jusqu'à sa chemise haut boutonnée et portée sans cravate — manque à la tradition qui nous a causé quelque difficulté pour trouver un restaurant dit de luxe dans Paris, ville qui, peut-être à cause de son lourd passé, demeure sur ce point imperméable à la nouvelle élégance —, Issey Miyaké m'apparaît comme inclassable.

Qui est-il ? D'où vient-il ? Quelle langue parle-t-il ? Surtout, que cherche-t-il ?

A peine assis à côté de moi, il m'enveloppe d'un long et chaleureux sourire.

A partir d'un certain âge, toutes les femmes souffrent d'un complexe : celui de ne plus être regardées. Ma tante, Fernande André-Hesse, l'une des superbes femmes qui enjolivèrent Paris, née avant la Première Guerre et toujours d'une beauté souveraine à quatre-vingts ans, s'en plaint à moi : « Le plus dur, tu vois, dans la rue, les lieux publics, c'est qu'à partir du moment où, à cause de tes cheveux blancs, de ta démarche ralentie, tu affiches un certain âge, eh bien, plus personne ne fait attention à toi ! Tu ne comptes pour rien ! On a même le sentiment que les gens attendent que tu vides rapidement les lieux pour leur laisser toute la place... »

Je proteste : jamais, au contraire, nous n'avons eu autant besoin de ces personnes qui incarnent le passé pour nous aider à affronter l'avenir. Nous aimons profondément nos précieux « vieux », puisque c'est ainsi qu'elle tient à se définir. Ne le sait-elle pas, elle qui rendait encore allègrement visite, l'année dernière, à notre cousine de quatre-vingt-dix-neuf ans, disparue depuis ? « Tu te rends compte, m'avait dit ma tante, enchantée, Geneviève Delepoulle vient de me raconter la jeunesse de ma mère, que je n'ai pas eu le bonheur de connaître ! » Aujourd'hui, la mise en plis impeccable, ses admirables paupières bombées maquillées d'argent, le rouge à lèvres dessiné au pinceau, elle hoche la tête : « Tu peux dire ce que tu veux, en attendant, on me bouscule dans la rue pour me faire descendre du trottoir. D'ailleurs, je n'ose plus sortir qu'aux heures où il n'y a pas trop de monde... »

En fait, je sais parfaitement ce qu'elle veut dire : moi aussi, dès qu'on m'a vue de face — de dos, l'âge est plus difficile à situer —, les hommes me jettent un regard qui, sur-le-champ, tourne à l'indifférence. Mais si ma tante en souffre, moi ça me fait rire...

Car c'est eux, je le sais, qui manquent de jeunesse, pas moi ! Ainsi, lorsque je rencontre ma voisine de quartier (son immeuble jouxte le mien), ma si belle mais plus si jeune amie Nathalie Sarraute, son « cabas à écrire » au bout du bras, je m'aperçois, parfois avant de l'avoir reconnue, que sa silhouette en canadienne, son sourire aigu sous son chapeau de feutre, illuminent dans l'instant rue et carrefour — mais tout le monde ne sait pas assez s'en émerveiller !

Or, voici que Issey Miyaké, cet homme au sommet de la réussite mondiale, cherche à lire en moi, sur moi, quelque chose qui le rend perplexe. Il sait que j'écris, mais il y a là, il le pressent, un élément qui le concerne, lui. A tout hasard, je lance ce qu'on ne lui a peut-être pas dit :

— Je suis la filleule de Madeleine Vionnet. C'est d'ailleurs pour cela que l'on m'a prénommée Madeleine...

Je crois qu'il va exploser :

— Ça n'est pas possible !

— Mais si, pourquoi ?

— Moi, je vous rencontre, vous ! Cela m'arrive, à moi, ce soir ? Mais je ne m'y attendais pas du tout ! Quel bonheur ! C'est inimaginable !

Il me prend la main, me touche. Il n'y a plus que lui et moi à notre table ; les deux autres convives n'ont plus qu'à contempler notre duo !

— Racontez-moi.

— C'est tout simple ! Ma mère est entrée chez Vionnet, qui ouvrait rue de Rivoli, en 1912, puis elle est devenue sa première collaboratrice jusqu'à la fermeture de la maison, en 1939. Depuis toute petite, j'ai assisté à toutes les collections...

— Mais elle, Vionnet, comment était-elle ?

— Vous viendrez chez moi, je vous raconterai, je vous montrerai des photos, des lettres... Les portraits de tous ses modèles, son papier à lettres, les flacons de son parfum...

— Quand ?

C'est seulement maintenant que je m'aperçois à quel point ce Japonais parle bien le français. En fait, depuis le début de notre conversation, nous communiquons dans une langue à nous : celle de la couture.

— Vous savez, me confie-t-il, pour moi, depuis toujours, Vionnet, c'est la plus grande ! La seule ! Quand je crée mes modèles, je pense à elle... J'ai vu la rétrospective organisée à New York il y a quelques années, je ne pouvais m'en détacher, j'y retournais tous les jours... Vionnet a compris ce qu'était le vêtement moderne, ce qu'il devait être par rapport au corps des femmes : il ne doit pas s'en servir, mais se mettre à son service... Au service de son devenir !

Il me regarde encore — un vrai regard de créateur qui recrée ce qu'il contemple, et je sens qu'à travers moi il cherche à la voir, Elle, à comprendre et découvrir son secret.

— Écoutez, me confie-t-il d'une voix plus basse, je suis né à Hiroshima... J'avais sept ans quand les Américains ont lancé la bombe atomique... Tout le monde — mes amis, ma famille — est mort. Sauf moi !

Je n'ignorais pas sa tragédie, mais je savais aussi qu'il n'en parlait que rarement.

Quelque chose de cet homme est « mort » dans l'explosion atomique, mais quelque chose aussi y est né. Sa liberté — fondée sans doute sur une totale méfiance envers une humanité capable de faire « ça ». Et à des enfants.

— A partir de là, poursuit-il, je suis devenu un homme sans frontières... Je n'ai plus vraiment de patrie, je travaille surtout au Japon, mais je me sens partout chez moi.

En fait, il n'est chez lui nulle part sur cette planète — et comme je le comprends !

Est-ce pour cela que le musée d'Art moderne a reconnu Issey Miyaké comme l'un des plus grands de la couture mondiale et l'expose dans cette rue de Rivoli où — coïncidence — a débuté Vionnet ? (J'ai récemment pénétré sous la voûte du petit immeuble situé 222, rue de Rivoli, où s'ouvrit la première maison Vionnet ; l'entrée, de toute évidence, est demeurée comme à l'époque : le porche, l'escalier élégant mais étroit, jusqu'à la statue de bronze représentant une femme à demi-nue qui, une torchère à la main, est là pour éclairer le rez-de-chaussée...)

Vionnet vivait encore lorsque Miyaké est né, et aussi en 1945, quand la bombe atomique l'a fait « exploser », ou plutôt muter, pour devenir un homme du futur. Comment se fait-il qu'un être si moderne se soit donné pour idole une créatrice née avant le siècle ? Une petite dame française un peu boulotte, considérée en son temps, de même que ma mère, comme une artiste, certes, mais avant tout comme un « fournisseur » ?

Il aurait pu se choisir pour modèle Einstein, qui fut à la fois son bourreau et son nouveau « père », ou bien les inventeurs de l'informatique et du premier ordinateur, ou tel autre qui aura conçu la moderne économie japonaise.

Non, c'est Madeleine Vionnet à laquelle, insiste-t-il, il doit tout et tente, le plus qu'il peut, de se rapprocher... En continuant, par exemple, à me tenir la main...

Le lendemain, je suis au musée d'Art moderne, à l'inauguration de l'exposition Issey Miyaké, et c'est le choc. Je reconnais les modèles de Vionnet ! C'est inexplicable, et pourtant c'est l'évidence ! Je me crois revenue dans les salons de l'avenue Montaigne.

Pourtant, les mannequins, ici, sont des sculptures en fils de fer noirs, les modèles ont plus l'air de « toiles » en travail que de vêtements — or tout est là, c'est la même élégance hors classe, hors frontières, hors temps !

Dédaigneuse aussi, et désinvolte.

Je cherche à la définir, à comprendre ce qui m'étreint en me ramenant à ce qui fut mon « œuf », moi dont l'enfance privilégiée n'a pas sauté sous la bombe, mais sur les genoux de la grande Vionnet.

Ces « fils » noirs, dessinant dans l'espace une figure qui suggère et déborde la forme propre du corps humain, sont comme le prototype de l'être d'aujourd'hui. Par des « fils », mais aussi hors « fils », il est désormais relié à tous les vivants, ainsi qu'aux morts... A tous les jeunes de la planète, aux enfants nés ou à naître, comme à ces « vieux » que nous saurons un jour considérer pour ce qu'ils sont : des trésors vivants aussi précieux, sinon plus, que ces « choses mortes », ces objets que nous abritons avec soin et avidité dans nos musées. (Pourtant, notre aveuglement reste tel que si un vieux pharaon sortait de son sarcophage et prenait le métro, on le bousculerait exactement comme on bouscule ma tante !)

Et puis les vêtements d'Issey n'ont rien à voir avec la mode : ils sont l'essence *du* vêtement. Comme l'étaient ceux de Vionnet. Certains évoquent irrésistiblement les premières peaux de bêtes, ou ces matières tissées main dans lesquelles s'enroulaient nos ancêtres les Gaulois...

Quelque chose tressaille dans ma mémoire ancestrale — comme, je le sens, dans celle de tous les assistants. Nous nous sentons ramenés au commencement de cette humanité qui dut tout inventer pour survivre, à commencer par l'idée de vêtement.

Le couturier a placé dans chaque mannequin un appareil diffusant des sons qui tiennent à la fois de la musique atonale et de la plainte... On dirait que les morts de toutes les bombes, la succession de nos ancêtres depuis la nuit des temps se manifestent à nous avec cette douceur émouvante et sans nom, dans un langage immédiatement compris de tous.

Issey a raison : il se situe au-delà des frontières de l'espace et du temps.

Mais qu'il reconnaisse son maître en Madeleine Vionnet, voilà qui m'émeut au plus haut point.

Qu'est-ce donc que l'essence d'une robe ? Pourquoi a-t-elle — après toutes ces années — tant d'importance ?

Pourquoi Paris ?

Dans cette avenue Montaigne vouée aux merveilles, il existait une petite salle à manger privée : un véritable bijou 1930 de forme ovale, qui est encore là, avec ses boiseries et sa belle fenêtre en hauteur ouvrant sur les vieux marronniers. Dans les périodes hors collection, Madeleine Vionnet y invitait non pas ses clientes (sauf quelques actrices, aucune n'aurait accepté), mais des hommes de haut rang. Des banquiers, des financiers, les puissants directeurs ou propriétaires de grands magasins, Monsieur Bader, Monsieur Lillaz, ou alors des hommes politiques en poste, députés, ministres, et jusqu'au Président du Conseil. (Enfant, j'entends parler de Tardieu, Briand, Herriot qui éblouissent ces dames par leurs talents oratoires). Tous venaient déjeuner (en célibataires).

Une histoire, maintes fois contée, est demeurée légendaire. Un jour que le Président du Conseil du moment était là, un financier lui aurait amené ma mère en disant : « Monsieur le Président, je vous présente une jeune femme qui gagne plus que vous. » Étant donné les salaires officiels des hommes au pouvoir, c'était fort possible. Mais que cela nous ait si fort marquées montre quelle différence existait —

presque une opposition — entre le pouvoir masculin, bien affiché, et l'insidieuse toute-puissance féminine.

Chez Madeleine Vionnet, ce rayonnement était à son zénith. Oui, une maison de couture de ce prestige et de cette ampleur était comme un mystérieux réacteur où les femmes qui en avaient déjà et celles qui n'en avaient pas encore venaient régénérer ou asseoir leur puissance. La maison Vionnet était un lieu unique pour rencontrer ces femmes-là.

Toutes les femmes, au demeurant. L'ensemble des classes sociales y étaient sans exception représentées : de l'arpète à la plus huppée des clientes, en passant par les mannequins, les vendeuses, les ouvrières et même les créatrices, on pouvait trouver, 50 avenue Montaigne, une coupe complète de la société féminine de l'époque. Filles d'ouvriers et de cultivateurs, de petits commerçants, anciennes prostituées, comédiennes, stars de cinéma, romancières, poétesses, dames du faubourg Saint-Germain, milliardaires étrangères, courtisanes, femmes du monde, duchesses, reines... Même la reine d'Espagne et la reine d'Italie étaient clientes chez Vionnet. Ces royautés ne se déplaçaient pas : une vendeuse, un mannequin, une ouvrière et des modèles prenaient le train pour une cour princière ou une autre.

Mais *l'odor di femina* n'en était que plus grisante, de savoir l'intimité d'aussi hautes personnalités dénudée entre nos mains. Elle embaumait l'avenue Montaigne, remontait les Champs-Élysées, pour éventuellement rôder du côté de l'Élysée — avant de se répandre jusqu'au bout du monde, en galvanisant la province au passage. En particulier par les magazines féminins dont le tirage atteint, au début du siècle, plus de cent mille exemplaires.

« Quand j'étais encore à Carcassonne, me dit Jacques

Griffe, je passais mon temps plongé dans les magazines de mode que recevait ma mère ou que les clientes lui apportaient pour lui montrer un modèle à recopier... Ce que j'ai pu rêver, adolescent, sur des modèles de Vionnet, de Worth, de Patou... »

Une génération plus tard, Christian Lacroix me redit presque mot pour mot la même chose : « J'avais à peine dix-huit ans que j'étais dans les kiosques, à attendre l'arrivée des magazines de mode en provenance de Paris... J'en tremblais d'avance ! »

La plupart des grands couturiers ne sont pas nés à Paris. Worth vient d'Angleterre, Chanel d'Auvergne, Pierre Cardin de Venise, André Courrèges du Pays Basque, Yves Saint-Laurent d'Oran, Elsa Schiaparelli de Rome, Paco Rabanne d'Espagne, Madeleine Vionnet du Jura, Cristobal Balenciaga d'Espagne, Jeanne Lanvin de Bretagne, Molyneux d'Angleterre, Christian Dior de Normandie, Jacques Fath de Maisons-Laffite, Jacques Griffe de l'Aude.

Mais tous sont « montés » à Paris.

L'expression est à prendre dans son sens le plus pratique, comme l'a si plaisamment exprimé Maggy Rouff (venue d'Autriche) dans sa *Philosophie de l'Élégance* :

> « *Qu'est-ce donc qu'un couturier ? C'est d'abord une machine extrêmement sensible et délicate... Si l'on sait à peu près comment fonctionnent ces machines, on ignore par contre comment elles se fabriquent... On sait seulement que les pièces peuvent venir à la rigueur de l'étranger, mais que le montage ne se fait qu'à Paris ! Même entièrement montées, ces machines ne sont pas exportables. Le mécanisme s'affole, bat la breloque de sorte qu'à l'ouverture du robinet, il sort, au lieu de robes, des*

oripeaux ou rien du tout... Mais avec beaucoup de bruit !... Ces machines sont toujours demeurées, à cause de leur structure même, du mystère de leur fonctionnement, un objet de curiosité... »

Drôle de métier que celui qui consiste à traiter les femmes, toutes les femmes, comme de grandes poupées qu'on habille à sa fantaisie !

Drôle d'attitude de la part de ces femmes, forcément les plus riches du monde, et aussi les plus autoritaires, qu'aller spontanément se soumettre aux caprices d'un couturier.

Mais à condition que cela se passe à Paris.

« *On trouve à Paris tout ce qui se fait de mieux au monde* », écrivit Stéphane Mallarmé dans ses critiques de mode.

Et Madeleine Vionnet :

« *L'incomparable prestige que le monde entier reconnaît à la France, d'où rayonne-t-il ? Paris.*

Paris est le sanctuaire du goût et du raffinement et il n'est guère au monde d'être tant soit peu sensible qui ne souhaite d'en faire le pèlerinage au moins une fois dans sa vie.

Cette mesure dans le goût, ce tact dans le raffinement, ce sens du luxe et de la jolie chose, qui sont l'essence même de Paris, devaient exercer une attention irrésistible, presque magnétique, internationale en tout cas sur "les femmes" qui savent trouver à Paris dans une atmosphère appropriée tout ce qui est nécessaire à l'épanouissement de leur charme et à la perfection de leur luxe.

Paris est pour la "femme" une manière de Paradis terrestre et c'est là une royauté temporelle qu'il ne saurait être question de perdre.

La Couture parisienne est aujourd'hui la seule indus-

trie du monde qui refuse de se déplacer, exigeant de ses clientes qu'elles se rendent, si j'ose dire, à domicile. »

On a dit que ce privilège de notre belle ville était dû à sa lumière. La subtile lumière des bords de la Seine est unique, comme le savent les peintres qui s'y regroupent depuis des siècles. Elle seule permet à l'œil de bien distinguer, par exemple, un noir d'un noir.

Spectacle d'ailleurs familier qu'une vendeuse et sa cliente sortant ensemble sur un trottoir parisien pour comparer des teintes d'étoffes, de vêtements, parfois même de cuirs de chaussures.

Madeleine Vionnet travaillait sous une vaste verrière.

Toutefois, je crois qu'il existe à Paris une autre lumière, encore plus insaisissable et tout aussi peu exportable : celle qui émane de la main-d'œuvre. Une première main coréenne et une première main américaine, aussi appliquées soient-elles, ne vaudront jamais une première main de Paris.

On peut longuement gloser sur le fait, tant les raisons en sont multiples.

Est-ce dû au « secret », transmis chez nous de mère à fille, de génération en génération : celui de coudre ?

Toutes les femmes, qu'elles soient premières ou ouvrières, ont trouvé le moyen de me dire, quand je les ai interrogées : « Ma mère cousait divinement ! » (Comme ma propre grand-mère...)

Coudre ne signifie pas seulement aligner des points parfaits ou couper très rectiligne, mais assembler — on peut dire « chiffonner » — avec goût.

La raison pour laquelle cela se fait à Paris mieux qu'ailleurs tient au « climat », celui des restaurants, des bars, des monuments, du fleuve, des trottoirs... à quoi d'autre ?

Joseph Kessel, feignant de chercher à éclaircir le mystère dans un numéro de *Fémina* daté de 1928, l'épaissit encore :

> « *Ne notez rien !* écrit-il. *Laissez enrouler dans la mémoire le film imprégné par vos regards, un fil composé de fourrures dévorant les visages, de sourires apprêtés sur les lèvres, de brusques éclats de chair au fond de longues automobiles, des souliers de peaux de reptiles venimeux qui glissent dans la fausse lueur d'une porte tournante, et des yeux, d'innombrables yeux à qui le jeu de surimpressions imprévues ajoute un mystère de plus...*
>
> « *La Parisienne de Paris qui est oiseau et flamme et qui peut sans cesser de sourire traverser toute la gamme des robes et des tailleurs, monter dans une auto et s'y asseoir aussi vive, aussi indépendante que dans le métro, celle-là n'est pas une spectatrice ou une passante ! C'est une ouvrière, un rouage de cette rose immense, mécanique et diaprée, aux pétales de cuivre, de verre, d'acajou, de gris de Seine, de gris de pierres usées, de tous les gris du ciel de Paris...*
>
> « *Celle qui se garde, pleure, aime et souffre, non pour elle secrètement ou avec une ostentatoire indifférence, mais avec la passion d'orner le temps qui passe, et de nous enrichir, nous, dans nos soirs sans but, de reflets doux et de nuances profondes...* »

Paris est si beau que les femmes, instinctivement, ont envie d'être à la hauteur de son cadre et même de le surpasser par leur intime élégance.

En s'appuyant sur cet art d'appoint, que devient la critique lorsqu'elle est savante, et où la pratique-t-on mieux qu'à Paris ?

A Paris, chaque femme estime, soupèse, juge, jauge, envie toutes les autres. Quand on circule dans la ville, on se sent examinée à la loupe, transpercée au laser, déshabillée, dédaignée, admirée — par des experts !

Bettina si belle avec l'âge et qui, le temps passant, n'a pas démobilisé de la couture — bien au contraire —, me le confirme : « Je fais un effort, toujours, pour m'habiller quand je sors. Une robe, c'est fait pour séduire, et l'élégance fait partie des armes féminines. Des gens qui ne voient pas la beauté, je crois que ça n'existe pas ! J'en fais tous les jours l'expérience : l'élégance ne soulève pas la haine, au contraire, elle adoucit les mœurs. Il y a toujours quelqu'un pour me sourire, ou un chauffeur de taxi pour me dire : “Il sent bon, ce parfum-là”. Le soin que je prends à composer et raffiner ma tenue fait plaisir aux autres, je le sens ! Même tôt le matin ou tard le soir, dans les transports surchargés, un petit coin de beauté rend pour tout le monde la vie plus légère... Les gens vous en sont reconnaissants. »

A Paris, il y a chez chaque homme et chaque femme un amateur et un connaisseur de la Mode.

Même une femme qui s'en défend et qui vous dit : « Moi je ne m'habille pas », à moins de sortir toute nue, s'habille quand même et avec d'autant plus d'originalité qu'elle croit aller « contre ».

C'est que la ville tout entière est juge en la matière. Et tous les couturiers étrangers finissent par y ouvrir boutique — comme l'Italien Valentino, le Japonais Issey Miyaké, la Japonaise Hanae Mori. Ils sont conscients de ne pas savoir ce qu'ils valent tant qu'ils n'ont pas affronté le creuset parisien.

— J'ai commencé comme ouvrier tailleur dans la

plus grande maison de couture de Toulouse, me raconte Jacques Griffe. De ma vie entière, je n'ai vu des robes aussi bien faites à l'extérieur comme à l'intérieur, ni aussi bien doublées... Les clientes avaient le temps d'être exigeantes et les ouvrières étaient inlassables. Eh bien, rien à faire, il manquait toujours quelque chose, un chic, un petit côté abandonné, une audace... On ne l'a qu'à Paris.

Et puis Paris a un autre atout : l'audace. La férocité sans merci de la création révolutionnaire : « *C'est l'audace,* écrit Jean Cocteau, *qui apparente la Mode à l'artiste !* » Paul Poiret en a eu lucidement le génie : « *Je jetais dans cette bergerie des loups solides : les rouges, les verts, les bleus de roi, les orange, les citron...* »

Pas de grand couturier sans ce magistral désir de choquer, de scandaliser jusqu'à faire mal, comme dans la possession amoureuse. Habiller quelqu'un, c'est s'en rendre maître.

A temps réguliers, on entend dire qu'une grande ville ou une autre va prendre la première place : Londres, New York, Milan, Tokyo... Philosophe, Paris attend, voit venir, considère, soupèse, et la « chose » se perd d'elle-même dans les sables.

Sans doute le regard de Madeleine Vionnet est-il toujours sur nous — comme il était sur moi quand j'étais enfant —, et tout ce qui ne va pas, qui est de trop ou pas assez, tombe de lui-même.

Combien de fois, à la maison, ai-je entendu prononcer, d'un ton sans réplique, la phrase pour moi fatidique : « Va te changer ! »

Madeleine Vionnet, quant à elle, n'avait besoin de rien dire. A son seul regard — si je n'ai fait que l'imaginer, c'est mieux dire encore sa puissance —, de moi-même j'allais me « changer », ôter un ruban, ajouter un peigne, tirer mes bas, prendre des gants...

Or, Paris tout entier est un regard.

Quand Paris vous reconnaît, tout va bien.

S'il vous suit, c'est la gloire.

Liste des créateurs reconnus par la Chambre syndicale de la Haute Couture[1]

Cristobal BALENCIAGA (1895-1972)
Ouverture de la maison : 1937.

Pierre BALMAIN (1914-1982)
Ouverture de la maison : 1945.

Marie-Louise BRUYÈRE
Ouverture de la maison : 1929.

---

1. La Chambre syndicale de la Haute Couture a été fondée en 1868.

Pour avoir droit à l'appellation Haute Couture, les principaux critères sont :

- Employer au minimum vingt personnes à la production dans les propres ateliers de l'entreprise.
- Présenter à Paris chaque saison à la presse (Printemps/Été et Automne/Hiver) une collection d'au moins soixante-quinze modèles.
- Présenter cette collection sur un minimum de trois mannequins vivants.
- Présenter ladite collection à l'intérieur de la Maison dans des lieux spécialement aménagés à cet effet.

Les entreprises doivent présenter chaque année un dossier à la Chambre syndicale qui le transmet tous les ans à une commission siégeant au ministère de l'Industrie pour déterminer la liste des entreprises qui bénéficieront de ce classement, en fonction de la réglementation ci-dessus.

C'est le classement *Couture Création* qui donne droit à l'appellation *Haute Couture.*

Pour l'année 1989, vingt-deux maisons sont classées *Couture Création* et ont droit à l'appellation *Haute Couture* : Carven - Chanel - Christian Dior - Christian Lacroix - Emmanuel Ungaro - Givenchy - Grès - Guy Laroche - Hanae Mori - Jean-Louis Scherrer - Lanvin - Lecanoet-Hemant - Louis Féraud - Nina Ricci - Paco Rabanne - Per Spook - Philippe Venet - Pierre Balmain - Pierre Cardin - Ted Lapidus - Torrente - Yves Saint-Laurent.

CALLOT Sœurs
Ouverture de la maison : 1895
Fermeture : 1937.

Pierre CARDIN (né en 1922)
Ouverture de la maison : 1957.

Mad CARPENTIER
Ouverture de la maison : 1939
Fermeture : 1957.

CARVEN
(Madame Carmen Mallet)
Ouverture de la maison : 1944.

Gabrielle CHANEL (1883-1971)
Ouverture de la maison : 1914
Actuel créateur : Karl LAGERFELD.

Marcelle CHAUMONT (née en 1871)
Ouverture de la maison : 1940
Fermeture : 1951.

André COURRÈGES (né en 1923)
Ouverture de la maison : 1961.

Charles CREED (1909-1966)
Rejoint la maison en 1930.

Jean DESSES (1904-1970)
Ouverture de la maison : 1937
Fermeture : 1965.

Christian DIOR (1905-1957)
Ouverture de la maison : 1947
Créateur actuel : Marc BOHAN.

Jacques DOUCET (1853-1929)
Ouverture de la maison : 1870
Rejoint Dœuillet en 1928.

Agnès DRECOLL
Ouverture : 1905
Fermeture : 1929.

Jacques FATH (1912-1954)
Ouverture de la maison : 1937
Fermeture : 1957.

Louis FÉRAUD (né en 1920)
Ouverture de la maison : 1960.

Hubert de GIVENCHY (né en 1927)
Ouverture de la maison : 1952.

Alix GRÈS (née en 1900)
Ouverture de la maison Alix en 1934,
qui devient Grès par la suite.

Jacques GRIFFE (né en 1917)
Ouverture de la maison : 1943
Fermeture : 1974.

Nicole GROULT (1893-1967)
Ouverture de la maison : 1920
Fermeture : 1960.

Hanae MORI (née en 1926)
Ouverture de la maison à Paris : 1977.

Jacques HEIM (1899-1967)
Ouverture de la maison : 1923.

JENNY (Jenny Sacerdote)
Ouverture de la maison en 1911
Fermeture : 1938.

Christian LACROIX (né en 1951)
Ouverture de la maison : 1987.

Jeanne LANVIN (1867-1946)
Ouverture de la maison : 1890
Actuel créateur : Jules François CRAHAY.

Guy LAROCHE (1923-1989)
Ouverture de la maison : 1957.

Didier LECONAET-HEMANT (né en 1955)
Ouverture de la maison : 1980.

Lucien LELONG (1889-1958)
Ouverture de la maison : 1919.

MAINBOCHER (1891-1976)
Ouverture : 1930
Fermeture : 1939 (New York : 1971).

Lucile MANGUIN
Ouverture de la maison : 1928
Fermeture : 1960.

Charles MONTAIGNE

Edward MOLYNEUX (1891-1974)
Ouverture de la maison : 1919
Fermeture : 1950.

Nina RICCI (1883-1970)
Ouverture de la maison : 1932.

PAQUIN, Mme (1869-1936)
Ouverture de la maison : 1891
Fermeture : 1956.

Jean PATOU (1887-1936)
Ouverture de la maison : 1919
Fermeture : 1986.

PER SPOOK (né en 1939)
Ouverture de la maison : 1978.

Robert PIGUET (1901-1953)
Ouverture de la maison : 1933
Fermeture : 1951.

Paul POIRET (1880-1944)
Ouverture de la maison : 1904
Fermeture : 1924.

Paco RABANNE (né en 1935)
Ouverture de la maison : 1966.

Madeleine de RAUCH
Ouverture de la maison : 1928
Fermeture : 1973.

Marcel ROCHAS (1902-1955)
Ouverture de la maison : 1925.

Maggy ROUFF (1897-1971)
(Madame Besançon de Wagner)
Ouverture de la maison : 1929
Fermeture : 1948.

Yves SAINT LAURENT (né en 1936)
Ouverture de la maison en 1962.

Jean-Louis SCHERRER (né en 1936)
Ouverture de la maison : 1962.

Elsa SCHIAPARELLI (1890-1973)
Ouverture de la maison : 1929
Fermeture en 1954.

TED LAPIDUS (né en 1929)
Ouverture de la maison : 1949.

TORRENTE (né en 1946)
Ouverture de la maison : 1969.

Emmanuel UNGARO (né en 1933)
Ouverture : 1965.

VALENTINO (né en 1932)
Ouverture de la maison à Rome : 1959.

Philippe VENET (né en 1929)
Ouverture de la maison : 1962.

Madeleine VIONNET (1876-1975)
Ouverture de la maison : 1912
Fermeture : 1939.

Charles-Frederick WORTH (1826-1895)
Ouverture de la maison : 1858
Fermeture : 1954.

Modistes

Agnès
Blanche et Simone
Caroline Reboux
Chanel
Claude Saint-Cyr
Georgette
Gilbert Orcel
Jean Barthet
Jeanne Blanchot
Legroux sœurs
Lemonnier
Mado
Marie Mercier
Marthe Groult
Maud et Nano
Paulette
Philippe Model
Rose Descat
Rose Valots
Schiaparelli
Suzy
Talbot

Table

Composition réalisée par C.M.L., Montrouge
Achevé d'imprimer en avril 1989
sur presse CAMERON
dans les ateliers de la S.E.P.C.
à Saint-Amand-Montrond (Cher)
pour le compte de la librairie Arthème Fayard
75, rue des Saints-Pères — 75006 Paris

Dépôt légal : avril 1989.
N° d'Édition : 2620. N° d'Impression : 801.

35.57.8031.01

ISBN 2.213.02259.3

Imprimé en France

35-8031-3